初心にかえる入門書

年齢や経験で何事も
面倒になった人へ

トム・ヴァンダービ
Tom Vanderbilt
井上 大剛 訳

Beginners

The Joy and Transformative Power of Lifelong Learning

BEGINNERS
by Tom Vanderbilt

Japanese translation published by arrangement with
Tom Vanderbilt c/o The Zoe Pagnamenta Agency
through The English Agency (Japan) Ltd.

ピアノを再開し、粘り強く練習を続けてくれた父へ

あなたは初心者にならなければならない。

――ライナー・マリア・リルケ

目次

CONTENTS

プロローグ
序盤戦の定跡
PROLOGUE : THE OPENING GAMBIT

とある日曜日の朝。ニューヨークにある、人でいっぱいの一室で、私はチェス盤の前に腰をおろした。胸は高鳴り、胃はせり上がっている。

決まりどおり対戦相手と握手をするが、名前を名乗る以外に言葉をかわすことはない。お互いのフルネームをメモ帳にしっかりと書き込む。私が時計にそれぞれ25分の持ち時間をセットするあいだ、相手は駒をひとつひとつ丁寧に、マス目の真ん中に並べていく。

あえて気だるい表情で、私も淡々と同じことをした。わずかでも有利になるとでも言わんばかりに、相手よりもさらにきっちりとマスの真ん中を狙って並べていく（だが、ビショップとナイトの位置を取り違えてあせったことで、このもくろみはもろくも崩れた）。そして、大会の進行役による開始の合図を待つあいだ、会場は期待に満ちた静寂に包まれる。

席に座ったまま、相手の様子を観察すると、指にはさんだ鉛筆をもてあそびながら、隣のテーブルをぼんやりと見ている。私はそれが冷たい哀れみの視線に見えることを期待しつつ、彼をじっと見据える。椅子の背もたれに体を預け、なるべく強烈な脅しをかけてやろうとした。以前『ニューヨーク・タイムズ』でチェスのコラムを書いていたディラン・ローブ・マクレーンが、1995年に当時のチェスの世界チャンピオンだったガルリ・カスパロフとエキシビションマッチで対戦したときに感じたというオーラを醸し出そうと思ったのだ。

マクレーンは「あのときカスパロフは、ただぼくを打ち負かそうしてたわけじゃなかったと思う」と言っていた。「盤ごしに手を伸ばして絞め殺そうとしている、そう思った」。怒ったクマのように前かがみになり、「信じられないほど凶暴なオーラ」を発しているカスパロフを前に、勝ち目があるどころか、わずかに有利なポジションをとることすらさせてもらえないとマクレーンは直感したそうだ。さらに、カスパロフは「個人的かつ、大きないらだち」に突き動かされているかのようだったという。

しかしこれはチェスの世界ではよくあることだ。かの気まぐれな世界チャンピオン、ボビー・フィッシャーもかつて、「私は人間の自我を壊す瞬間が好きだ」と語ったことがある。

私はもう一度対戦相手を見据えた。はたして、この巧みな戦術と無慈悲な眼光による威圧は、相手の自我の核をじょじょに打ち崩しているだろうか?

するとそのとき、チョコレート・ミルクの小さなパックを持った女性が対戦相手のそばに駆け寄った。そして彼の頭にキスをして「グッドラック」と言い、こちらにも思慮深い感じの笑みを投げかける。私の対戦相手であるライアンは8歳だ。そして、彼はときおり鼻をすすりつつ、見事なまでに冷静に30手で私を退けた。負けを認めて相手を称える言葉を述べ、大会の進行役に結果を伝えにいくと、自我に傷ひとつ負わなかったライアンが、廊下で母親に誇らしげに勝利を報告しているところだった。

いまライアンと私が参加しているのは、ニューヨークのマーシャル・チェスクラブで日曜の朝に開催される「レイテッド・ビギナーオープン」という大会だ。グリニッジ・ヴィレッジでももっとも美しい一画にある歴史的住宅群の数フロアを占めるこのマーシャルは、愛すべき過去の遺物であり、数多くのチェスチームや大学生たちをはじめとするプレイヤーがアメリカ各地で戦い、その活躍が新聞のスポーツ欄をにぎわせていた時代の象徴でもある。

そのマーシャルが現在でも、この国でもっとも地価の高いこの場所に建っている裏には、ディケンズ顔負けの思いもよらないいきさつがある。

大恐慌の真っ最中だった１９３１年に、チェスを愛する大富豪の後援者たちが、クラブの代表であるフランク・マーシャルに代わってこの建物を購入した。チェスのグランドマスターでアメリカチャンピオンでもあったフランク・マーシャルは、かつてはアトランティックシティの海辺で大きなチェス場を経営しており、ときおり通行人と金を賭けて勝負することもあったという人物だ。自身の名を冠したチェスクラブを率いて、キーンズ・ステーキハウスからチェルシーホテルまで、マンハッタンを代表する場所を転々としてきた彼が、ついに手に入れた終《つい》の住《す》み処《か》がここだった。

ただ、いまではこの場所も往年の輝きに陰りが見えつつあり、ジャケット姿でコーヒーや紅茶を出してくれるウエイターはもういない。それでもマーシャルでチェスをしていると、まるで自分がチェスの殿堂入りを果たしたような気分になってくる。有名なグランドマスターたちの胸像や、古いチームチャンピオンたちの写真、さらに2016年に現世界チャンピオンのマグナス・カールセンがセルゲイ・カヤキンを相手に手に汗握る防衛戦を戦ったテーブルなど、まさにチェスの歴史そのものに包み込まれるのだ。

だが、マーシャルは博物館ではない。大きな大会を開催中の週末に足を踏み入れると、ここはまるで人力のデータセンターのようだ。何列も並んだプロセッサーが、黙々と計算をこなし、さかんにコツコツと音をたてながら熱を発し、緊張による汗のにおいがつねに充満する。

日曜日のビギナー大会は、レーティングが1200以下からレーティングなしのプレイヤーのみが参加する、わずかにしかポイントが動かない大会だ。ちなみに、ほとんどのグランドマスターのレーティングは2500を超えているが、私は初心者をあらわす100だ。

この日の出だしは上々だった。1回戦の対戦相手である、白髪で学者のように物静かな雰囲気のジョンに対し、私は序盤、チェスの駒の「マテリアル〔各駒に割り振られた点数の合計〕」で後れをとっていた。ゲームが進むにつれ、ジョンはさらにその優位を広げようとするが、応戦を続けながら、彼の勝ち筋を潰す画期的な手を見つけ、指していく。そのたびに小さく疲れたようなため息をする彼を見て、苦しんでいるなと思い、力がわいてくる。

終盤、こちらのキングがほぼ包囲されかけた頃、私は起死回生のチェックメイトをするチャンスを見つける。彼がこれに気づかないことを祈った。チェスには「勝者とはつねに最後から二番目にミスをする者である」という古い格言がある。そして目の前の対戦相手は、守るべきタイミングで攻めの一手を出し、こちらを詰めるべくポーンを動かしてきた。そこで私がルークを滑らせて、相手のキングを「Aファイル（チェス盤の1列目）」に閉じ込めると、状況を悟った彼の顔にゆっくりと苦い表情が広がった。

次の対戦相手のエリックは、従軍先のアフガニスタンで休憩時間によくオンラインでチェスをしているという、休暇中の軍人だった。帰国時にニューヨークを通ることを知っていたので、そのついでにチェスの聖地であるマーシャル巡礼を決めたという。丸刈りの頭に、長い従軍経験のせいかうつろな目をしたエリックは、俳優のウディ・ハレルソンにすこし似ていた。この1局は激しい接戦になったが、彼のビショップがこちらのルークの片方を「ピン（動かせないように釘付けにすること）」したところで勝負はついた。私が負けを認めると、彼は表情を緩め、そのレーティングにしてはかなりやるじゃないか、と初めて口を開いた。

この朝には、アメリカ陸軍のレンジャーから、AARP（世界最大の高齢者団体）の会員、そして落ち着きのない子どもまで多様なメンバーが集まっていたが、これはマーシャルの初心者大会にはよくあることだった。おそらくメンバー間の年齢差は60にもおよんだだろう。だが、チェスという観点から見れば、みな初心者だ。

チェスのレーティングシステムは非常に公平で、年齢をはじめとする個人の違いはほとんど影響しない。そのためチェスは、子どもが大人と同等、あるいはそれを凌ぐ技量を身につけられる数少ない世界の1つであり、12歳の子どもが無邪気にもあなたの生皮を剥いでしまうこともある。

そして、この日曜日の大会で私がとくに注目していた子どもが一人いる。私の娘だ。この日、私たちが直接戦うことはなかったが――いずれその日は来るかもしれない――、その明暗は大きく分かれた。娘はトップに近い成績を収めて84ドルの小切手を手にすると、その街区の角にあるおもちゃ屋で、そのお金をすぐにビーニーベイビーズのぬいぐるみと光り輝くスライムにつぎ込んだ。

一方、私はその日の夜、おばあちゃんに電話をした娘がうれしそうに「パパは40位くらいだったよ」と報告するのを聞いていた。ちなみに51人中だ。

そもそも、私はどうしてこんなことをはじめたのだろうか?

*

数年前のある日、私は海辺の町の小さな図書館で、当時もうすぐ4歳になるところだった娘を相手に、チェッカーにのめり込んでいた。すると娘の視線が、近くのテーブルに置いてあった、チェッカーよりもはるかに面白い形の駒が並ぶ、白と黒の盤に引きつけられた(将来のチェスマスターのなかにも、最初は何の気なしに〝馬〟や〝城〟の形をした駒に興味を持ったという人が多い)。「あれは何?」と尋ねる娘に「チェスだよ」と答えると、「やってもいい?」と聞かれたので、私は深く考えずにうなずいた。

だが問題がひとつあった。やり方を知らないのだ。子どものときに駒の動かし方を一通り習った覚えはあるが、頭に残らなかった。漠然とではあるが、このことはずっと心残りで、ホテルのロビーに置いてあるチェス盤や、週末の新聞の付録であるチェス・プロブレム(詰め将棋のチェス版)を見るたびに胸が疼《うず》いた。

チェスに関する一般的な知識はあった。フィッシャーやカスパロフという名前には覚えがあったし、マルセル・デュシャンやウラジーミル・ナボコフのような歴史上の人物がチェスに夢中になったのも知っていた。グランドマスターともなれば、10手以上先を読むという話も聞いたことがあった。また、映画のなかでは、チェスがクラシック音楽などと同じく、天才の――それも悪魔的な天才の代名詞として使われることも知っていた。しかし私がチェスを〝知っている〟というのは、あくまで外国語を知っているのと同じ意味においてだ。どのような文字を使うのか、どんな感じの発音なのか。要は、〝その言語っぽい感じ〟はわかっても、実際には理解していないということだ。

そこで私はチェスを勉強をすることにした。あくまで目的は娘に教えられるようになること。駒の動かし方を覚えるのはとても簡単だった。それに、子どもの友達のバースデーパーティーの最中や、トレーダー・ジョーズ（アメリカのスーパーマーケットチェーン）でレジの順番待ちをしているあいだにスマートフォンを覗き込み、数時間ほどで基本的な動きの感覚もつかめた。そのあと、悪手を連発するようプログラムされている一番弱いボットを相手に対局をやってみると、ときには勝つこともあった。ただ、私の指し方に大局的な戦略がほとんどないのが、すぐにあきらかとなった。

自分がよく理解しないまま、娘に教えるのはいやだった。だが、どうやって学べばいいのだろう？　チェスに関する本はおそろしい数が出ている。たしかに『チェス・フォー・ダミーズ』という定番書はある。だがそのほかにもチェスに関する文献は膨大で、さらにそこではまるで数式のようなチェス独特の表記法が多用されており、それを読めるようにすること自体、ある種の言語を新しく学ぶようなものだった。

しかもそうした書籍はあまりにも個別具体的だった。たとえば、『コンプリートガイド・トゥ・

プレイング・3 Nc3・アゲンスト・フレンチディフェンス』という本がある。そう。まるまる1冊をかけて、ある1手を指すための配置を解説しているのだ――しかも、その1手は1世紀以上にわたって使われてきた定跡であることも指摘しておかねばなるまい。つまり、百年にもわたってその手を指してきたうえに、すでにこれだけ多くの書籍が出ているというのに、まだその手について語るべきことが288ページ分もあったことになる。

チェスの序盤、たった3手指しただけで、そのあとには、全宇宙に存在する原子の数を超えるパターンの手筋が広がるという話は広く知られている。そして、この指数関数的な複雑さを持つゲームを、好きな番組は「おさるのジョージ」という人間を相手に、簡単に説明するという難題を前に、私自身、宇宙に放り出されたかのように途方に暮れた。

そこで私は、現代の自尊心の強い親なら誰もがやっている方法をとった。コーチを雇ったのだ。ただし、娘だけでなく、自分も一緒に教えてもらうつもりで。

インターネットで検索して、ポーランドからの移民で、現在ブルックリン在住のサイモン・ルドウスキを見つけた。古風な雰囲気と愛のある厳しさを持ち合わせた彼は、この仕事にふさわしい威厳を備えていると私は思った。サイモンは、チェスをプレイするときには、まるでオペラのように優雅かつ力強く駒を動かす。そして、ベジタリアンでやせ形で警戒心が強く、BGMとしてクラシック音楽をかける以外は、なるべく静かな環境を望んだ。サイモンを家に招き、初めてのレッスンを受けている途中、妻は紅茶と焼きたての菓子で彼をもてなした。

ただ、最初はたまのおもてなしであったはずのこの行為は、すぐに定着してエスカレートし、最後には滑稽な儀式と化した。レッスンの日の朝になると、妻は決まって「サイモンのためにお菓子を焼かなきゃ」と言うようになった（市販のクッキーでは、きっとちょっとがっかりした様子で、すこしかじるだけだろう、と）。クラシック音楽に紅茶、チェス盤が醸し出す優雅な雰囲気は、チェスの講義による興奮と相まって、我が家を、ある種の熱を帯びたウィーンのカフェサロンのように変えてしまった（と私は思いたかった）。

*

当時はほとんど気づかなかったが、娘と私はじつのところ、サンプルサイズが2の認知実験をはじめていたのだ。つまり、私たちは新しい技術を学ぼうとしている二人の初心者だった。

二人とも出発点は同じだが、歳は40以上離れている。幼い娘にとって、これまで私は、言葉の意味や自転車の乗り方を知っているエキスパートだった。だが面白いことに、いまはすくなくとも理論上は対等の立場にある。さて、どちらが早く上達するのだろう？　学び方は同じなのだろうか？　それぞれの強みと弱みは何か？　最後にはどちらが勝つのか？

ほどなくして私はレッスンに出なくなった。ひとつには先生とのあいだに私がはさまると、娘の気が散るようだったからだ。また、すくなくとも最初の段階では、娘の理解は私よりもだいぶ遅いということもあった。娘が駒でいっぱいの盤面を前に良い手を見つけるのに苦労しているときに、サイモンと私がそっと目配せをすることがたびたびあったのである。

そうして裏方にまわった私は、たびたびオンラインで指したり、ユーチューブで大会の試合を見て手筋の分析を試みたり、『ベント・ラーセンズ・ベスト・ゲームス』などの本をめくってみたりした。そして、それぞれの方法で戦いの準備をした娘と私は、キッチンのテーブルでチェス盤を前に向かいあった。

はじめの頃は私のほうが上手かったように思う。理由はたんにこっちのほうが真剣だったからだろう。集中力があったし、チェス以外のゲームでは数十年の経験があり、大人としてのプライドもあった。一方、娘は、指している途中で気が逸れることがたびたびあり、私はご機嫌をとろうとして、娘が気づくことを祈りつつ、あえてひどい手を指したりもした。チェス界全体で見れば、私は取るに足りない指し手であり、しょうもないミスを連発する初心者だったが、すくなくとも我が家では、賢者であり慈悲深い長老のような感じだった。

だが、週を追うごとに娘は腕をあげていった。チェス・プロブレムに隠された仕掛けを静かに解説してくれたり、私が勝ちを確信していたオンラインの対局が、じつは引き分けに終わる可能性が高いことを教えてくれたりした。娘は私の知らない戦略やコツを身につけていたのだ。そして大会にも出るようになった。地元の図書館の地下室で開かれる小さなものからはじまり、ついには市全体の大きな大会にも出場した。多くのトロフィーを獲得し、同年代の女子チェスプレイヤーとして国内ではトップ100のかなり上位につけた。私は娘を負かすのに急に苦労するようになり、ときには勝てない場合も出てきた。

いまになって振り返ってみると、これにはあきらかな理由がひとつあった。私がオンラインでの対局を繰り返し、勝ちは自分の才能のおかげ、負けは運が悪かっただけという気持ちで、もっぱら経験を積むことで強くなろうとしていたのに対し、娘は序盤の定跡や、終盤の詰めの戦略をサイモンにたたき込まれていたのだ。ゲームに負けると、娘はその理由を細かく分析しなければならない。じつのところ、これには実際の対局よりも時間がかかるほどだった。

つまり、いまではよく知られている——しかし、しばしば誤解されがちな——「1万時間の法則」の理論的基礎をつくった、心理学者のアンダース・エリクソンの言う「限界的練習」を、娘はこなしていたのだ。

一方、私がやったのは、具体的な目標もなしに、ただ数をこなすことで上手くなろうという、いわゆる「無分別な繰り返し」だった。これはある意味、イギリスのディープマインド社製の有名な人工知能である「アルファゼロ」と同じようなアプローチだったと言える。基本的なルールをインプットしただけのアルファゼロは、あとは4400万回の自己対局を繰り返してチェスをマスターした。*つまり、徹頭徹尾それだけの学習法で、コーチの助けも借りることなく、世界でもっとも恐るべき指し手となったのだ。

だが私にはそれだけの時間もなければ、頭脳もない。エリクソンは著書のなかで、「もしチェスで上達したいなら、対局に時間を使うよりも、一人でグランドマスターの棋譜を研究すべきだ」と述べている。だが普段慌ただしい生活をおくっている私には、地下鉄に乗っているあいだに5分間のブリッツ〔早指し〕をするほうが楽だったのだ。

* エリクソンの定式にしたがえば、チェスの1局あたり平均90分と仮定して、これだけの経験を積むのに、人間なら6600万時間かかることになる。

いずれにしても、私のおもな関心は娘に移っていった。伸ばすべき才能があったし、トロフィーも取りつづけている。自分よりも娘の上達が優先だ。私は典型的な〝チェス・パパ〟と化し、5、6時間はかかる子ども大会にも付き添うようになった。

ただその時間は、飛行機の遅れによって、一流とはいえない空港に閉じ込められたのにすこし似ていた。暇をつぶすのにちょうどいい場所を探そうとするが、結局は持ち込んだ電子機器の電池切れをさけるために、校舎の窓もない下のほうの階で、やたらとワックスのかかった床の上でゴミと一緒に、コンセントのまわりに引き寄せられることになる。出場する子どもの両親がやっている売店で買ったゴールドフィッシュ・クラッカーをつまみつつ、よどんだ空気を吸う。仕事をしようにも、そわそわしてまったく手につかない。

娘が対局を終えて戻ってくるのを待つあいだ、結果が気になる私は、数分ごとにホールに目を走らせる。当時は、ひと目で娘の勝敗を見分けられるほど感覚が研ぎ澄まされていた。スキップしながら笑顔で走り寄ってくることもあれば、肩を落として足を引きずるように、ときに涙しながら戻ってくることもあり、その姿にはいつも心を揺さぶられた。

泣いて戻ってきたときには、なぜ私は娘を――そして正直に言えば自分自身をも――こんな目にあわせているのだろうと思うこともあった。最初はたんに楽しくてはじめたはずだったのが、いつのまにか本気になっている。だが、いったい何のために？　チェスの強さが知性とイコールであり、学業での成功につながるという通説を、私はなかば信じかけていたが、それでも冷静に見て、決定的な証拠がないのもわかっていた。そうした問題を扱った研究は概して小規模で、対象となったチエスプレイヤーは自分が被験者であることを十分に自覚していてモチベーションが高い場合が多く、そもそもチェスの関連団体がみずからおこなっていることもしばしばだった。それに、「因果の方向性」という大問題もある。要は、チェスをするから子どもが賢くなるのか、賢い子どもがチェスをしたがるのか、どちらかわからないのだ。ただ、もしチェスと知性が強く結びついているのであれば、チェスを頻繁にする人は、あまりやらない人やまったくやらない人よりも賢い傾向があるという推測は成り立つかもしれない。しかし繰り返しになるが、これには確たる証拠はない。

それでも私はチェスには目に見えるメリットがあると、自分を納得させようとした。ある教育者が言ったように、チェスは「頭の使い方を教える方法」であり、集中、問題解決、記憶、応用といった能力を、娘が学校で苦労して身につけるかわりに、ゲームを通じて養えると思ったのだ。

娘の涙を誘うような敗戦についても、チェスの大会はたしかに激しいものだが、結果自体にはさほど意味はなく、のちの人生で訪れるより大きな挑戦のよいリハーサルになるのではないかと考えた。それに、結果についても、じつを言えばそれほど無意味ではなかったかもしれない。私の感覚では、娘は4回中3回は、男の子と対戦していた。改善の努力はされているとはいえ、チェスの世界ではいまだ男性優位の風潮が残っている。ただ、概して男性プレイヤーのレーティングが高くなりがちなのは、たんに、男のほうが数が圧倒的に多いことを原因とした、統計上の不具合であるとも言われている。

だが、話はそれだけでは終わらない。チェスの子ども大会を対象にしたある研究によると、女の子は、男の子と対戦したときにパフォーマンスが下がるようだ。しかも、「女の子が男の子に負ける確率は、もともとのレーティングの違いでは説明がつかないほど高い」という。そして研究者たちの仮説は、その理由が「ステレオタイプ脅威」にあるというものだった。つまり女子のプレイヤーは、たんに男子の対戦相手とだけでなく、自分は男子ほど上手くないという思い込みとも戦っていたわけだ。さらに、ある年にレーティング相応の活躍をできなかった女子は、その翌年には大会への出場が減るという事実もある。これは男子には見られない傾向だ。

それでも、人生にこうした悪循環はよくあることだ。そう考えた私は、真っ正面からぶつかってみることにした。そしてチェス・パパである私にとって、間違いなくもっとも誇らしい瞬間が訪れた。ある大きな大会で、揃いの紫のTシャツを着た強豪校、ハンター大学付属小学校チェスクラブの男子生徒の一人が仲間に向かって、「ピンクのうさぎのシャツを着た女の子に気をつけろ」と言ったのを耳にしたのだ。

*

娘が子ども大会に出場しはじめたばかりの頃、私はよく他の子の親御さんとおしゃべりをしていた。その際、「ご自身でもチェスをされますか」と尋ねることもあったが、彼らはたいてい肩をすくめて苦笑いをするだけだった。

私が自分でもチェスを学んでいることを打ち明けると、「ぜひ頑張ってください！」と明るく励まされる。「このゲームが子どもにそれほどいいというなら、なぜ大人は見向きもしないのか？」と思ったものだ。アングリーバード〔人気のアクションゲーム〕をプレイしている親を見ると、肩を叩いてこう言いたくなった。「子どもにはチェスをさせておいてあなたは何をしているんだ？　これは15世紀から記録が残っている〝王のゲーム〟なんだぞ！」と。

チェスの大会では、子どもが頑張っているあいだに、大人はスマートフォンを覗き込むという、子ども行事にはつきものの光景が展開されていた。たしかに、大人には、どうしてもやらなければならない、休日にまではみ出した仕事があり、そのおかげで子どもたちが楽しんでいる（あるいは我慢している）習い事の費用が払えているのは事実だろう。

だが、私はこうも思った。大人たちがこうした習い事に付き添うだけというのは、暗に「何かを学ぶのは子どものやること」というメッセージを発していることにならないか、と。

ある大会でホールを歩いていたときのこと。教室をのぞくと、保護者のグループとインストラクターらしき人が一緒にいた。彼らはチェスをしていたのだ！　ちょうどそのとき、まるではかったかのように、子どもたちのグループが、私の前を横切りながらこの光景を見た。すると、「なんで大人がチェスを習ってんの？」と一人がすこしバカにしたように言い、みなが笑った。彼らが通りすぎるあいだ、明るく飾り付けられた掲示板の前で、私は静かに落ち込んでいた。

もう、傍観者でいることには疲れた。自分も参加したかった。こうして、アメリカ合衆国チェス連盟の会員証を手に入れた私は、妙な違和感を覚えた子ども大会ではなく、マーシャルの大会に娘と一緒に参加することにしたのだった。

ただ、最初の頃は緊張した。失うものなどないはずなのに、自分のプライドを守ろうとしていたのだ。あるグランドマスターの言葉に「名人はたまにひどいプレイをする。だが、ただのファンは決してしない」というものがある。そう、私はただのファンだった。堅苦しい決まりごとや、相手と対峙したときの緊張、張り詰めた雰囲気。携帯電話の電源を切ったまま、3時間ものあいだ集中して頭をフル回転させる。それはまるで脳のトレーニングジムだった。

もっとも驚いたのは実際に人と向かいあって戦うことの難しさだ。家でのオンライン対局では、たんに絵を動かすだけだった。だが、現実の大会では、差し向かいで座った相手の視線、匂い、仕草、そして心の奥底から発するような奇妙な音など、ありとあらゆる〝人間らしさ〟がそこにあった。

これは学びの初期の段階で得た教訓だった——つまり、学びとは〝状況依存の〟ものなのだ。オンラインでの早指しが上手くなりたいなら、ネットでそういう対局をたくさんすればいい。大会で結果を出したいなら、やはり大会で実際の人間を相手に戦うべきだ。

それに、日曜日の朝に誰が向かいの席に座るかなんてわかりはしない。その日対戦して引き分けとなった青いフレームのメガネをかけた女の子は、おそらく無意識だろうが、こちらの指した手についてブツブツ何かを言う（「私のキングをエンドゲームに連れてきてくれて、どうもありがとう」）という、困った癖があった。また、ある年配の男性が震える手で、なみなみとホットコーヒーが入ったそびえ立つような24オンスのカップをテーブルに置いて私の前に座ると、たった数センチしか離れていない周りの席のプレイヤーたちが不安げな視線を向けた。残り時間を気にしたご老人がテーブルを揺らすので、私はなかばそのゲームを捨てて、なんとか引き分けに持ち込むのが精一杯だった。チャーター・スクールの制服を着た真面目な男の子を（思ったよりも苦戦したすえに）負かしたあとには、スマートフォンで映画を見ていた父親に、いかに彼のプレイがよかったかを伝えなければならなかった。これまでに大会で何度も見かけた、長髪ですこし変わった雰囲気の男性をチェックメイトしたときには、彼がどれほど長く「初心者」の区分にとどまっていたのかを思い、すこし気分が暗くなった。そしてついに来た娘との対戦では、あっさりとバックランクメイト〔チェックメイトの手筋の１つ〕を決められ、私の哀れなキングは自陣の一番下に閉じ込められた。

50歳を前にして、子どもに打ち負かされる。これがいいのだ。

第1章 初心者になるための入門書

CHAPTER 1 : A BEGINNER'S GUIDE TO BEING A BEGINNER

男は、なんであれ恥をかくことによって成長する。*

――ジョージ・バーナード・ショー

マニフェスト：もう一度はじめよう

本書は、何かをはじめてはみたものの自信が持てず、周りのみんながやるべきことを理解しているように見えるところで一人、なかなか質問できないでいる人のための本だ。何度手ほどきを受けてもどうしていいのかわからず、それでもとにかくやってみた人、完走できるかわからないレースにとりあえず参加してみた人のための本だ。そして、失敗のカタログでもあり、ぎこちなさのオン

* この引用に性別の偏りがあることをお詫びする。本書を読めばわかるように、私がこれまでに出会った勇気ある初心者のほとんどは、女性である。

パレードでもある。映画『レポマン』風に言えば、緊迫した状況を避けるのではなく、あえてそこに飛び込む人生のための本だ。

さらに、とっかかりをつかめない人に贈るハンドブックであり、傷ついた心の救急箱であり、もっとも辛くて苦しい、不器用で自意識過剰な初心者の段階を見事に抜け出すためのサバイバルガイドでもある。この本では〝それをどうやってやるのか〟よりも、〝なぜそれをやるのか〟に重きを置く。上達のためというより、気持ちよく学ぶための本。年齢に関係なく、人生を魔法のように変えられる、小さな自己変革についての本だ。そして、ここで学ぶ新しいことのなかには、自分自身を知ることも含まれるかもしれない。

＊

私にとって、チェスの実験がすべてのはじまりだった。そして自分のなかで何かが目覚めたのは、結局のところ、娘のおかげだった。

初めて親になるというのは、まさに根源的な初心者経験の1つと言える。友達に相談し、おそらく何冊か本を読んだあとで子育ての初日を迎えたあなたは、人生の初心者コースに立たされる。

イェール大学の哲学教授L・A・ポールは「あなたは、子を持ったこともないのに、親になるのがどんなことなのか理解できると思っているかもしれない。なぜなら、他の人の感想を読んだり聞いたりできるからだ」と述べたうえで「でもそれは間違っている」と断じる。

彼女いわく、親になるというのは「認識論的に特異な」経験だという。要するに、まったくの未知ということだ。

あなたは目の前の、呼吸をし、まばたきをしている生き物をどうやって抱けばいいのかもわからない。その仕草の意味を読み取るのに苦労し、チャイルドシートを前向きにすべきか後ろ向きにすべきかといったささいな選択肢に悩んで眠れなくなる。ベビーカーと格闘し、普段からインターネットでユーチューブの動画を見るのに追われることになる（この件についてはあとで触れよう）。そして気づけば、見知らぬ人たち――これまでは道ですれ違っても気にもとめなかった子ども連れの人たち――と会話して、情報を交換し、知識を得ようと躍起になっているはずだ。

よい親になるには、他のことを学ぶときと同じで、よく考えたうえでの練習が不可欠だ。だが、駆け出しの親たちは、この分野に関する研究結果が示す限り、間違いなく勉強不足だ。ある研究で、子どもが生まれたばかりの両親に、家のなかの状況のサンプルを見せて、どのような事故が起きうるかを判断させたところ、そこにある危険の半分も見分けることができなかったという。それに、子どもにどのように話しかけるかといった基本的なことですら、最後にはその子の言語能力を高めるようなやり方というものが存在するのだ。

駆け出しの親は、同時に駆け出しの教師ともなる。だが、自分自身が何かを学ぶ方法をもはや忘れてしまっているうえに、知る機会も少ないため、よい教師になれる可能性は低い。私は娘とキャッチボールをしたとき、「ボールをこっちに投げてごらん」というのが精一杯で、それ以上に意味のある説明がなかなか出てこなかった。実際にはやらなかったが、指示書でも書けばよかったのだろうか？　ステップ1：ボールを手に取る。ステップ2：ボールを投げる、というように。あるいは、スポーツの指導で有効とされる、たとえやイメージを使うべきだったか？　「ほら、パパに向かってボールを投げるところを想像してごらん……」

そう、私たち親は、教え方を学ぶ必要がある。場合によっては、教えようとしているものをみずから学びなおす必要も。私にはいまから振り返ればあれは間違いだった、と確信していることがある。それは、3歳の娘を補助輪付きの自転車に乗せたことだ。最初はうれしそうに公園の周りを漕ぎはじめた娘だったが、スピードを出したまま曲がろうとして、転んでしまった。

要は、実際に自転車に乗るのに必要な技術を教えるのではなく、補助輪によって誤った自信を与えてしまったのだ。こうした「無誤《むご》学習」は、学習者の気分をよくするかもしれないが、失敗から学びを得るチャンスをほとんどふいにしてしまう。水泳のときに両腕につける小さな浮袋と同じで、補助輪は実際に自転車に乗る際の感覚を奪う。

そこで私は自転車の補助輪を外し、さらにペダルまでとって、即席の「キックバイク」にした。娘は多少ふらついたが、このほうが補助輪付きのときの見せかけの安定感よりも練習になったようだ。数週間ののち、私が背中を押すと、娘はちゃんと自転車で走り出したのだ。

それはさておき、ほかの親御さんたちと同じく、私はふと気がつくと、知らず知らずのうちに娘のさまざまな習い事に取り囲まれていた。チェスだけではない。ピアノ、サッカー、テコンドー、合唱団、スケボー、プログラミング入門、陸上競技、ウォールクライミング。すべてが〝定着〟するわけではないが、それはたいした問題ではあるまい。なにせ子どもなのだから、冒険する。なるべく多くのことに挑戦させてあげよう。それがためになるのだから。

だが、心のどこかが疼《うず》きはじめた。私は娘の学習キャリアの専任監督者となり、いろいろな習い事の待合室に座っている。だがこの間、娘は上達しているが、私は何か新しい技術を身につけただろうか？

もちろん人間は誰であっても、小さな意味では、新しいことをつねに、終わることなく学びつづけている。『ザ・サイエンティスト・イン・ザ・クリブ（ベビーベットのなかの科学者）』の著者たちは、「大人である私たちも、すくなくともときおり子どものような学習力を見せる場合がある」としている。空港でレンタカーを借りたばかりなら、すこし時間をとって新しい運転席の配置に慣れなければならない。いつも歩いている歩道に珍しく氷が張っていたり、慣れない木製の階段をくつしたを履いたまま降りたりすることもあるだろう。このとき、あなたは固有受容感覚――つまり、この世界における体の〝第六感〟を微妙に再調節する。さもなければ転んでしまう。携帯をアンドロイドからアイフォンに換えただけでも、指の感覚の再調節が必要となる。

ただそれはともかくとして、私は最近、それ以上の具体的な技術を何か身につけただろうか？ジャーナリストという仕事柄、つねに新しい情報に触れてはいる。私は〝永遠の新参者〟として、いつもほとんど知識のない世界（放射性廃棄物や時計づくりなど）に飛び込んで、その業界の重要人物に会い、専門用語を頭に詰め込み、マニアックな業界誌を読み（輸送用パレットだけでも主に2つの専門誌があるのをご存じだろうか？）、その他、手をつくして〝オタク〟になる。誰かに「本当にしっかり下調べをしてきたね」と言われると、いまでも誇らしい気持ちでいっぱいになる。そうして、また次のトピックにとりかかる。

要するに私は〝それを知っている〟という形の、いわゆる「宣言的知識」はたくさん持っているわけだ。つまり物知りではある。なんせ「ジェパディ！（アメリカのクイズ番組）」にも出場したことがある（より物知りだった人に負けてしまったが）。

では、〝やり方を知っている〟という意味での「手続的知識」についてはどうか？　情報を飲み込むのは早いのかもしれないが、最近、実際に何かできるようになったことはあるのか？　娘と比べると、私は自分の得意な、居心地のよい分野に落ち着いたまま、安定して平らになったキャリアの上を惰性で進んでいるような気がしてきた。

これをはっきりと自覚したのは、娘の学校で「タレント・デー」という、25人の1年生の前で、保護者が何か特技を披露するイベントがあったときのことだ。私は頭を抱えた。自分にいったい何の特技《タレント》があるというのだろう？　子どもたちが、締め切りに追われた私の文章に目を奪われるとは思えない。そういえば、口笛はけっこう得意だったな。それとも、彼らを外に連れ出して、縦列駐車でもやってみせようか？

そこでふと、ある考えが浮かんできた。チェスだけではなく、いくつものスキルを一気に身につけてみようか。娘が学んでいるのをただ横目で見ているんじゃなく、私も一緒に——チェスのときのように——同じことをしてみよう。これはかなり斬新な発想だと言えるだろう。なぜなら、グーグルに「子どもとともに学ぶ」と打ち込んで検索しても、出てくるのは子どもの学びを伸ばすための方法ばかり。要は、大人は最初から除外されているのだ。

さて。それでは、自分が学びたいものとは何だろう？　ヒントを得るため、私はインターネットに「おじさんが新しく学ぶとしたら何がいいでしょうか?」と投稿した。
すると最初の返事はすぐにきた。「文章の書き方教室にはもう行きましたか?」
これは宇宙からのメッセージだろうか?

＊

スキルを身につけるにあたって、私はおおまかなルールをいくつか決めた。まずは、自分がその分野の初心者であること。ピザづくりや自転車修理など、以前にすこし経験があり、もっと上手くなりたい(と思わないでもない)こともあったが、それよりも本当の意味での目新しさが欲しかった。

次に、ニューヨークで学べるものであること。これによって、アラスカでの登山講習とともに、友人に勧められたイタリアの〝ジェラート大学〟の受講も、かなり心残りではあったが除外された。*ただ幸いなことに、人口900万人の都市では、思いつく限りのことはたいてい誰かが教えているものだ。

さらに、難しすぎたり、習得に時間がかかりすぎるものもダメだ。そのため中国語や飛行機の操縦は除外となる。そして最後に、〝学ぶべきもの〟ではなく、本当に〝学びたいもの〟であること。プログラミングのクラスをとるという案は、何度も浮上した。たしかにこれは、申し分のないス

＊ もちろんニューヨークでもジェラートづくりは学べるし、室内ジムでクライミングもできるだろう。でも、それではなぜだかわくわくしなかった。

キルだ。だが、私はパソコンの画面の前に座る時間を増やすのではなく、むしろ減らしたかった。それに、習得の労力に見合う、一種の専門技術を伸ばしたいわけではない。すでに本職はあり、転職も考えていないし、仕事に類することをしたいわけでもない。雇用者に対する市場価値ではなく、自分のなかでの価値を高めたかったのである。

そして、学ぶのは中身のある、骨太なスキルがよかった。火のおこし方やマニュアル車の運転法といった、細かいが価値ある技術はたくさんあるし、われわれはみな、つねにそうしたものの習得に励んでいる。私も、この〝マイクロマスタリー〟――小さなところからはじめることでより大きなものを学ぶ勢いがつく――というコンセプトには大賛成だ。ただ、そのようなスキルはほとんどが簡単なものばかりであり、私は学びつくせないようなものがやりたかったのだ。

さらにいえば、細かいものをたくさんやるよりも、限られた数の技術をつきつめたかった。ネット上には、何かしらの分野で新しい技術を身につける〝冒険〟（と称するもの）に乗り出す人が毎月、毎週――いや、毎日のように現れる。チェスを1カ月練習しただけで、マグナス・カールセンに戦いを挑んだ恐れ知らずの初心者もいた。5歳から毎日練習しているような人でもマグナスにはまず勝てやしないというのにだ。言うまでもなく、[†]この自称挑戦者は、あっさりと片付けられた。

それでもこうした蛮勇には拍手を送りたいし、そこから学べることもあると思っている。だが私は「死ぬまでにやりたいことリスト」にバツ印をつけていこうとしているわけではない。シリコン

† 小説家のマーティン・エイミスは、チェスについて「どんなスポーツも、いや、おそらくは人間のあらゆる活動を含めても、素人とプロのあいだにこれほど圧倒的な差がある分野はないだろう」と述べている。

バレー式のお手軽な〝ハック〟を習得し、それをSNSで自慢して、すぐ次に移るということにも興味はない。私がやりたいのは、じっくりと時間をかけて上達し、そのスキルや習得法について考えをめぐらせたうえで、自分の人生への影響を測れるようなものだった。じゃあ、なぜ対象を1つのスキルに絞らないのか、と思う人もいるかもしれない。理由は2つあった。まずは好きになれないものを間違えて選んでしまわないか心配だったこと。そして、学びの初期段階に興味があったこと。要は、多くの分野に挑戦すれば、それだけ初心者になる回数も増えることになる。

そして結局、以前からやりたいと思っていた習い事に落ち着いた。チェスのほかに、歌、サーフィン、絵、そして工作（これはサーフィンでなくしてしまった結婚指輪をつくるためだった）を選んだ。それと、あとはジャグリングだ。これについては、それそのものへの興味というよりも、学習理論全般への優れた知見にあふれた、ジャグリング関連の脳科学に惹かれたからだった。ほかにも、フリーダイビングや即興演劇などやりたいことはたくさんあったが、とりあえずそれは、将来のやりたいことリストに入れることにした。

ただ、これらのどれか1つでもマスターできるとは思っていなかった。ある分野を極めるには、1万時間の限界的練習が必要とされるが、私にはそんな余裕はない。せいぜい1つあたり、100時間もとれればいいほうだろう。狙いは何か1つをマスターするのではなく、多彩な能力を身につけることだ。

もしかしたら私は〝人生の履歴書〟をよいものにしようと、ある意味では過去にさかのぼって、自分の手からこぼれ落ちていったものにもう一度手を伸ばそうとしていたのかもしれない。こういうとき、親は子どもを自分の身代わりにしがちだ。いわゆる「象徴的自己実現理論」というもので、親たちは、自分が果たせなかった夢を子どもにやらせることで、間接的に実現しようとしているとされる。

だが私の場合、過去に果たせなかったことを、みずからの成果によって〝補償〟（ユングの用語）しようとしていたのであり、その一部がたまたま娘のやることと重なっただけだ。私は、娘の人生を犠牲にして、〝小さな自分〟をつくろうとしないよう注意していたし（心理学者はこうした行動を「纏綿《てんめん》」（親が子どもにべったりくっついて離れないこと）と呼ぶ）、そうすることにはある種の罪悪感もあった。ときにはともに学びたいと思っていたが、全部が全部同じ経験をしたいわけではなかった。たとえば、娘は私に人気ゲームである「マジック：ザ・ギャザリング」をやらせたがった。その昔「ダンジョンズ＆ドラゴンズ」にはまっていたので、正直とても面白そうだと思ったが、適当に理由をつけて断った。娘には大人の知らない、自分だけの世界を持っていてほしかったからだ。

また、これは将来への備えであるとも感じていた。父親としてはすこし高齢の私は、娘とこれから長年にわたって冒険をともにするにあたって、肉体的にも精神的にも準備が整っていることを確かめたかった。人生における小さな学習曲線を一緒にのぼることで、娘との距離が縮まるだけでなく、私自身若くいられると思ったのだ。

苦労するのはわかっていた。失敗することもあるだろう。だが、それも悪くない。身も心も初心者になるのだから、きっと脳にも筋肉にも新たな回路ができるだろう。

それに、これは娘にとってもいいことだと思っていた。ひとつ興味深い実験がある。そこではまず、異なる幼児のグループを相手に、モデルである大人が箱からおもちゃを取り出すやり方を見せる。その際、片方の大人はおもちゃを取り出すのに苦労するが、もう片方の大人はあっさり取り出す。すると、苦労した大人を見たグループの幼児のほうは、自分でも一生懸命おもちゃを取り出そうとするが、あっさり取り出した大人をみたグループは、それほど頑張ろうとしないという。

子どもとともに学び、初心者として物事に取り組んで、小さな失敗とちょっとした成功を共有することで、実際にはなにものにも代えがたい大切な教訓――つまり、すぐに上手くできないからといって、いつまでも上手くならないわけではないという教訓を教えることができる。

何かをはじめることの楽しさと苦しさ

生まれつきの達人はいない。私たちはみな、時期こそ違えど、初心者だったことがある。

初心者というのはつらいものだ。何をするにも、下手よりも上手なほうが気分がいい。さまざまな分野で、初心者には褒め言葉ではない特別な呼び名がついている。サーフィンでは〝クーク〟。自転車競技では〝フレッド〟。チェスでは〝パッツァー〟。軍人の世界では〝ブート〟(これは新しいぴかぴかの靴からつけられたと言われている)*。あるいは直接的に、〝ヌーブ〟や〝ルーキー〟、〝グリーンホーン〟と呼ばれることもある。また、初心者を指す〝ナーヴィス〟というのは〝駆け

* ブート(boot)は、“beginning of one's tour(任務期間のはじまり)”の頭文字をとったものだという説もある。

出しの僧侶〟という意味だ。

初心者は何度もわかりきったことを質問し、何度も同じ誤解をし、何度も同じ間違えを繰り返す。どんな分野にも緊張した初心者がいるものだ。アーチェリーの初心者は弓を強く握りすぎなうえに、狙いは遠すぎる。新人の自動車整備士は、オイルをこぼし、ホイールナットを折り、ねじ山を潰す。駆け出しの船乗りは、船のロープを不用意にまたぎ、髪の毛やアクセサリーをからめ、「海の深い場所と浅い場所がどれほど見分けづらいか」を忘れる。

チェスの初心者は、トルストイの言う〝幸福な家庭〟のようにみな同じようなものだ。ポーンを動かしすぎ、クイーンを早く前に出しすぎ、不用意に駒の交換し、[†] 相手がいま指した手の意図すら考えることなく駒を動かす。そして負ける。ときおり、ほかの初心者を負かすことはあるが、それはたんにビギナーズラックにすぎない。

初心者はまた、滑ったり転んだりして、怪我をする。新人のランナーは10キロのレースでふらふらになって脱水症状を起こす。スノーボードでも怪我をするのはたいてい初心者だ。乗馬競技では、上級者に比べて初心者は怪我をする可能性が8倍も高い。失敗したときの影響がとくに大きいスカイダイビングでは、初めて飛ぶ人は一度でも経験のある人に比べて、怪我をする可能性が12倍にもなる。

† ディープマインド社が囲碁の戦略の独習を目的として開発したAIエンジン、アルファ・ゴ・ゼロは、学習の初期段階において「人間の初心者と同じように、駒をとることに固執していた」ようだったという。David Silver et al., "Mastering the Game of Go Without Human Knowledge," *Nature*, Oct. 19, 2017, 354–59.

しかし、たとえたんこぶやあざができようとも、へまやしくじりをやらかそうとも、私は本書全体を通じて、初心者であることのすばらしさを伝えていきたい。何かをはじめたばかりの頃にはある種の魔法があることを、私は確信している。それをあなたにも伝えたいのだ。

恋愛の初期段階にある人は、いわば「神経生物学的に極端な状態」にある——つまり、ドーパミンと（良い意味での）ストレスホルモンをカクテルしたところにカフェインをたくさん加えた、大量のエナジードリンクのようなものに、脳が乗っ取られているのだ。そのせいで、生まれたばかりの赤ん坊のように、わけのわからない言葉をしゃべるようになってしまう場合もある。まあ、こうした症状は時期がくれば落ち着くのだが。

何か新しいことを学ぶのは不思議とこれによく似ている。見慣れないものに取り囲まれて、脳は過敏な状態となり、自分では完璧だと思って打ったスリーポイントシュートが入らなかった——これは「予測エラー」と呼ばれる——理由を考えるだけで、頭がパンクしそうになる。

芸事や技術を習いはじめたとき、周りの世界は目新しく、無限の地平線が広がっているように感じる。新しい発見に満ちた日々のなか、あなたは、おそるおそる最初の一歩を踏み出し、ゆっくりと自分の限界を押し広げていく。ミスもするだろう。でもそれも未知の体験なので、それすら力になる。

そして、自分の実力のなさが急にバレてしまうのではないかという不安——いわゆる〝詐欺師症候群〟——に悩むこともない。なぜなら、誰もあなたが上手くやれるとは思っていないからだ。周囲の期待も過去の重みも背負うことはない。禅宗で「初心（初心者の心）」と呼ばれるこの状態では、心は開かれ、あらゆるものを受けいれる。鈴木俊隆（アメリカに禅をひろめた曹洞宗の僧侶）は「初心者の心には多くの可能性がある。しかし専門家の心にはほとんどない」と記している。

ただし、これは決して心地よい状態ではない。初心者であるということは、禅僧のお遍路のごとく、〝自分が知らないことに出会う旅〟をしなければならないことを意味する。しかも、ただ知らないだけではなく、何を知らないのかもわからない。あなたは、よく道で見かける〝仮免許練習中〟のドライバーのように、いまにも自分がミスをするのではないかと、周りの人から疑いの目を向けられていると感じるだろう。つまり初心者は、罪人の印を身につけなければならないのだ。

だが、学びが進むにつれて、自分自身についても新たな発見がある。目覚ましいスピードで上達し、それをありありと感じることができる。小説家のノーマン・ラッシュは、恋愛とは新しい部屋につぎつぎと入っていくようなもので、たとえ前に同じような経験をしていても、そのたびに驚いてしまうと述べている。「あなたは、決して意図して次の部屋に移るのではない。ただ、そうなってしまうのだ。扉を見つけ、それをくぐると、そこには新たな喜びがある」と。何かを学ぶのもこれに似ている。とくにはじめたばかりの頃は。

だからその瞬間を大切にしなければならない。はじめの頃に得るものは、あとになってからよりも、はるかに大きいからだ。

「急勾配の学習曲線」という言葉は、しばしば〝とてつもなく難しい〟という意味だと誤解される。しかし、実際に習得が難しいかどうかは何を習うのかによって変わってくるだろうが、学習曲線の角度は、たんにグラフ上の時間と上達度の関係を示しているにすぎない。つまり、学習曲線が急なら、それだけ上達が早いということになる。そして、もっとも急な坂はすぐに現れる。

＊

数年前、娘と一緒にスノーボードに行った。娘と同じく、当時50手前だった私にも、まったく経験はなかった。山に向かう車のなか、私はなるべく初心者の心で臨もうと決めていた。実際、どんなことになるか予想はつかなかった――嫌いになってしまうかもしれないし、好きなことがひとつ増えるかもしれない。でも、上手くできるかどうかは関係ない。その経験をそのまま受けいれよう。最低限、病院行きだけは避けようと思っていたが、私はとにかく〝新しい部屋〟に入りたかったのだ。そして、楽しむことしか頭になかった娘も、同じ気持ちだったのではないかと思う。

数時間が経ち、凍ったスロープで幾度となく転んですり傷をつくったあと、変化が起きた。私は滑れるようになっていた。もちろん決して上手くはなかったし、みんなからは、「スノーボードは最初は簡単だけど、あとで難しくなるよ」とも言われた（スキーの場合、これは逆である）。

だがそれでも、変化が起きたのはたしかだ。人生で一度もスノーボードをしたことがない人間が、山とまではいかなくても、大きな丘から無事に滑りおおせたのだから。私は学習曲線を駆けあがっていた。今後、スノーボードをやるうえで、こんなに大きな飛躍は二度と起きそうにない。「このチャンスを逃してはならない」。そう思った。

多くの人にとって初心者の段階とは、人に見せられないくらい肌が荒れてしまった状態と同じように、なるべく早く切り抜けたいものだろう。だが、ただ切り抜けるにしても、この瞬間にぜひ注目してほしいと私は思う。一度抜けてしまえば、後戻りするのは難しいからだ。

ほとんどなじみのない、遠く離れた場所を、初めて訪れることを考えてみよう。到着したとき、あなたはあらゆる〝新しさ〟を敏感に感じ取る。道端に漂う食べ物の匂い。風変わりな信号。お祈りの時間を知らせる呼びかけの声。いつもの居心地のいい場所を離れて、新しいしきたりやコミュニケーションのとり方を学ぶことを余儀なくされ、感覚は異常に研ぎ澄まされる。最低限、何に気をつければいいのかすらわからないあなたは、あらゆることに注意を払う。だが数日が経ち、すこしその土地に慣れてくると、最初は奇妙に見えたものになじんでくる。すべてを気にかける必要はなくなり、安心できる場面が増えてくる。行動はじょじょに自動化され、最初に経験した神経過敏な状態はおさまってくる。

私はときおり旅行記を書くことがあるが、ひとつコツがある。それは、メモの大半を初日のうちにとってしまうことだ。初日こそ、一番多くのものが目に入る。なんらかの技術を学ぶ初期の段階では、動作はぎこちなく、自意識過剰の状態にあるため、周囲の状況に注意を払うのは大変かもしれない。だが、どちらにせよ上達のときは必ずくる。だから最初は、周囲をじっくりと観察し、その時間を楽しもう。

初心者の有利なところ

技術が向上し、知識が増えていっても、初心者の心を持ちつづけることには潜在的なメリットがある。

心理学者のデイヴィッド・ダニングとジャスティン・クルーガーが、さまざまな認知テストを通じて、能力のもっとも低い人たちこそ、自身の実力をもっとも「ひどく過大評価」する傾向があるのをあきらかにしたことはよく知られている。いわゆる「ダニング＝クルーガー効果」である。要は、そうした人たちは「技術がないうえに、それを自覚してもいない」のだ。

これはたしかに、初心者にとってつまずきの原因になりうる事実だろう。だが、追加の研究では、ある分野について中途半端に知っているほうが、何も知らないよりもなお悪いという結果が出た。このパターンは実験だけでなく現実にも見られる。脊髄手術の技術を学んでいる医師がもっともミスを犯しやすいのは、1回目や2回目の手術ではなく15回目であり、パイロットの失敗がもっとも増えるのは、駆け出しの段階ではなく、飛行時間が800時間前後になった頃だとされる。

ただ私は、専門家になるとより気をつけるべきことが増えると言いたいのではない。専門家は「技術があり、それを自覚している」傾向が強く、問題解決のプロセスが効率的なうえに、動作にも無駄が少ない（たとえば、トップクラスのチェスプレイヤーは指すスピードも非常に速いことが多い）。彼らは豊富な経験と研ぎ澄まされた感覚を活かすことができる。チェスの初心者が、無駄に多くの選択肢を検討して時間を無駄にする一方、グランドマスターたちは限られた数の適切な手にのみ照準を合わせる（たとえそのなかで、どれが最善手かを見極めるのに多くの時間を使うことはあるにせよだ）。

だが、それでもときおり、とくに新たな解決策が求められるようなときには、禅の大家である鈴木大拙の言うように、「専門家の習性」が障害となることがある。専門家はみずからの経験から、〝見たいものを見る〟ようになってしまう可能性があるからだ。そのため、チェスのプロは過去のゲームで指した手にとらわれすぎて、盤上の別の場所にある、よりよい手を見逃してしまうことがある。

あるいは、その卓越したナビゲーション技術が注目され、よく研究対象になっているロンドンのタクシードライバーに関する実験について考えてみよう。ドライバーたちには、その場で初めて見た架空の街の地図をもとに、走行ルートを考えてもらう。すると彼らは、この作業を非常に巧みに、タクシーを運転したことがない人よりもはるかに上手くこなす。だが次に、彼らがすでに知っているロンドンの街に接ぎ木した架空のエリアについて同じことをしてもらうと、パフォーマンスが落ちてしまった。つまり、既知の、「過剰学習」してしまったロンドンが、邪魔をしたのだ。

このように、斬新でより望ましい解決策があるにもかかわらず、慣れ親しんだものに固執する傾向には「アインシュテルング効果」という名がついている（アインシュテルングはドイツ語で〝心構え〟を意味する）。

たとえば「ろうそく問題」と呼ばれる有名な認知テストがある。これは、1束のマッチと1箱の画鋲だけを使って、ろうそくを壁に固定するというものだ。多くの人がこの問題に苦戦するのは、画鋲の箱はあくまで容れ物であるという「機能的固着」にとらわれてしまうためで、それをろうそくの棚として使うという発想が出てこないからだ。ところがこのろうそく問題をあっさり解いてしまうグループがいる。それは、5歳の子どもたちだ。

これはなぜだろうか？　この事実を発見した研究者たちは、幼い子どもは年長の子どもや大人に比べて、「機能の概念」がより柔軟だからではないかとしている。つまり幼い子どもは、それが何のためにあるのかということにあまりこだわらず、いろいろな用途に使える、たんなる物体として見ることができるのだ。そう考えると、彼らが新しいテクノロジーをあれほど簡単に使いこなすのも不思議はない。子どもにとってはすべてが新しいのだから。

子どもには本当の意味での初心者の心があり、より広い可能性に対して開かれている。新鮮な目で世界を見て、先入観や過去の経験には縛られず、こうあるべきという思い込みにとらわれることもない。そして、大人が無意味であると切り捨ててしまうような細かい部分に注目することが多い。それに、子どもは間違えることや恥をかくことをあまり気にしないため、大人が訊かないような質問をよくする。

ひとつ、『ニューヨーク・タイムズ』に掲載された興味深い事例を取りあげよう。ある葬儀場で、間違って別人の遺体を棺に入れてしまうというハプニングが起きた。

葬儀の途中、悲しみにくれる親族の大人たちは、ガンで亡くなった最愛の故人の遺体が、自分たちの知っている顔とは奇妙なほど違っているのに気づく。だが、彼らはみな、その違いになんとか説明をつけて正当化した。化学療法によって髪型が変わったからだろう。呼吸器をつけていたので見た目が変わったんだ。合理的な秩序ある世界に慣れている大人たちは、こんなとんでもないミスが起こるとは思いもしなかった。そこでみずからの知識や知恵を総動員して、自分自身を騙したのだ。しかしそこで、参列者のひとりである10歳の少年が非常識なことを言いだした*。目の前の遺体は親戚のおばさんじゃない、と。そして信じがたいことに、それはあとになって真実だと確認された。

誰だって初心者のままでいたいとは思わないし、上手くなりたいのはみな同じだ。だが、技術が向上し、知識や経験が増えても、初心を忘れず、むしろ大切に育てていってほしいと、私は本書を通じて訴えたい。無邪気な楽観主義、目新しさや不安からくる過度な警戒心、恥をかくことを気にせず、簡単なことも遠慮なく質問できる——これこそ手つかずの初心者の心だ。

1世紀前のチェスの名人ベンジャミン・ブルーメンフェルドの「駒を動かす前に、初心者のような気持ちで状況を見よ」というアドバイスは、チェスだけではなく、人生にもあてはまる。

初心者になるのに、遅すぎるということはない（ただし、それには条件がある）

初心者であるというのは、どんな年齢でも大変なことだ。だが、歳をとるごとにさらに辛くなる。じつのところ、子どもにとって初心者であることは、仕事だと言える。心も体も、何かをしては失敗し、またやってみるようにできている。すべてが挑戦なので、何をしても褒められる。親であれば「子どものお手伝い」がどんなものかよくわかっているはずだ。子どもはキッチンを

* このエピソードを聞いて、ハンス・クリスチャン・アンデルセンの有名な童話『裸の王様』が頭に浮かぶのは当然だろう。

〝きれいにする〟のを手伝いたがるが、実際にはそのせいで、もう一度より念入りな掃除が必要になる。それでもやらせるのは、君にできることは何もないよ、と言うぐらいなら、もう一度掃除したほうがましだからだ。

だが大人の場合、状況はより複雑となる。「大人の初心者」という言葉には、そこはかとない哀愁が漂っている。思い浮かぶのは、義務的に参加させられる研修や座り心地の悪い椅子であり、本来ならすでに学んでいなければいけなかったことを、あとから勉強しているという含みがある。

一方、すでに得意なことをやりつづけるのであれば、安全だ。「歳をとって、何かが下手だっていうのは大変だよ」と、数十年ぶりにホッケーを再開した友人が言っていた。私たちは初心者であることから遠ざかりたいばかりに、かつて自分が、あらゆるものについてそうだった時期があったのを忘れがちだ。

ときには子どもでさえ、この〝得意なことの繭《まゆ》〟に引きこもることがある。前に一度、娘の友達の一人をスノーボードに誘ったが、断られたことがある。そのとき、その子の父親はすこし恥ずかしそうに「うちの子は、得意なことしかやりたがらないんです」と言った。私はおもわず叫びたくなった。いままでに一度しかやったことがないのに、どうして得意か不得意かわかるんだ、と。

大人の初心者は、歳をとるほどに学ぶのが難しくなるという、ある種の「ステレオタイプ脅威」に直面する。心のなかから、悪意に満ちたささやきが聞こえるのだ――はじめるのが遅すぎるよ。なぜわざわざ苦労する必要があるんだい。ある日、水泳教室で背泳ぎをしていた娘がレーンの端で「フリップターン」を決めたのを見て、私は感動した。自分にはできないことだ。「どうしてできるようになったの？」と尋ねると、娘は「小さい頃からやってるから」と当たり前のように言う。

そして私は、チェスの世界でもこうした考えが深く浸透していることを知った。* どうやらゲームをはじめた年齢と、その後の大会の成績に相関があるようなのだ。上達と年齢に関するこうした考えがあまりに根強いため、現世界チャンピオンのマグナス・カールセンは、興味深い例外だとされている。ある記事には「グランドマスターを目指すにはすくなくともスタートを切っていなければならないとされる5歳のとき、マグナス・カールセンはチェスにほとんど関心を示さなかった」と驚きを持って記されている。

そこで私は、若い相手と対局するときには、ステファン・モスの著書『ザ・ルーキー』にあった「他の人のときと同じように向き合うこと」というアドバイスを心がけるようにした。

だが、これは簡単ではなかった。子どもたちのプレイスタイルだけで、私は調子をくるわされたのだ。苦しげに悩むこちらに対して、彼らは手当りしだいに速攻をかけてくる。それは効果的なときもあれば、たんに無謀な場合もあった。チェスのグランドマスターで解説者でもあるイギリスのダニエル・キングは、「子どもたちはただひたすらに向かってくる。そうした自信は相手にとって大変な脅威になることがある」と私に語ったことがある。

たとえば、どのきっかけがどんな結果を生むか（たとえばAのボタンを押したら、事象Xが起きるなど）を予測しなければならない、いわゆる「確率論的結果学習」を伴うテストにおいて、幼い

* 対戦型競技におけるプレイヤーの相対的な実力を示す「イロレーティング」は、じつは『ジャーナル・オブ・ジェラントロジィ（老年学会誌）』に掲載された、チェスにおける年齢と実力に関する研究がもとになっている。

子どもたちはより速く、より正確な判断をくだすという結果がある。

だが、12歳をすぎるとこの能力は低下しはじめる。研究者が指摘するように、人間はじょじょに、目の前の出来事を見るかわりに、「内部モデル」に頼って認知や推論をおこなうようになる。要するに、考えすぎてしまうのだ。チェスの場合、しばしば大人の対戦相手が内なる悪魔と戦っているように見えるのに対して、子どもたちはたんに反射的に手を繰り出してくるかのようだった。

ただ、私自身、「ステレオタイプ脅威」を信じてしまっていた。大人に負けたときには、自分のくだらないミスのせいだと思う一方で、子どもに負けると、急に、そもそも勝ち目のない天才の卵を相手にしていたように思えてくるのだ。

我が家のチェスのコーチであるサイモンに、同じ初心者でも大人と子どもに教えるのではどう違うのかと尋ねると、すこし考えてからこう答えた。「大人はなぜその手を指すのかを、自分自身に説明する必要がある。だが子どもはそんなことはしない」。さらに彼はこの違いを言語習得にたとえた。「大人の学習者は、文法や発音のルールを覚え、それを使って文を組み立てる。小さな子どもはしゃべることで言葉を学ぶ」

これは思った以上に深いたとえだ。

娘が実質的に母国語のようにチェスを吸収しているのに対して、私は第2言語のように学んでいる。さらに重要なのは、娘のほうが早い年齢からはじめていることだ。言語は、音楽や（おそらくは）チェスと同じく、いわゆる〝感受期〟——ある研究者の言葉を借りれば「特定の刺激に対して神経系がとくによく反応し、変化しやすい」時期——に学ぶことで、もっとも力が伸びるとされる分野の1つだ。

逆に言えば、すでに大人で英語のエキスパートである私の脳はたぶん、母国語の音にばっちり〝チューン済み〟であるため、新しい文法を取り入れるのは大変だ。既存の知識が、新しいことを学ぶ邪魔になるからだ。逆に知っていることの少ない子どもたちのほうが、多くを学べる（認知科学者のエリッサ・ニューポートはこれを「制限有利仮説」と呼ぶ）。

ただ、大変だからといって不可能ということにはならない。感受期は学習の限界期を意味しないし、いずれにしても科学は絶対ではない。たとえば絶対音感は、極めてまれであるだけでなく、子どもの頃の限られた時期を除いては獲得が不可能だと考えられてきた。しかし、シカゴ大学の研究によって、一部の人は大人になってからでも訓練によって絶対音感を――たとえそれが〝本物〟の絶対音感にはおよばないレベルのものだったとしても――獲得できることが示された。

それに子どもが上達しやすい理由は、学習中心の生活を送り、ほかに責任を負うべきことがほとんどなく、熱心に後押ししてくれる両親がいる――要は、たんに子どもだから、という場合も多い。それに彼らはやる気にあふれている。大人だって、もし幼い子どものように慣れない環境に投げ込まれ、コミュニケーションが取れないと感じたら、おそらくすごいスピードで学習が進むだろう。

＊

ただ、娘と私がチェス盤をはさんで向かいあいはじめたとき、お互いの頭のなかでまったく違うことが起きていたのは間違いない。

娘の脳は、まるでゲームがはじまったばかりの盤面のように無限の可能性を秘めていて、まだ〝刈り込み〟の終わっていない無数のシナプスが生い茂っていた。平均的な7歳児の脳はすでにほぼ完成しているものの、ニューロンをつなぐ〝ワイヤー〟の数である「シナプス密度」については、平均的な大人よりも3分の1以上多い。娘はある意味で世界を把握しようとしている途中であり、それが進むほど、シナプスが減っていく。コンピュータから、全体としてのパフォーマンスを最適化するため、あまり使わないアプリケーションを削除するようなものだ。

一方、私の脳のなかで起きていたのは、チェスの盤面にたとえれば、手堅いディフェンシブな中盤戦であり、最終局面を前に駒を確保しておこうとしているようなものではなかったか。ある日の午後、私は、ダラスにあるテキサス大学脳寿命研究所の会議室で、リサーチディレクターであるデニス・パークから、脳が変化する過程について説明を受けたが、そこには不安をかきたてるような言葉が並んでいた。

「歳をとると、たとえ健康な人でもあきらかな脳の衰えが生じます。前頭葉は小さくなり、記憶の中枢である海馬が縮みます」と彼女は言う。つまり、年を経るごとに、私の脳の体積はしぼんでいき、皮質の厚みは減っていくということだ。20歳を超えると、普通の人の場合、おおむね1秒に1つニューロンが失われる。この1文を読んでいるあいだに、2つは減っているということだ！

どうりで、娘との対局中に次の一手に思いをめぐらせているとき、その考えのなかに深く沈み込んでいってしまうような感じがしたわけだ。ただ、パークによれば、認知テストのときに若者たちは脳の特定の部位が活性化するのに対して、高齢者はその範囲がより広いという。

おお！　ようやく年寄りにも1点入った。だが、ちょっと待った。この〝より広い範囲の活性化〟は必ずしもいいこととは限らない。これが起きる理由は、古くなった脳がさまざまな欠点を補うために、多くの領域をつなぐ〝足場〟をつくっているからだと、パークは言う。同じ結果を得るのでも、使う領域が多いと効率が悪くなる。なぜなら使う範囲が広がると、それぞれの領域が〝重複〟し、〝干渉〟が起きる可能性がある――簡単に言えば、新しい技術を学ぼうとしているときに、すでに習得済みのほかの技術の記憶が邪魔をするのだ。

さらに、若い人たちは「調整力」が高く、精神的作業が難しくなっても、すぐに気力を高めることができる。しかし、高齢者には調整力がほとんどない。「彼らの脳は一定の速度にとどまっています」とパークは言う。

すると当然、全体的な出力は低下する。心理学者ティモシー・ソルトハウスの研究では、スピード、推論、記憶に関する認知テストにおいて、加齢による衰えは、「かなり大きい」うえに、「直線的」に起こり、なにより恐ろしいことに「50歳になる前に顕著に見られる」ことがあきらかになった。

たとえばIQテストでは、21歳の若者と同じスコアをとるのに、75歳の老人は半分程度の出来ですむことになっているのを考えれば、脳の老化とはどういうものか、よくわかるはずだ。

つまり、私はそもそも不利な立場に置かれていたのだ。そして、孫娘に触発され、仲良くなりたいと思って数十年ぶりにチェスを再開した、私の70代の父の状況はなお悪い。家族でトーナメントをやれば、結果は悲しいほど明白で、娘、私、父の順になるに違いない。

この典型的なパターンは、論文にも示されている。フロリダ州立大学の心理学教授で、チェスとパフォーマンスについて長年研究してきたニール・チャーネスはある実験で、さまざまな腕前のプレイヤーに、ゲームの1局面を見せてチェック〔将棋で言う王手〕される危険があるかを判断させた。すると、上級者ほど、危険を察知するのが早かった。ここまでは当たり前だ。だがそれとは別に、腕前に関係なく、年齢が高ければ高いほど危険に気づくのが遅くなる傾向があったのである。

歳をとるとただでさえチェスをプレイするのが難しくなるのなら、学ぶのはさらに大変だろう。チャーネスがほかの実験で、年齢や経験値の異なるさまざまな人たちに、新しいワープロソフトの使い方を学習させたところ、過去になんらかのワープロソフトを使ったことがある人たちについては、それほど年齢の影響がなかった。

だが、初心者のあいだでは驚くべき差が出た。みな、経験者よりも時間がかかったのはまあ当然として、同じ初心者でも年齢が高ければ高いほど、操作を覚えるのに時間がかかったのである。

娘と私のチェスについてチャーネスに尋ねると、「もしふたりとも初心者なのであれば、娘さんはあなたの倍は飲み込みが早いでしょう」という答えが返ってきた。

＊

私はその意見に抵抗した。ほかにも考慮すべき要素はたくさんあるはずだ。私の脳の白質——つまり、学習を可能にし、それによって変化する神経線維——の量は、統計から言えば減りはじめている頃だ。だが、まだ「可塑性」がある。これは新しい課題に直面した際、それに応じて脳自体がすばやく変化するという魔法のような特性だ。

ある研究では、40歳から60歳の人を対象に、1カ月にわたってゴルフのスイングを練習させた。すると、彼らの脳はより効率的にこの作業をこなせるようになり、良いスイングができるようになった。つまり、われわれは上達する能力を失ったわけではないのだ。

私は〝チェス脳〟を鍛えることにした。チェス・プロブレムを解き、「チェスエーブル」という「間隔反復」をはじめとする、効果が実証済みの学習法が組み込まれたウェブサイトを訪れ、数々のエンドゲームを学んだ。みずからに活を入れるため、「チェス960」という、駒がランダムに配置される変則チェスもやった。持ち時間30分の試合で早く手を進められるよう、持ち時間5分の電撃戦《ブリッツ》をやり、ブリッツで速くなるために持ち時間1分の〝弾丸《ブレット》チェス〟をやり、さらにその対策として、恐ろしいことに持ち時間が15秒しかない〝超弾丸《ハイパー・ブレット》チェス〟にも挑戦した。それ以上速くしたら？　きっと、「量子もつれ」が生じるだろう。

それに、まだ持ち駒はある。加齢と脳の関係を研究している人たちは、2種類の認知能力について語っている。すなわち、「流動的知性」と「結晶的知性」だ。流動的知性は、みずからの頭で考え、新しい問題を解決するのを助ける。一方、結晶的知性はその人がすでに知っていること――つまり、知恵や記憶、メタ認知を指す。一般的に、流動的知性は若い人の味方であり、結晶的知性は歳を重ねることで増していくという（例外も多いが）。

人生においてこの2つはお互いを補いあうものだが、チェスのようなゲームではそれぞれ別の役割を担う。指し手は流動的知性を使って新たな局面をすばやく計算し、結晶的知性によって、過去のゲームで犯した戦略ミスを避ける。

同年代のほとんどの子どもたちと同じく、娘ももっぱら流動的知性に頼っていた。多くの棋譜を覚えているわけでもなければ、大局的な戦略について——たとえば、「うーん……フレンチ・ディフェンスの形になったから、ここはルービンシュタイン・バリエーションでいこうかな」などと——深く考えるわけでもない。

心理学者のダイアン・ホーガンは、子どもはチェスを指すとき、おもにたんなるヒューリスティクス〔正しい答えを導けるとは限らないが、それでもある程度正解に近いものを得られる手法を指す心理学用語〕と〝満足〟によって手を決めていると述べている。つまり、最初に良さそうだと思った手をパッと選び、それが本当にいい手かどうか時間をかけて悩んだりはしない。はじめたばかりの頃から、娘は矢継ぎ早に手を繰り出した。私はいつも「もうすこし考えてみれば？」と言ったが、そうすることはめったになかった。

娘には新品の超高速ＣＰＵがあり、私には数十年分の古いファイルが詰まった中古のハードディスクがある。はたして有利なのはどっちか？　チャーネスも保証してくれたが、私が有利な点は、何かを学ぶことそれ自体について、多くの経験を積んでいることだ。それゆえ、効果的に学習を進められる。

だが、大きくて動作の鈍いハードディスクは、検索してファイルを取り出すのに時間がかかる。しかも空き容量が減りつつあり、一部にはアクセスもできなくなっている。みな、歳をとると、映画のタイトルや人の名前を思い出すのに苦労するようになる。これは間違いない。なぜなら、何千本も映画を見て、数千人の人にあってきたからだ。もし子どもの頭に、50年分の生データを押し込んだら、いったいどうなるか想像してみてほしい。

言語学者のミヒャエル・ラムスカーは、実験室試験において認知機能の低下と見なされている現象の一部は、じつはある種の学習機能の結果である、と主張している。ラムスカーが、被験者を若いグループと年配のグループに分け、「赤ちゃん／泣き声」や「従う／ワシ」といった単語のペアを複数記憶させたところ、年配のグループは「従う／ワシ」のようなペアを覚えるのに苦労した。テストの結果としては、これはよくないように思える。

しかしラムスカーいわく、年配の被験者たちは「赤ちゃん」と「泣き声」という単語が同じ文章のなかに出てきがちなのに対して、「従う」が「ワシ」に強く結びつくケースはほとんどないことを学習しただけだという。つまり、二番目のフレーズは重要度が低く感じられるため、脳がそれを記憶に残す労力を省いたのだと。であれば、それは認知機能の低下というより、スマートな選択だと言えるだろう。

こうした事実はすべて、前述の「初心者の心」の話につながっていく。娘は〝知らないことに出会う旅〟の途上にいた。そのため、言葉がどのような組み合わせで使われるのかという基準が固まっていない。娘の脳がすべてを吸収しているのに対して、私の心はすでに知っていることにとらわれ、変化を嫌い、オープンではなくなっていた。

また、すでに多くのことを知っている私は、チェスでの学びが他のことに〝転移〟しづらい。一方、子どもは学んでいる技術や情報が何のためのものなのかについて固定観念がないため、それを広く応用できる。

娘の脳が、新しい神経接続をさかんにつくっていたのに対し、私の脳が使えた新しい接続はわずかだったのだろう。「あなたは〝刈り込みたい〟のではなく、（いまあるものを）〝伸ばしたい〟のです」とパークは言った。娘の脳は混沌《カオス》を巧みに飼いならそうとしている。だが、パークが言うには「年配の人のなかには十分なカオスがない」という。

これについて、われわれはどうしたらいいのだろうか？

上級者でもたまには初心者に戻るべき理由

すでにこう思っている読者もいるかもしれない。もし私が親ではなく、歳をとっておらず、すでに歌い方や絵の描き方を知っていて、中年の危機のただ中にいなかったとしたら、こんなことをしようとするか？　そしてなにより、なぜ仕事のキャリアに関係のないことをわざわざ、それもいくつも学ぶのか？　変化の激しい仕事に対応するのに必死になっているときに、どうしてたんなる趣味に手を出すのか、と。

こうした疑問に対して、私はこう答えたい。まず第一に、歌や絵を学ぶことが――どのように役立つかすぐにはわからないにせよ――あなたの仕事で絶対に役に立たないとは言い切れないのではないか。また、何かを学ぶことは仕事のストレスに対する有効な処方箋だと言われている。自分の感覚が広がるし、おそらくは新しい能力も身につくため、学びは〝ストレスの緩衝材〟になる。

おそらくはこれが、理系と文系の両方の学問を学んだ数少ない生徒たちが、のちにリーダーシップを担う地位につく可能性が、普通よりもはるかに高い理由の1つだと思われる（ユニバーシティ・カレッジ・ロンドンでおこなわれた分析でも同様の結果が出ている）。感覚を広げると、より多くのことが見えてくる。デイヴィッド・エプスタインは『RANGE　知識の「幅」が最強の武器になる』で、「ノーベル賞受賞者は、アマチュアの役者やダンサー、手品師などのパフォーマンスをやっている確率が、ほかの科学者のすくなくとも22倍もある」と述べている。

ただ、ある日の朝、突然「ふーむ、私の神経科学のキャリアに必要なのは、タンゴを習うことだな」と思った者は彼らのなかに一人もいないはずだ。だが、初心者としてそうした新しい試みを追求することで、彼らはまるで子どもに戻ったかのように、先入観や過度な期待から解放され、カテゴリーにとらわれない発想ができるようになるのだろう。さらに専門領域や過去の自分という枠を超えることもできる。そして彼らはこうした趣味を、学習と発見の触媒としてではなく、純粋に楽しんでいたはずだ。

一例をあげれば、今日のデジタル社会の誕生に貢献した人間の一人である、マサチューセッツ工科大学の俊才クロード・シャノンは、ジャグリングからポエム、史上初のウェアラブル・コンピュータの開発まで、ありとあらゆる活動にのめり込んだ。シャノンの伝記を記した作家は、「彼は何度も何度も、人を当惑させるようなプロジェクトに手を出し、ささいでくだらないことのように思える謎に取り組んでは、最後にはそこから大きな成功を導き出した」と述べている。

歴史的の転換点を迎えている現代に、何度も自分の居心地の良い場所《コンフォートゾーン》を離れるのは、まるで人生の苦行のように感じられる。だが、テクノロジーの急速な進化によって、ある意味で「永遠の初心者」となった私たちはみな、いつも学習の途上にあり、まるで携帯電話のように知識をつねにアップグレードしなければならない。一生モノの仕事に専念できる人はほとんどいなくなり、たとえ同じ仕事を続けるにしても、求められる技術は変わっていく。だから、勇気ある初心者になる心構えは持っておいたほうがいい。大手IT企業インフォシスの社長であるラヴィ・クマールは、「あなたは何かを学び、それをあえて忘れ、そして、ふたたび学びなおす方法を学ばなければならない」と言っている。

さらに、学ぶことは体にいいという理由もある。これは、私がこれから取り組む、歌やサーフィンなどの健康効果を言っているのではない（もちろんあとで触れるように、歌やサーフィン自体にもそうした効果はあるが）。何かを学ぶと、それだけで体にいいのだ。

学ぶのが船乗りが使うロープの結び方だろうと、陶芸であろうとかまわない。とにかく何か新しいことを学んだり、挑戦したりすることは――とくにグループで取り組んだ場合には――「新奇探索マシン」である脳にとって有益であることがわかっている。また、新奇性それ自体が学習を促すとされているため、いろいろな新しいことを一気に学ぶのは、さらにいいかもしれない。58歳から86歳の大人に、スペイン語から作曲、絵画など複数のクラスを同時に受講させたある実験によると、たった数カ月で、習い事そのものが上達しただけでなく、一連の認知テストでもスコアが向上した。彼らの脳年齢は30歳以上も若返り、何の習い事もしなかった対照群よりも良い成績を収めたのだ。またほかにも変化はあった。自信がつき、みずからの成果に心地よい驚きを感じ、研究が終わったあとも彼らのあいだでは親交が続いた。

要するに、技術の習得は付随的なものであり、これは技術だけの問題ではないということだ。水泳のレッスンを受けた幼児を対象としたある研究では、その効果は泳ぎ以外にもおよぶことがわかった。水泳をした子どもたちは、握力や目と手の協調をはじめとする多くの体力テストで、水泳をしなかった子どもたちを上回ったのだ。さらに、家庭の社会経済的状況などの要素を考慮に入れても、読解力や数的推理などでも優れた成績を収めた。

たしかにこうした研究や、活動の推奨は、子どもに向けたものがほとんどだ。たとえばチェスも、子どもの集中力を高め、問題解決能力を磨き、創造的思考を養う方法としてよく取りあげられる。しかし私は、子どもにいいと言われるものであればなんであれ、大人にはなおいいはずだと信じるにいたった。大人はすでに、そこから得られるとされる効果のすべてを吸収する必要もないのだから。

それに、盤上の64マスを目と脳に焼き付け、無限に近い数の手のやりとりを2時間にわたって考えつづけることほど、多くの人が悩む〝スマホ中毒〟という現代病への優れた処方箋はないはずだ。

＊

ちなみにいま私が話している学習のメリットとは、客観的なテストのスコアアップだけにはとどまらない。スキルそのものの習得という大きな報酬以外にも、新しい分野に取り組むべき理由はたくさんある。

まずそこには、成長の実感がある。自分が新しい人間に生まれ変わったという、おもわず興奮して誰かに話さざるを得ないような感覚だ（これは「トライアスロン選手の見分け方は？」という古いジョークを思い出させる。答えは「自分からそう名乗るはずさ」）。私は今回のプロジェクトの途中、新しい技術を学ぶことで離婚によって傷ついたアイデンティティを取り戻したり、大きな挫折のあとに人生を再構築できたという人に出会った。

また、学びによる「自己拡張」の感覚は、カップルにもあてはまる。ある研究によれば、新しいことに一緒に挑戦したカップルは、出会ったときの「新鮮な喜び」を取り戻すうえに、その経験（たとえばダンスのレッスン）を通じて得た前向きな気持ちが、二人の関係にも〝転移〟するとされる。

また、成長の実感は、新しい人たちと出会うこと（なかには友達になれる人もいるだろう）からも感じられる。これ自体、年齢を重ねると得がたい体験だ。あなたは自分と同じように、新しいことを学ぼうという姿勢と、恥をいとわない気持ちを持った人に出会う。心理学ではこれを「経験への開放性」と呼ぶ。これは人間の個性を定義づける因子とされる、いわゆるパーソナリティ特性のビッグファイブ――開放性・誠実性・外向性・協調性・神経症的傾向――の1つである。開放性は長寿と結びつけられることも増えてきた。正確な理由はまだ不明だが、心理学者たちは、開放性は必然的に「認知面・行動面での柔軟さ」を伴い、それがその後の人生の課題に対処するときに有効だからだろうと推測している。

また、新しい技術を学ぶと考え方が変わり、世界の見え方も変わる。歌い方を学べば音楽の聴き方が変わるし、絵の練習は視覚の使い方に大きな影響を与える。溶接技術の習得は、物理学と金属工学の特訓になるし、サーフィンをすると、急に潮見表《しおみひょう》や暴風圏、波の流体力学に興味を持つようになる。つまり、行動によって世界が広がる。

そして最後に、もし人間が目新しさを強く求め、それが学習の糧となるのであれば、私たちがこの先に出会う新しさに上手く対処できるようになることも学習のメリットの1つだろう。心理学者のアリソン・ゴプニックは「われわれ人間ほど学習能力に頼っている動物は、ほかにいない」と述べ、さらに「私たちが大きな脳と強力な学習能力を進化によって獲得したのは、まずなによりも変化に対応するためだった」と語っている。私たちはつねに、短い間隔で未熟と習熟のあいだを行ったり来たりしている。何か新しいことをしようとするとき、ときに慎重に方法を探ったり、本を読んだり、入門ビデオを見たりすることもあれば、いきなり思い切って飛び込んでいくこともある。

習得の限界

ただ、私はあまりにたくさんの鍋を火にかけすぎている——つまり、一度にたくさんのスキルを学ぼうとしているため、「好事家《ディレッタント》」のレッテルを貼られる危険性があるのはわかっている。

だがじつのところ、それこそ望むところだった。

この言葉は、いまでこそ〝どうしようもなく底の浅い素人〟という極めて蔑称に近い意味で使われているが、その語源であるイタリア語のディレットーレ（dilettare）は、「喜ばせる」という意味だ。美術史研究家のブルース・レッドフォードによれば、「ディレッタント」——もともとは

〝喜びを示す人〟という意味だった言葉――は、18世紀に、グランドツアー〔当時のイギリスで、富裕層の子弟が学業修了時におこなった大規模な海外旅行〕に行って、ヨーロッパ大陸の芸術や文化に感化されたイギリス人が、ディレッタンティ協会を結成した際に英語に持ち込まれた。だが、社会において、知識を身につけるプロセスがじょじょに専門化していくにつれて、言葉の意味も変化していったという。ジョージ・エリオットが『ミドルマーチ』を発表した1870年代初頭には、この言葉は侮蔑語になっていた。

要は、玄人と素人のあいだに隔たりができたのだ。プロでなければ、たんなるディレッタントかあるいは「アマチュア」にすぎない、と。ではこの悪い含みを持つ、アマチュアという言葉にはもともとはどのような意味があったのか？ これは、フランス語のエメ（aimer）に由来する「愛する」という言葉だった。ところが知識の専門化や生活の分業が進むことで、何かに〝喜びを感じたり〟、何かを〝愛したり〟することは急に、なんとなくみっともないことだと思われるようになったのだ。

現在私たちは、全員がつねにポテンシャルを最大限発揮し、〝最良の人生〟を送ることを求められる、ハイパフォーマンスの時代に生きている。ソーシャルメディアによって、プロポーズから今朝の朝食にいたるすべてが、見事に演出された、他人と競争するための儀式になっている。さらに、ある学者が「すべては仕事である」と表現した、〝労働の論理〟が余暇にまで適用されつつある（そもそも余暇があればの話だが）。

だが、本来はなんであれ、何かの役には立つはずだ。私が80マイルのサイクリングに行くと言うと、「何のためのトレーニングなの？」と聞かれる。それにはこう答えたい。「よくはわからないけど……人生のためかな」と。心理学者のミハイ・チクセントミハイは「(現代では)称賛されるのは成功であり、達成であり、パフォーマンスの質であって、経験の質はそれほど評価されない」と述べている。

だが、目的が名演奏家や有名なアーティストになることではなかったらどうなのか？ ちょっとやってみて、すこしでもものの見方が変わったり、学ぶ過程で自分自身が変われたらいいと思っているだけだとしたら？ あるいはたんに、楽しみたいだけだったら？

おそらく本当の意味では上手くなれないのに、新しいことに手を出すのは、ひたむきにパフォーマンスを追求するいまの時代にそぐわないと思う人もいるかもしれない。ジョージ・レナードは著書『達人のサイエンス――真の自己成長のために』のなかで、「素人」は「何かをはじめるにあたっての儀式が好きな人たち」であるとし、さらに、「自分のことを冒険家であり、新しいものの目利きであると思っているかもしれないが、おそらくはカール・ユングの言う〝永遠の少年〟のようなものだろう」と指摘している。たしかにそれはおっしゃるとおりだ！

ただ、心理学者たちは、過去数十年にわたって、極端に厳しい自己評価や、つねに最高の状態でいなければならないという社会的なプレッシャーを特徴とする、〝自己発信の完璧主義〟が増えていると述べており、さらにこれを社会の個人化や競争激化による有害な副産物の1つであると示唆している。ある心理学者は、われわれは「成果に重きを置きすぎている一方で、みずからの存在を軽視している」と言っている。要は、私たちは〝ほどほどの状態〟で何かを済ませることを恐れているわけだ。

そして、これが罠なのだ。法学者のティム・ウーは「自分に得意なことしかやらせようとしないのは、鉄ではなく自己判断でできた檻に自分を閉じ込めるようなものだ」と記している。

ジョージ・オーウェルが言ったように、自由というもののひとつの形は、「余暇の時間に自分の好きなことをする」権利を持つことであり、楽しみは自分で選ぶべきであり、「上から押し付けられるべきではない」。成果が第一という誰のものともしれない考えによって、何かに挑戦するのをやめるのは、みずから自由を放棄するのと同じだ。

だが、専門知識と成果への崇拝によって、私たちの自信は揺らいでいて、「これは自分の専門ではない」と感じた時点で、すぐに専門家に依頼しなければと思ってしまう。

まあ、チェスのような難しいものであれば、この考え方も悪くないかもしれない。だが、おそらくすでにやり方を知っていたり、やろうと思えば簡単に学べるものについても、同じことが起きる。一時期、私の書類入れは、娘をターゲットにしたレッスンの売り込みチラシでいっぱいだった。なかには、「経験豊かなインストラクター」が〝乗り方〟を教えてくれるレッスンもあった……自転車の、である。これを見たとき、頭のなかがクエスチョンマークでいっぱいになった。後ろから自転車を押してやりながら「ペダルを漕いで！」と叫ぶ、私のやり方で十分じゃないのか？　また、「プロにお任せください」とあるのは、デパートのチラシに載っている、子ども向けの「靴ひもの結び方教室」の広告だ。一応言っておくが、私は専門家によるコーチングの価値を固く信じている。だが、靴ひもとは！　しかしここでも不安が忍びよる。相変わらずインターネットが、あなたの権威を脅かしてくるのだ。「あなたのこれまでの靴ひもの結び方は間違っていた」などの記事によって。

断っておくが、私は何かに熟練することに反対しているのではない。どんな分野だろうと超一流の仲間入りをしたくない人などいないだろう。

だが、熟練への道は〝閉じた〟ものになりがちだ。いまから10年ほど前、私はロードサイクリングをはじめた。それは当時の人生には必要なことであり、健康な体、冒険心、それと、仕事とは関係のない新たな交友関係を与えてくれた。

大人が自転車に乗るのにあらためて何か学ぶべきことがあるのか、と思う人もいるかもしれない。だが、ロードサイクリングでは、気づけば集団《プロトン》のなかに閉じ込められていたり、他の選手の後輪まで数センチのところまで近づいてしまったり、ほとんど丸裸と言っていい服装でプラスチック製の自転車にまたがり、時速80キロで坂を急滑降したりする。私は幸運にも大きな怪我はせずにすんだものの、初心者が犯すようなミスはすべてやった。

それでも、ミスはじょじょに減っていった。私は上手く、そして速くなっていった。レースにも出はじめて、ランクを上げていった。〝プロ〟のように振るまったりもした。とてもいい気分だった。サイクリングは私の〝ジャム〟――重要なアイデンティティの一部――になった。自転車に乗った時間は5000時間を超え、かなりのレベルに達した。

しかし、サイクリングにのめり込むほどに、練習時間、労力、高価な装備など、必要なものが増えていった。人生を豊かにしてくれていたはずのものが、大きな時間の浪費になりつつあった。乗っているときも前ほど楽しくなくなってきた。一緒に走っていたスピードの速いグループは、コーヒーや軽食をとらずに自転車を走らせつづけることに、マゾヒスティックな喜びを感じる人たちだった。会話は、まるで修行僧のような流行りの食事法についての話題ばかり。周りの景色よりも、ハンドルにつけたサイクルコンピュータを見ている時間のほうが長いような気がした。急に、これらすべてが私には〝仕事〟——業績評価、同調圧力、納期、成果第一主義——に思えてきた。自分のアイデンティティやそれを取り巻く一連の期待に、縛られているような気がしてきたのだ。

一方、今回、新しい試みに手を広げていくときには、ある種の解放感を感じた（ちなみに、サイクリング自体はいまでも好きだ。ただ、付き合う人を変える必要があっただけだ）。スティーブ・ジョブズはアップルをくびになったあと「成功の重さが、ふたたび何も知らない新人の軽やかさに戻った」と言っている。そしてジョブズはすぐに、彼の人生のなかでも極めて創造的な時期を迎えることになる。

またも断っておくが、私はなにも仕事を辞めろと言っているのではない。たとえ好きなことであっても、ときにそれが自分の枷《かせ》となることがあると言いたいのだ。

私が新しいことを学ぼうと思ったのは、仕事にやりがいを感じられないからでも、仕事のために〝充電〟したいからでもない（一般にこの2つは、レジャーの効能だと考えられているが）。じつのところ、私は自分の仕事が大好きだ。あまりに好きすぎて、それ以外にはほとんど何もいらないと思っていたほどに。

ウィンストン・チャーチルは、『ペインティング・アズ・ア・パスタイム（趣味としての絵画）』という短編だが面白い本のなかで「仕事が楽しいと思っている人たちこそ、たまにはそれを心のなかから消すような方法を、一番必要としていると言えるかもしれない」と述べている。

私たちは、何かに没頭するのはいいことだと思っている。「私は自分の情熱に従っている」と。だが、それがひとつの情熱でなければならない、と誰が言ったのだろう？　あなたが見つけていない未知のパッションが、まだあるかもしれないではないか。

＊

概して若いときには、上手くいくかどうかなど気にせず、いろいろなことに気軽に挑戦できる。誰かに誘われて、学校の合唱団で歌ったり、絵を描いたり、びっくりするほど多くのスポーツに手を出したりする。しかし時が経つと専門化の影が忍びよってきて――どうやらそのタイミングは全体的に早くなりつつあるようだが――気づけば「芸術の子」「演劇の子」「数学の子」となり、芸術家、役者、数学者を目指して進むことになる。

要はわれわれは、〝神童〟や〝天賦の才〟といった言葉を信じたいのだ。だが、じつのところそれについては気にしなくていい。成功したピアニストを対象にしたある研究論文で主張されているように、将来の名ピアニストたちについても、その発展途上の期間の大半において「彼らの最終的な成功を予測することは不可能だった」からだ。この論文の著者はさらに、次のように述べている。学習者には「小さな成長の兆し」を評価し、最初は上手くできているかを気にせずにテクニックを試すための時間や余裕が必要である。また、もし彼らが（あるいはその親が）最初からそのような完璧さを求めようとしていたら、それほど成功することはなかったのではないか、と。

しかし実際には、私たちは子どもの頃から、「それは君には無理」と言われるようになる（あるいは自分に言い聞かせるようになる）。そのせいか、スポーツをする子どもたちが減ってきているという。子どもたちの多くが、自分は参加できるほど上手くないと思うと言い、さらに興味を持ってはじめた子たちも、厳しすぎる練習スケジュールや競争のプレッシャーによるストレスのせいで、楽しくないと言うそうだ。こうしてスポーツをはじめるにあたっての一番の動機が消えてしまう。ぬかるんだ歩道についた足跡のように、一度そうした姿勢が固まると、方向転換は難しくなる。

だが、こうした幼いときの試みは、たとえ未熟であっても、まるで失われた幻の手足のように、私たちから離れないのではないだろうか。おそらくほとんどの人は、毎日シャワーを浴びるときや車のなかで、下手なりに歌を口ずさんでいるはずだ。私はやれと言われれば、子どもの頃ミード社のリングノートにスケッチした、戦車や要塞や1個小隊の兵士たちが錯綜する戦闘の光景を、いまでも紙の上に再現することができるだろう。やりたい気持ちはあるし、やれる能力もきっとすこしはある。

だが、私たちが実際にやりそうなことと言えば、それくらいが限度だろう。たしかに歌や絵を習おうと思えば習えないことはない。だが、そんな時間がどこにあるのか？　なぜ、恥をかいたり周りの人から密かに見下されたりするリスクを、わざわざ冒すのか？　得意だとわかっていることに特化すべきじゃないか？　まるで、子どもが大学の芸術学科に進むことを聞いた典型的な現実主義の親が口にするような疑問を、私たちは自分自身に投げかける——要は、そんなことをして、何の役に立つのか、と。

しかしここがポイントだ。何の役に立つかなんて、その時点ではわからないし、わかるべきでもない。

初心者になるのにこれほどいい時代はない

私たちは学びの黄金時代と呼ぶにふさわしい時代に生きている。

誰もが、画面をタップするだけで、これまでに記録された膨大な量の情報にアクセスできる。また、インターネットの普及により、学びのチャンスは一気に広がった。カーンアカデミーのようなオンラインの教育機関では、「ほとんどすべてのことを無料で学べる」ことを約束しているし、コーセラ（スタンフォード大学の教授が設立した教育プラットフォーム）のスマートフォンアプリでは「通勤時間やコーヒーブレイクなど、1日の空いた時間にすこしずつ学習を進める機会」を提供している。さらにスキルシェア（アメリカのオンライン学習コミュニティ）のキャッチコピーは、「どこにいるかは関係ない、明日からコースを受講しよう」だ。

また、デュオリンゴのような学習プラットフォームでは、効率的な学習法に関する新たな知見をもとに、学校の1学期分の語学クラスの内容を、34時間のオンライン学習に圧縮することを謳っている。そしてチェスの世界でも、プレイヤーのレーティングが全体的に上がっている。これは、オンラインでよりよい相手（人間の場合もあればそうでないときもある）から指導を受けたり対戦したり、あるいはスカイプを通じて、国を超えて名人からレッスンを受けたりできるようになったからだ。

ユーチューブには数え切れないほどの教育系動画があがっており——ある調べによると1億3500万本と言われる——内容もナイフの自作からアザラシの肉の調理法まで、あらゆるものが揃っている。バク転のやり方も、ボーイング747の操縦法も学べる。教育と呼ぶにはちょっとあつかましいが、お湯の沸かし方やトイレットペーパーを換える方法の動画もある。オペラからダブステップダンス、オリンピック競技にいたるまで、たんにユーチューブの動画を見て真似していただけで、とんでもないレベルにまで到達してしまった人（たいていは子ども）の話はそこらじゅうに転がっている。違法な整形手術をして逮捕された男が言ったように、「何かのやり方を知りたければ、ほとんどなんでもユーチューブがタダで教えてくれる」のだ。

こうした〝ユーチューブ教育法〟によってスキルが広く普及することで、たとえば競技ルービックキューブのような分野では、記録の大幅な更新が起きた（というより、そもそもそうした分野ができたこと自体、動画の普及が大きな役割を果たしている）。つまり、世界中の誰もが、居場所に関係なく、費用をかけず、移動の必要もなく、人前で恥をかかずに、ほとんどなんでも学ぶことができるという状況が、これまでにない程度まで現実のものとなったのだ。

またオンラインだけではなく、人から直接学ぶ方法も急速に増えている。コースホースやクラスパスなどのサイトは、レッスンの売り買いをする場所を提供している（コーヒーショップの掲示板にギターやスペイン語のレッスンのポスターが貼られているのはおなじみの光景だが、それのオンラインバージョンだ）。オレゴン州ポートランドのADXやシカゴのロストアーツ（Lost Arts）などの〝ものづくりスペース〟では、本格的な機械をつくって動かすための場所と道具が提供されており、利用者は他の人からアドバイスをもらうこともできる。キックスターターの創設者の一人であり、その後ロストアーツを立ち上げたチャールズ・アドラーは、過去を振り返るのではなく、「自己発見に没頭する（lose yourself in self-discovery）」という意味を込めて、Lost Artsと名付けたと私に語った。

そもそも彼がこの事業をはじめようと思ったのは、DJをするときに使う機器を収納する家具を自分でつくろうとした経験からだという。初心者にありがちだが、つくりたいもののアイディアはあったものの、次のステップに進むのに苦労した。「工具を借りることができて、アドバイスをくれる人がいる。そんな環境がぼくには必要だったんだ」と彼は言う。だが必要なものを与えてくれる場所は見つからなかった、だから自分でつくることにしたのだ。

私の家のそばには、ブルックリン・ブレイナリーなどの団体があり、「バティック入門」（インドネシア・マレーシア伝統のろうけつ染め）から「生物工学短期集中コース」まで、多種多様なレッスンをクラウドソースによる低価格で提供している。イギリスのハウツーアカデミーも同じく幅広いラインナップを揃えており、「ある朝、急に自転車を組み立てたくなっても、週末に映画を撮りたくなっても、あるいはオンラインビジネスをはじめたくなっても、ここには実現のお手伝いをするエキスパートがいます」と謳っている。

ただこう思う人もいるかもしれない。「誰もが新しいことを学ぶお金が——いや、それ以上に時間が——あるわけではない」と。たしかにコーチ料や学費は高額になるケースもある。だが逆に、1食の食事代よりも安い場合もある。オンラインでは無料のものも多く、何かを学ぶうえでもっとも効率的な手段とは言えないかもしれないが、コストの面ではこれに勝るものはない。

時間について言えば、ネットフリックスでドラマを1シーズン見る暇があれば、どんなスキルでもかなりのところまで上達できるのはほとんど間違いない。時間の使い方に関するデータを見ると、ますます忙しくなっていると言われる現代でも、余暇の時間はあまり昔と変わらないのがわかる。たんに、1日に数時間もスマートフォンに費やしたりすることで、忙しい気がしてしまっているにすぎない。

それでも、過密スケジュールをこなしている親御さんのなかからは、子どもの世話で手一杯で、新しいことを学ぶ余裕などないという反論が出るかもしれない。それなら、お子さんと一緒に学んではいかがか？　ギターを弾く、パンを焼く、折り紙をするなど、大人でも子どもと同じようにゼロからのスタートになる分野はたくさんある。スキルをともに学べば、子どもとの距離がぐっと縮まるうえに、その成長を見守るすばらしい機会にもなる。

そして、それは思わぬところからはじまる場合もある。娘が人気ゲームの「フォートナイト」をはじめたとき、当初私は、親として一歩引いた立場から、彼女が長時間やりすぎないよう厳しく監視しようと思っていた。しかし、このゲームの複雑さと、飛び散る情熱の火花に惹かれ、いつしか娘とその友達が結成したチームにまじって激しい作戦に参加するようになっていた。シンプルな装備のアバターが示すとおり、〝フォートナイト・ボット〟（要は初心者）であった私には、学ぶべきことがたくさんあった。「伝説のアサルトライフルを装備して！」とヘッドセットから娘の友達の叫ぶような声が聞こえる。「スラーピー・スワンプに向かって！」

アクションゲームが知覚能力を高めるという説があるのもうなずけるほど、私はさまざまな刺激に圧倒された。そして、頭がいっぱいになって上手くプレイできず、チームメイトに大目に見てもらうようお願いしていたそのとき、ふいに普段と立場が逆転しているのに気づいた。いつもは、数学の問題の解き方を教えてあげて、簡単な問題に苦戦する娘を見てもイライラしないように気をつけているのはこちらのほうだ。だがいまは私が娘の立場にいて、10歳そこそこの子どもに、戦いが激しくなったのになぜ防護壁をつくらないのかと呆れたように言われている（ああ、それはつくり方がわからなかったからさ……）。

つまり、子どもたちも一時的にではあるが、あなたの先生になることができる。そして教えること以上に勉強になる経験など、まずないと言っていい。

私は、オンラインでチェスをしていて終盤で難しい局面になったとき、娘にアドバイスを求めることがある。すると新たな〝権威〟となった娘は、得意げに近づいてきて、盤面を確認する。そして私の考えた手を「そんなに早く駒を交換しないほうがいいんじゃないの」と一笑に付したあと、寛大にもよりいい手を教えてくれる。それから抜け目のない彼女は、このアドバイスの対価として、フォートナイトをプレイする時間を増やすよう交渉してくるのだ。

また、ともに学ぶことは、忙しい親にとっての永遠の課題である、子どものケアの解決にもつながる。妻に初めて本書のプロジェクトについて話したとき、その見開いた目の奥からは、脳内の計算機が作動している音がいまにも聞こえてきそうだった。「えーと……ところで、あなたが歌やサーフィンを習いに行っているあいだ、誰が子どもの面倒を見るの？」と。それはもっともなことだった。ディレッタントになるのと、親としての責任を果たさないのは別の話だからだ。

しかし、私と娘がともにサーフィンやチェスに興味を持ち、たちまちビーチや大会に丸1日一緒に出かけるようになったのは、妻にとってはうれしい誤算だった。こうしたお出かけから戻ってくると、妻はパジャマのままで本をまる1冊読み切ったとか、長い時間をかけてゆっくり散歩をしたことをうれしそうに話してくれた。忙しい親にとってこうしたメリットにはお金では買えない価値がある。

つまり、子どもとともに学べば、空き時間の配分という争いの種になりかねないものを、ウィンウィンの関係に変えられる。家族の目を盗んで家を抜け出し、そそくさと済ますしかなかったかもしれないサーフィンが、大切な家族行事に変わるのだ。また、娘が子ども陸上クラブに入ったときには、待ち時間のあいだ私も走ることにした。どうせやるんだったら、自分も参加してみようというのが、私のモットーだ。そうすることで、私は期せずして、多くの研究で指摘されている有害な状況――概して父親は息子よりも娘と過ごす時間が短く、子どもの「人的資本」を育てる、いわゆる〝達成時間〟についてはとくにそれが顕著であること――をつくらずに済んだようだ。

*

もしかしたら、「自分には遅すぎる」と思っている読者もいるかもしれない。でもそれはナンセンスだ。学びは生涯にわたって続くものだし、何歳になってからでも上達は可能だ。たとえば認知機能低下の兆候を発見する調査でも、被験者が同じテストを複数回受けることで、成績が上がってしまう、「練習効果」という現象のせいで、正確な結果が出なくなることがあると言われている。これは心理学者にとっては、実験結果をくるわせる方法論上の問題かもしれないが、われわれにとってはいいニュースだろう。要は、練習すればそれだけ上手くなるのである。

「私はいまでも、やればやるほど上手くなる」と2016年に、当時90歳だった歌手のトニー・ベネットは言っている。歌手としてやれるべきことはすべて達成したといっていいベネットは、最近になってジャズピアノの練習をはじめている（ちなみに数十年前から絵画もやっている）。理由は、ピアノの理解を深めたいからだそうだ。たしかに何かをよく知るには、自分でやってみるのが一番だ。たとえ最初は上手くいかなかったとしても。

かつて大人の脳は、どうしようもないほど「固定されていて、変えられない」と思われていたが、昔とは違って、いまではかなりの可塑性があると評価が変わっている。同時に、アメリカをはじめとする国々で平均寿命が伸びるにつれて、高齢者の「生産性や創造性」を引きだすことを目的とした「クリエイティブ・エイジング」なる運動も起きている。

私がダラスの研究室でデニス・パークとあったとき、彼女は、「ダラス・ライフスパン・ブレインスタディ」という長期にわたるプロジェクトに取り組んでいる最中だった。そして、このプロジェクトの一環として、ある高齢者のグループにデジタル写真とキルトづくりのレッスンを受けてもらい、ただ会って交流しただけの対照群と比較するという実験がおこなわれた。すると、レッスンを受けたほうのグループでは、エピソード記憶や処理速度をはじめとする幅広い認知能力において、対照群よりも大幅な向上が見られた。

これは、一人で学ぶことが悪いというわけでもなければ、ただ交流するだけでは退屈だということでもない。だが、誰かと一緒に学ぶことは、ある意味で人間の脳の〝ツボ〟を突くようだ。パークによれば、この実験で選択された活動では、「各自、自分のペースで進められるうえに、上手くいかなかったとしても目立たない」のがよかったという。被験者たちはほかに学習者にいることでモチベーションがあがり、講師が与える課題に挑戦することができた。

「彼らは、とても自分には無理だと思っていた進歩を現実のものにしたんです」とパークは言った。

*

本書を読んだからといって、何かが上手くなるとか、特定のスキルを身につけるのに役に立つとは約束できない。それでも私はこの本を通じて、自分を生涯学習の実験のモルモットにするだけでなく、神経科学者やプロのコーチ、運動技能の習得を専門にしている学者などの研究成果を紹介したい。そしてなにより、あなた自身が取り組んでいることから、より多くの学びを引きだすきっかけになればと思っている。

私の挑戦や少なくない失敗を見るだけでも、得るものはあるかもしれない。研究によれば、何かをするにあたって、プロがミスなく完璧にこなす姿を見るよりも、自分と同じようなレベルの人の様子をミスするのも含めて見るほうが、より勉強になると言われている。プロは何をどのようにやっているのかを上手く説明できない場合があるし、初心者だった頃のことをあまり覚えていないものだからだ。

私は、リハーサルスタジオやサーフキャンプ、アートスクール、あるいは職人の作業台の前で過ごす時間のなかで、苦労もしたし、わずかだが達成したこともある。その姿を見て、あなたがみずからの旅の途中で出会ったことに新たな光があたったり、あるいはこれまでずっとやってみたかったことに一歩を踏み出す勇気を出してもらえれば、幸いだ。

世界中の初心者たちよ、団結しよう！　私たちに待っているのは上達だけなのだから。

第2章
学び方を学ぶ
幼い子どもが教えてくれるいい初心者の条件とは

CHAPTER 2 : LEARNING HOW TO LEARN – What Infants Can Teach Us About Being Good Beginners

こぼれるようにつくられた：幼児は学習マシン

初心者の世界に飛び込むにあたって、私はあらゆる者のなかでも、もっとも純粋な初心者から話をはじめるべきだと考えた。すなわち、幼い子どもたちだ。

明るい世界に泣き叫びながら入ってきた彼らは、いきなり音や匂いの集中砲火を浴び、初めての重力にショックを受ける。それに何をするにも、最低限の能力しか持っていない。なら、彼らにできることは、自分にもできるはずだ。そう考えた私は、ある春の日の朝、幼児の行動を理解するにあたってはこの国で最高の場所のひとつであり、幸運なことに自宅から地下鉄で1本のところにある、ニューヨーク大学神経科学センター4階の幼児行動研究所に向かった。

するとそこには、生後15カ月のリリーという人懐っこい赤ちゃんが、体重が15%も増加した状態に上手く適応している姿があった。リリーは、小さくて真ん丸な顔に困ったような表情を浮かべつつも、笑顔で励ましの声をかけながらチェリオのお菓子を差し出しているお母さんのほうに向かって、圧力を感知するマットのうえをよちよち歩きつづけた。科学にとっては小さな一歩だが、お腹を空かせた赤ん坊にとっては大きな飛躍だと言えるだろう。

リリーの身につけていた防寒服はなかの詰め物が取り除かれ、かわりに重りが入っていた。だが彼女は、厳しい特訓をやらされているようには（すくなくともはた目には）見えなかった。研究員のジェニファー・ラクワニの説明によれば、歩行にかかる追加の〝コスト〟に対して、幼児がどのように適応するかを調べる実験だという。体重の増加は、赤ちゃんの歩き方にどう影響するのか。おもちゃやお母さんのほうに行きたいという気持ちも、影響を受けるのだろうか？

リリーの着ている服には、ゴルディロックス（童話に登場する、ちょうどよい温度のスープを好む女の子の名前。転じて〝ちょうどよい程度〟という意味で使われる）ばりの完璧な調整がなされていた。赤ちゃんの行動を変えるには、それにふさわしい調整が必要だからだ。仮に重さを全身に分散させずに、足首の周りだけに集中させたとしたら、赤ちゃんは座り込んでしまう。

「行動研究所」の名にふさわしく、クッション付きの壁に、汚れのつかないカーペットを備え、おもちゃがそこらじゅうに散らばるこの場所は、まるで白亜の塔に囲まれたデイケアセンターといった雰囲気で、赤ちゃんたちは急なスロープをつたい降りたり、落とし穴にむかってよちよち歩いたり、調節可能な歩道を通って小さな崖の上をよろめきながら超えようとしたりと、つねにはしゃぎまわっている。そして別室では、研究者たちが机の上にノートを広げ、サラダをつまみながら、監視カメラの映像を注意深く見守っている。

ここでおこなわれている〝赤ちゃん版パルクール〟の目的は（とはいえ、怪我をする子は一人もいないのでご心配なく）、幼児がいかにして人生でもっとも重要なスキルの1つである〝移動性《モビリティ》〟を獲得するかを調べることにある。赤ちゃんがハイハイをしたり歩いたりできるようになるのはいつからなのか？　どのようにそれを学ぶのか？　そして獲得したばかりのスキルを使って何をするのか？

穏やかな声とキレのあるユーモアのセンスを持つ、この研究所の所長カレン・アドルフは、長年の観察から、幼児の移動の仕方について多くの知見を得てきた。たとえば、月齢12カ月から19カ月の幼児は、1時間に約2400歩、サッカー場にすると約8面分の距離を移動する。これはアメリカの平均的な大人よりも長い距離だ。さらに、幼児たちは1時間のうちの約3割を移動に費やしている。その歩行は160種類もの異なる〝行動〟に分かれており、ただ交互に足を前に出すだけではない。ジグザグに歩いたり、後戻りをしたり、アドルフの言うように、ときには「何歩も同じ足を踏み出す」こともある。それに、歩きはじめたばかりの子どもは、よく物を運ぶ傾向があり（余計に歩きづらくなるというのに）、1時間に平均で38回も物を運ぶという。

また当然ではあるが、幼児は歩けるようになるまで動けないわけではない。「体を引きずったり、ひっぱったり、持ちあげたりして進んでいく」とアドルフは言う。つまり、赤ちゃんはありとあらゆる方法で這い回るのだ。そのうちの5分の1はいわゆる〝お尻歩き〟である。

ここで長く信じられてきた仮説は、子どもたちはつねに何かを――優しく接してくれる保育士や、魅力的なおもちゃなどを――目指して進んでいるというものであり、たしかに実際にそういうケースもある。だが幼児行動研究所の調査によって、ほとんどの場合、幼児の歩行行動には明確な目的地がないように見えることがわかった。彼らは同じところを歩き回ったり、何もないところで立ち止まったりしながら、面白い物や場所に偶然行き当たることが多い。視線追跡ソフトによる解析で、幼児が歩きだす前に特定の目的地を見ることは、ほとんどないこともわかっている。

また不思議なことに、幼児は何もない部屋でも、面白そうなおもちゃでいっぱいの部屋と同じくらい歩きたがることが実験によって判明している。つまり、赤ちゃんは移動すること自体を楽しんでいる可能性が高い。

アドルフの推計によると、約6カ月をかけて260万歩ほど足を踏み出すと、赤ちゃんは上手に歩けるようになるという（ただ、大人のように流れるように歩けるようになるのは、5歳から7歳になってからだ）。それまでは、たくさん転ぶことになり、まともに歩けるようになるまで、1時間に平均で17回転倒する。とくに歩き出したばかりの赤ちゃんは、一歩ごとに必死にバランスをとりながら、まるで身長よりも横幅のほうが広いフランケンシュタインのようによろめき、1時間で30回も転ぶことがある。アドルフの実験に参加した幼児のなかには、1時間に70回ちかくも転んだ不運な子もいたという。

ただしこうした転倒のほとんどは、〝よい転び方〟だ。赤ちゃんの体は転んでもいいようにできている。アドルフによれば「筋肉が緩んでいて、脂肪がたっぷりついている」。だから「弾力があって柔らかい」。そのため、最新の車と同じように、赤ちゃんの体には、衝撃吸収帯とエアバッグが備わっていて、衝突の影響を弱めてくれる。「いかにきれいに転ぶか、動画を見ればわかるわよ」と、アドルフは興奮ぎみに語った。「赤ちゃんはぜんぜん緊張してない、まるで優雅に舞い落ちる葉っぱみたいに転ぶの」。

アドルフの目には赤ちゃんこそが究極の初心者だと映っている。座るというごく普通の動作ですら、彼らにとってはまったく新しい挑戦なのだ。じつは座るという動作を習得するには、数週間にわたる練習と、絶え間ない調節が求められる。動かずにただ座っているだけでも、赤ちゃんはバランスをとるために、感謝祭のときに走る山車のように微妙に揺れつづけている。

ただ幸運なことに、彼らには完璧な学習環境がある。「赤ちゃんには必要なものがすべて揃ってるの」とアドルフは言う。「何かを学びたい、世界の一部になりたいという強いモチベーションがあって、しかもそれを妨げるものはほとんど何もない」。大人とは違って、失敗しても責められることはなく――むしろ、よりいっそう親の注目を引く場合が多い――しかも怪我をすることもまずない。

失敗ができて、しかもみながそれを許してくれるというのが、幼児がものを覚えるのに不可欠な要素なのだ。〝学習マシン〟である赤ちゃんは、なんでもしつこく知りたがり、間違えるのを前提に設計されている。赤ちゃんは1日に1万4000歩を踏み出すが、転倒率は非常に（破滅的と言っていいほど）高く、おそらくこれが大人の初心者だったら落胆して、とてもやり通せないだろう。

「私たち大人は体に弾力もなければ、力も入っているし、柔らかい肉もついてない」とアドルフは言う。「骨はもうもろくなっていて、転んだら赤ちゃんよりぜんぜんひどいことになる」

それでも人は転ぶ。アメリカ合衆国労働安全衛生局によると、転倒による損失額は、アメリカだけで約700億ドルにのぼる。これを防ぐ1つの方法は、より安全な環境を整えることだろう。だが、人びとに〝転ばない方法を教える〟ことはできないのだろうか？

赤ん坊でも知っているように、転ばない方法は転んで覚えるしかない。では、安全に転ぶにはどうすればいいのか？　ユナイテッド・パーセル・サービスなどの企業では、「スリップ・シミュレーター」を使ってトレーニングをしている。これはハーネスをつけて体をまっすぐにした状態で、地面をランダムに〝揺らす〟装置だ。これによって職員たちは、職場での転倒事故防止の講義を聴くかわりに、「運動学的に」練習することで、身をもって転ばないための方法を学べる。このテクノロジーを使ってトレーニングをしたところでは、その後、転倒事故が減少すると評価されている。

ちなみに、高齢者は転倒すると非常に危険な場合があるが、問題の1つはこれまでの人生をなるべく転ばないように過ごしてきたせいで〝練習不足〟になっていることだ。要は、一番の危険が迫っている時期に、まだ初心者のままなのである。そのため、いまでは高齢者向けの「大人のパルクール」や「転び方教室」などが開催され、転ばない方法だけでなく、上手く転ぶコツも教えている。まるで生まれたばかりの自分に戻って、ふたたび初心者になり、勇気を取り戻そうとしているかのようだ。

たくさん転んでも大丈夫ではなかったら、そもそも赤ちゃんは歩けるようにならないかもしれない。すくなくとも、あれほどとらえどころのないことを、諦めずに学びつづけられただろうか？

ベイビーステップ：歩くことは学ぶこと

歩き出したばかりの赤ちゃんの転倒率の高さからは、もうひとつ興味深い疑問がわいてくる。アドルフが論文に書いているように「数カ月をかけてハイハイに習熟した赤ん坊は、なぜ安定しているはずのよつんばいの姿勢を捨て、あえて不安定で転倒しやすい直立歩行の習得に乗り出すのか？」

この背後にある、なぜ子どもたちが手元にあるよく磨かれたスキルを捨て、ぎこちないながらも新しい技術に手を出すのかという、より大きな疑問については、まだはっきりしたことはわかっていない、とアドルフはつけくわえる。もしかしたら子どもたちはただ、周りにいる年上の人たちと同じことがしたいだけなのかもしれない。

ただ、最初はその歩みがいかにぎこちなくても、見返りはすぐにやってくる。この事実には、居心地のいい得意分野から一歩踏み出し、失敗がつきもののスキル習得に乗り出そうかどうか悩んでいる大人の初心者たちも、注目すべきだろう。

「ひどい歩き方ではあっても、赤ちゃんは歩きだして最初の1週間で、21週目のハイハイよりも速くなる」とアドルフは言う。そして、この段階に達すると、赤ん坊は以前の3倍も移動するようになる。「赤ちゃんは突然、目の前からいなくなって、キッチンに走っていって、何かを引きずってくるようになるの」

さらに、たしかに歩きだしたばかりの赤ん坊はよく転ぶが、じつは活動量を考慮すると、ハイハイをしていたときにも同じくらい転んでいることがわかっている。

ならば、歩かない理由はない。この新しいスキルにはさまざまなメリットがあるからだ。手が自由になる。視界がよくなる（ハイハイをしているときにはほとんど地面しか目に入らない）。「社会的役割」を得やすくなる。みずからの環境をコントロールする手段が手に入る。また、両親も歩きだした赤ちゃんに対しては、ハイハイしていたときとは話し方が変わってくる。想像がつくかもしれないが、前よりも「ダメ！」ということが増える。

つまり、赤ん坊にとって、移動はたんに学ぶべきスキルの1つではなく、学びそのものなのだ。たとえば、抱っこされている赤ん坊は、自分で動いている赤ん坊に比べると、周囲の状況をあまり学習しない。アドルフはこれを「知覚情報はタダでは手に入らない。何かをしなければダメなの」と説明する。

さらにアドルフは、歩行の技術の巧拙は生後何カ月経っているかよりも、どれだけ経験を積んだかによって左右されると言う。要は、歩けば歩くほど上手くなるわけだ。よく動く11カ月の子のほうが、あまりやる気のない16カ月の子に勝る。赤ちゃんが歩行をはじめる時期の目安は、思ったよりあいまいだ。歩きだすのがそれよりも早かったり遅かったり、あるいはハイハイをまったくしない場合もあれば、歩きだしたと思ったら数日後にはハイハイに逆戻りする子もいる。

私の娘は、なんと生後17カ月まで歩かなかった（驚いた妻と私は慌ててグーグルで調べた）。おそらく娘は、ブルックリンの小さなアパートでは、移動はハイハイだけで十分だと判断したのだろう。たとえ心配性の両親が準備万端だったとしても、彼女自身はそうではなかったのだ。

かつて歩行は、たんなる〝マイルストーン〟の1つであり、いつのまにか魔法のように生じる

「神経筋適応の1つの段階」にすぎないと考えられていた。だが実際には、赤ちゃんは歩くことを〝学ぶ〟のだ。私たちが歩き方を〝教えて〟いないからといって、それは学習がおこなわれていないことを意味しない。アドルフいわく、託児所に預けられた赤ん坊は、歩きだすのが早い傾向があるという(「おもちゃに早くたどりつけなければ、他の子にとられてしまうから」)。また一部の国では――欧米の親が子どもをモーツァルトやサイト・ワーズ〔英語の早期教育に使われる基本単語と発音を覚えるための教材〕漬けにするのと同じく――積極的な歩行訓練が推奨される文化があり、結果として1歳になる前に歩きだす子どもも珍しくないところもある。

また、赤ちゃん自身にも歩きたいという衝動はある。生まれる前ですら母親のお腹のなかでしょっちゅう足を動かしているし、足の裏が地面につくように抱くと、おかしな形ではあるが、前に歩くような仕草を見せる。この新生児の「足踏み反射」は通常、生まれてから8週間ほどで消える。赤ん坊がすぐにこの歩行の原型を〝忘れる〟のは、その後、脚が急激に重くなり、動かすには割に合わなくなるからだという説が有力だ。

1970年代前半、赤ん坊のこの習性を維持できないかと考えた心理学者のフィリップ・ゼラゾは、生後数カ月の息子に毎日足踏みの練習をさせた。

すると足を動かしつづけた結果、ゼラゾの息子は、普通よりもはるかに早い7カ月半で歩きはじめたという。そしてその息子もまた、発達心理学者になった。アドルフは「学会で彼に会うたび、それとなく歩き方をチェックしちゃう」と冗談交じりに言う。ただ、歩行学習の神童だったかもしれない彼だが、その歩き方にはとくに変わったところは見られないそうだ。

また、たとえばパラグアイのアチェ族のような、狩猟採集生活をおくる先住民族は、険しくて危険な森のなかを移動することが多いため、赤ん坊はほとんどつねに抱っこされていて、昔から月齢23カ月から25カ月ほどにならないと歩きださないのが当たり前だ。

この遅れによって何かまずいことは起きないのだろうか？

「長い目で見ると、とくに問題はないわ」とアドルフは言う。「アチェ族の子どもたちは、8歳になる頃には山刀を使って、ヤシの木に登るようになる」

大半の科学的研究では、子どもが運動技能の節目を早くむかえたからといって、あとになって運動が得意になるかどうかとは無関係だと結論されている。たしかに歩くのが遅かった私の娘も、運動神経のいい子どもに成長した。ここにはどの年齢の初心者にもあてはまる教訓がある。それはスキルを習得しはじめるタイミングはそれぞれ微妙に違っても、時間さえかければ（そして総練習量が同じだと仮定すれば）、基本的には先にはじめた人にも追いつけるということだ。

＊

赤ん坊は、ほかの多くのスキルを身につけるのと同じように、〝学び方自体を学ぶ〟ようだ。これは有名な発達心理学者であるハリー・ハーロウの言葉である。ハーロウはサルを対象にした実験で、テスト（学習セット）をやらせればやらせるほど、賢くなっていくようであることを発見した。つまり、サルたちは新しい情報をすばやく処理する方法を学んだのである。

これと同じく、ここ幼児行動研究所でも、急な斜面をくだらせるなど、赤ちゃんを慣れない状況に置くさまざまな実験をおこなっているが、そこでは驚くべきパターンが観察できる。おもわず尻込みするような傾斜が36度の急斜面を前に、ハイハイをしている赤ん坊はそれを避けるか、すくなくとも慎重に近づいて、自分がなんとか降りられる方法をじっくりと考えていた。しかし、歩きだしたばかりの赤ん坊は、何も考えずに斜面に突っ込んだり、よちよち歩いて崖から落ちたりして、ベテランの研究員に抱きとめられることが多かった。

「歩きだしたばかりの赤ちゃんは、急な段差に挑戦するの」とアドルフは言う。「まるで、自分の能力や限界について何も知らないみたいに振るまうのよ」。ただ、赤ちゃんはその危険そうに見える〝断崖絶壁〟が目に入っていないわけではないようだ。「私たちは、赤ちゃんの母親に、〝ダメよ！ 坂があるのを見なさい！〟と叫んでもらう実験もやったわ。でも子どもたちは〝なんでそんなに叫んでるのかわからないや。ぼくには面白そうに見えるけど〟とでも言わんばかりに進みつづけて、そして……ペシャ！」とアドルフは手を叩く。

だが彼女はこうも続けた。「赤ちゃんたちはそれについて考えなかったわけじゃない。ただ、知らなかっただけ」

しかしながら、赤ちゃんたちは斜面を降りるのが困難であり、場合によっては危険でもあることを、ハイハイのときに学ぶべきではなかったのか？ 〝学ぶ方法自体を学ぶ〟という話はどうなったのか？ これは、アドルフにとっても簡単な問いではないようだ。「赤ちゃんはたんに、物事のつながりを理解できるほど認知能力が発達していないのかしら？ それとも学ぶことに集中するあまり、記憶が真っ白になってしまうのか」

赤ん坊はたしかに〝学び方を学ぶ〟が、それは同一の「問題空間」のなかにおいてであるというのが、アドルフの立場だ。ハイハイはここにおける〝問題〟の1つであり、歩くことはそれとは完全に別の〝問題〟だ。なぜならこの2つでは、情報収集の仕方が変わるし（たとえば、視線が急に高くなるため）、使われる筋肉も違えば動作も違い、バランスのとり方も異なる。ハイハイのスキルが歩行に〝転移〟するというエビデンスはない。

さらに言えば、アドルフも指摘するとおり、赤ん坊は歩行をはじめるときには、それ以前とは違う体になっている。赤ん坊は驚くほど爆発的に成長するもので、寝て起きたら2・5センチちかく背が伸びていたという例も報告されている。また、一晩で頭周りが1センチちかくも大きくなることもある。

そのため、ハイハイしていた頃に役に立ったことも、歩きだすと機能しなくなる。「動き方の学習は、そのときに持っている体を使ってやるわけでしょ」とアドルフは言う。そのため、赤ちゃんたちは、初心者に戻ってすべてをもう一度やり直さなければならない。そして、アドルフが指摘するように「2回目や3回目ではこのプロセスは速くはならない」

でも、せっかく苦労して得た知識は残しておいたほうがいいのでは？　私のこの問いに、彼女は首を振り、赤ちゃんは〝物事の固定されたつながり〟を学びたがらないし、学ぶべきでもないと言った。「どうして15センチの段差が危険だと学習する必要があるの？　次の週には、もっと上手く歩けるようになっているし、背も高くなっているのに」。要は、その程度の段差はそのときにはもう危険ではなくなっている、ということだ。

言い換えれば、赤ちゃんは、昨日ではなく今日の世界のために学んでいる。そして世界はつねに変化しているため、問題に対する解決策をつねに変えていかなければならない。

だが不思議なのは、赤ちゃんはたくさん失敗を犯すものの、そこから多くを学んではいないように見えることだ。あるとき、アドルフの研究室の被験者の一人だった赤ちゃんが、自宅の階段から落ちて救急病院に運ばれた。そして数日後、研究室に戻ってきたその子は、いきなり急斜面に頭から突っ込んだのだ。

急な段差に対する、健全な恐怖心を身につけるのはよいことではないのだろうか？　この問いに対するアドルフの答えはこうだ。「赤ちゃんに〝こうしちゃだめ、転んじゃうよ〟とは、教えないほうがいい。だって、どのみち赤ちゃんは転びつづけるんだから」。だから、赤ん坊は転んでもその原因を分析したりしない。ただ立ち上がるだけだ。「もしあなたが赤ちゃんだったとして、こうした転倒から何を学ぶというの？」とアドルフは言う。「それより、何かを試すのを止めることを〝学習〟させるほうがよくないわ」

赤ちゃんの世界への認識は、つねに変化している。だから、何が有効で何が有効でないかという型にはまったルールはあまり役に立たない。「赤ちゃんはその時間のほとんどを、これまで一度もやったことがないことに費やしてるの」とアドルフは言う。

〝究極の初心者〟である赤ちゃんたちに必要な学び――学び方を学ぶこと――は、柔軟で、探検したいという気持ちが原動力であり、新しい状況に適応できるようにしてくれるものであって、かつその過程で原因不明の失敗をたくさんしたとしても大丈夫なものでなければならない。彼らは、転倒につぐ転倒を重ね、脳と体が時間をかけて転ばない方法を理解するまで、あらゆる状況で転びつづける。

つまり、赤ん坊は初心者の理念とでも言うべきものを体現しているのだ。すなわち、〝失敗の仕方を学ばなければ、物事を学ぶことはできない〟という。

＊

私たちは同じ初心者として、赤ちゃんからいくつか重要な教訓を学ぶことができる（それに結局のところ、私たちもみな、かつては赤ちゃんだったのだ）。大人による新しいスキル習得の話に移る前に、以下の点について確認しておこう。

(1) 人は誰でも眠っている能力があり、それを解放することができる。新生児は生後8週間前後で、生まれたときに持っていた足踏み反射を見せなくなる。だが、これは本当に消えたわけではない。水のなかに入れると、新生児はふたたび足踏みをはじめる。つまり、能力自体はずっとそこにあるわけだ。だが、それを使うには、使おうという意思やなんらかの働きかけが必要となる。

(2) 技術の習得には時間がかかる。赤ん坊はまるまる半年、1日の約3分の1を歩く練習にあてる（しかも、それが本当の意味で完成するのは数年後）。週に1時間の練習で、テニスのサーブや雲の絵を描くのが上手くいかないのに悩んだときには、このことを思い出してほしい。成功へと近づく小さな一歩が「ベイビーステップ」と呼ばれるのには、ちゃんと理由がある。

(3)　失敗は学びに不可欠な要素である。私たちは節目となるような成功（たとえば、赤ちゃんが初めて歩いた日のこと）は覚えているが、その前にあった数多くの失敗については忘れがちだ。すべてのハイライトの裏には、多くのNGシーンがあるのだ。

(4)　練習方法に変化をつけよう。いわゆる「多様性練習」のメリットは、ここ数十年の学習理論研究における重要な発見の1つだ。

1つのスキルを長時間、単調に繰り返すのではなく、さまざまなスキルを並行して練習することで、そのときには上手くいかなくても、長期的にはいい結果が出ることが多い。いろいろな動作とそのコツを覚えるのは大変だが、その分頑張るので結果的に上手くなるというわけだ。

赤ん坊は意識的であるかどうかはともかく、このアプローチで歩くことを学ぶ。長くてまっすぐな道をドリルのように行ったり来たりするのではなく、止まったり進んだり、異なるパターンと動作で、さまざまな種類の地面や場所を本当にランダムに歩く。同じ歩き方は二度としないと言っていい。

そして、これはいいことだ。赤ん坊に〝正しい歩き方〟だけを教えて、それを繰り返させるようなやり方はしないほうがいい。学習においては、多様性が鍵なのだから。一見、不器用でデタラメに見えるかもしれないが、それは初心者としてさまざまな解決の可能性を探っているにすぎず、それによりかえって学習は速く進むようだ。

(5)　上達は直線的に起きるとは限らない。学びは止まっていたかと思うと急に進むものであり、学習の各段階はおおまかな目安にすぎない。つねに一定の方向に同じペースで発達するわけではなく、歩きだした赤ん坊が、一時的にハイハイに戻ることもある。

　進歩はしばしば〝U字型〟であるため、子どもたちは（そして大人も）上達する前に一度下手になることがある。たとえば、文法を学びはじめた子どもは、新しく学んだ（不完全な）知識を、頑張って〝過剰適用〟することがある。たとえば両足のことを正しくfeetと言っていたのに、footsと言いだしたりする。これはひとことで言えば、発達の過程における一時的な〝先走り〟であるが、いずれは正しい理解が追いついてくる。

(6) スキルが〝転移〟することはめったにない。赤ちゃんは、ハイハイから学んだことをあまり歩行に活かしてはいないようだ。だがこれは珍しいことではない。どの年齢であっても、技術の習得は個別具体的なものになりがちだ。たとえば、実験室のテストで、グラグラする台の上に平気で立っていられる人なら、同じくバランスが要求されるはしごのぼりも得意だと思うだろう。だが半世紀以上にわたる研究の結果、両スキルのあいだにはほとんど何の相関もないことがわかった。
　つまり、あるスキルに優れているからといって、それだけで他のスキルでも有利になるということはまずないのだ。

(7) つねにできないことに挑みつづけること。アドルフいわく、幼い子どもたちの学習がもっとも進むのは「現在の技術レベルの限界に近いところ」で活動しているときのようだ。すでにできることと、いまやろうと試みていることのあいだにある、この「発達の最近接領域」において、子どもたちは助けになるものは何でも受けいれる。覚えておいてほしいのは、何かをしていてそれが簡単だと感じるとき、あなたはたぶん学びを得ていないということだ。

(8) スキルを学ぶことは、世界を広げてくれる。赤ん坊は歩けるようになると、急にいろいろな場所に行けるようになり、できることも増える。これは生涯、心にとめておくべき教訓だ。

(9) 目標を持つのはいいことだが、その過程で生まれるチャンスにも目を向けよう。歩き方の練習をしている赤ちゃんは、特定の目標を目指しているわけではなく、ただ動いて、偶然面白いものに出会う。発達心理学者のエスター・テーレンは、「退屈な主婦」だった自分が「ジェロー〔粉末からつくるゼリー〕づくりやセサミストリート以外にも」興味を広げようと思ってとった講座が偶然にもキャリアにつながった、と言っている。それと同じように、「その場の思いつきで動く赤ん坊」からインスピレーションを得て、「人生では向こうからやってくるチャンスを活かすことも必要」なのを忘れないようにしたい。

だから何かを学ぶときは、その途中に出てくる面白い小さな回り道を見落とさないようにすべきだ。人が歩くことを学ぶのは、もしかしたらそれ自体が目的なのではなく、たんに歩けるようになることで、いいことがあったり、いい場所に行けるようになったりするからかもしれない。

それでは、何かを学びに出かけるとしよう。

第3章 歌い方をあえて忘れる

CHAPTER 3 : UNLEARNING TO SING

私は幸せだから歌うのではない。歌うから幸せなのだ。

――ウィリアム・ジェームズ

私たちはみな、生まれつき歌うようにできている

あなたが最後に歌ったのはいつだろうか？

普通の人なら、たぶんそれほど前でもないはずだ。いま私が言っているのは、カーネギーホールでのソロコンサートのことではなく、無意識に口をついて出る歌――朝、シャワーを浴びているときの鼻唄、電車に向かって足早に歩きながら小声で口ずさむ歌詞、あるいは、スーパーマーケットの蛍光灯の光のなかで聞いて頭のなかに残ってしまった、アップテンポのホール＆オーツのメロディ――のことだ。

また、自分専用の音響室である車についても忘れてはならない。[*]「音楽を聴きながらの運転は、人類史上もっとも普及した音楽行為かもしれない」と言っている研究者もいるくらいだ。

これによって車のなかはほとんど自動的に――自分一人かあるいは親しい人だけの場合はとくに――もっとも気兼ねなく歌える場所となる（ある研究では、子どもが親に対して、車内の音楽にあわせて歌うのをやめるよう〝強要した〟事例が多数報告されている――まるで私のことを言われているかのようだ）。このカーラオケはあまりに広まりすぎているため、運転中の不注意を引き起こす要因として調査の対象になっているほどだ。

しかし、私たちの歌いたいという欲求や、さらに言えば音楽全体への愛も、進化論的な視点からは「非常に奇妙」であると、考古学者で『歌うネアンデルタール――音楽と言語から見るヒトの進化』の著者であるスティーブン・ミズンは述べている。さらに、セックスと食べ物を除いて、人間を「これほど否応なく惹きつける」ものはほとんどないとも主張する。

ただ、歌うことはわれわれにとっていいことだ。免疫力を高め、エンドルフィンや（〝抱擁ホルモン〟として知られる）オキシトシンの分泌を促す。呼吸機能を向上させ、突然心臓が停止するリスクを減らしてくれる。また、心拍数や血圧、消化をはじめとする多くの身体機能を脳が制御するのを助ける、「迷走神経」という名で知られる重要な神経線維の束を活性化することで、うつ病を防ぐ効果もあるとされている。

＊　これを裏付けるデータの1つを挙げれば、再生中の音楽の曲名を教えてくれるアプリである「シャザム」への照会の大半は、時速30キロ以上で移動している最中におこなわれているという。

だが、喜びをもたらすうえに、習慣的におこなわれていて、さらにこんなにも体にいい行為が、何も意図せずして生じるなどということが本当にあるのだろうか？

ミズンは、音楽に関する能力は「人間のゲノムに組み込まれている」のではないかと言っている。人類は言葉を話せるようになるずっと前から、音程やリズムをもてあそぶかのようにさまざまな音を発してきた。メッセージを伝えたり、感情を表現したり、社会的なつながりを築いたりするための手段として（興味深いのは、歌うことで分泌されるオキシトシンも、他者とのつながりを深めるのに役立つ物質であることだ）。そして、人が言葉を獲得して、日々のコミュニケーションの役割をそちらに引き継いだとき、歌は、よい感情や人とのつながりといったことに焦点を絞るようになったのではないか。ミズンはそう述べている。

私たちが歌うのは、とても古い歌だ。それはきっと、こんな感じではじまる。親になったばかりのあなたは腕に赤ん坊を抱き、その目をじっと見ている。この言葉を解さない小さな〝喜びの塊〟が体をもぞもぞと動かすのに対して何をすればいいのかわからず、あなたはこれまでには出したことのない、心地のよい鼻唄のような音を出すか、あるいはたんに歌を歌ってみる。

それにじつのところ、赤ちゃんも最初に言葉を話すずっと前から、これと同じことをしているわけだ。親はでたらめな歌を歌うこともあれば、まったくの思いつきで歌を選ぶこともある（ちなみに我が家の娘に対する定番は、カウボーイの子守唄『マイ・リトル・バッカルー』だった）。ただ、直感的にそうすべきだと感じるのだ。まるで、本能の扉が開き、普段友人や妻（あるいは夫）というときには使わないような、長きにわたって失われていた言語――心につながる秘密の通路――に、ふいに命が吹き込まれたかのように。

私たちは誰に言われるでもなく、本能的に落ち着かせるようなやり方で、赤ん坊に歌いかける。この「乳児への歌いかけ」に関するある実験では、まずは母親に赤ちゃんに向けて歌を歌ってもらい、その後、赤ちゃんがいない状態で同じ歌を歌わせた。そして、録音したその2種類の歌を他の人に聴かせたところ、どちらが赤ちゃんがいるバージョンなのかを言い当てることができた（しかも、その歌が自分の知らない言語のものだったとしてもだ）。

その理由の1つは音程だ。母親や父親は、赤ちゃんに歌うときは普段よりも高い声になる。これはとくに母親の場合に顕著で、赤ちゃんはそうした歌い方を好む（おそらく、そのほうが怖くないからだろう）。見知らぬ人であっても、たんに声を半オクターブ高くするだけで、赤ちゃんの注意を引けるという研究結果もある。それに、声を高くして笑顔を浮かべれば、親しみやすく見えるという効果もある。

また、赤ちゃんは歌が好きだというより、ほとんど要求すると言ってもいい。母親の話し声よりもむしろ歌声のほうを好む。そして父親に歌ってもらうのも好きだ。ある研究では、じつは父親の歌のほうが好きであるという結果も出ている。ただこれは父親のほうがいい声だからではなく、普段はほとんど母親の歌ばかり聴いているからだろう。赤ちゃんが男性の歌声に惹かれるのは、たんに珍しいからだ。*

---

* また、父親は母親に比べて、より自意識過剰なパフォーマンスをしがちだと研究者たちは指摘している。「たとえば、父親たちは赤ん坊に聞かせるというより、そこに観客でもいるかのように、〔架空の〕マイクに向かってかっこつける傾向がある」

歌については私にも覚えがある。父親になったばかりの頃、いろいろな意味で初心者に戻った私は、赤ちゃんの気を引くようなスキルを片っ端から身につけようと必死だった。歌い方自体は知っていたが（知らない人などいないだろう）、うろ覚えの子守唄をおそるおそる歌ってみると、大昔に使っていたホコリをかぶった道具をひっぱりだしてきたような気になった。

だが、初心者であるというのはある意味自由でもある。専門家でもなければ、過度に期待されることもない。体重が4キロもない娘に歌を聞かせる父親？　いいじゃないか！　歌詞を覚えていなくても、上手く歌えなくても関係ない。娘と私は、「古代の言語」で意思疎通をする二人のアマチュアだった。お互いに見つめ合い、体は幸せなホルモンの波の上を漂う。歌が上手いか下手かなんて、これっぽっちも気にしなかった。

高い音程で、こうした優しい歌を歌っていると、突然、体から重荷がとれていくような感じがして、なぜ前からもっとこうしなかったのだろう、と思ったのを覚えている。

自分には歌のセンスもなければ、音楽の才能もないだろう。子どもの頃、学校で習った音楽の授業の内容はほとんど忘れてしまったし、楽器は何ひとつ弾くことができない。それにパフォーマー気質でもない。友人の結婚前のパーティーで、スマホを前に歌ったとき（ありがたいことに、みなそれを覚えていない）以外には、カラオケに立ち寄ったこともない。

それでも、家のなかで、シャワーを浴びながら、あるいは車に乗りながら、私は歌を楽しんでいた。妻はたまに「いい声ね」と言ってくれることもあったものの、音程が外れているのは否定しなかった。ただ、それを意識しすぎていないときのほうが出来がいいとも言っていた。

とはいえ、完全に自分自身のなかから生まれてくるものであり、かつ強烈に自己を表現する、この歌という行為について、自意識を持たない人がいるだろうか？　私たちは長距離電話をするときに「君の声が聞けてよかったよ」と言うが、それは本当は「君の存在そのものを聞けてよかった」という意味なのだ。親になったことで、一時的にではあれ、歌の世界に戻ってきた私だったが、ふと思い起こせば、それ以前の人生でも、ラジオを聞いたりバンドのコンサートに行ったりしたときに、それとなく静かに歌いつづけてきたのだった。

なら、それをもっと意識的にやってみたら、どうなるのだろうか？

初心者歓迎

かくして、私は先生をつけることに決めた。歌い方のテクニックに関する本はたくさん出ているし、よい内容のものも多いが、そうした本はすでに基本がわかっている人を対象にしているように思えたからだ。

また、インターネットにも、ヘビーメタルのスクリームやブロードウェイで使われるベルティング発声など、さまざまな歌唱法を教えてくれる動画が数多くあがっているが、質にはあきらかにばらつきがある。それに本や動画の大きな弱点は、自分の歌い方が正しいかどうか、自己判断するしかないことだ。

「誰も聴いていないかのように歌おう」とはよく言ったものだが、心意気はともかく、上手くなりたいなら他人に聴いてもらうのはとても大事だ。

幸運にもニューヨークには、音楽の才能を持つ人物はたくさんいる。ネットで検索してみると、ブルックリンだけでも何百人も先生がいるようだ。それに近所の店の掲示板は、ボイスコーチのチラシで埋め尽くされており、そこにはまるで人生を変えるとでも言わんばかりの大胆な宣伝文句が踊っている――「あなたも知らない、自分自身の声を見つけよう！」

そんなある日、近所に住んでいる俳優のイーサン・ホークの紹介記事を読んでいたときのこと。そのなかでホークは、出演した新作映画、『ブルーに生まれついて』の宣伝をしていた。有名なジャズのトランペット奏者兼ボーカリストで、素行の悪さでも知られたチェット・ベイカーの伝記映画だ。興味を惹かれて記事を読み進めると、ホークはこの映画のために、自分自身の歌声を録音することを決意し、ブルックリンのボイスティーチャーのもとで、歌の特訓をしたのだという。

私はベイカーの長年のファンであり、とくに彼の歌が好きだった。大学生のときには、1988年にブルース・ウェーバーがベイカーに敬意を表して撮影したドキュメンタリー映画、『レッツ・ゲット・ロスト』を、ジャズに興味のない友人を無理やりひっぱって見に行ったこともある。妻と真剣に付き合いだした頃、彼女は私がいつもベイカーの『ライク・サムワン・イン・ラヴ』を――付き合いたてのカップルにありがちな、その盛り上がった愛を歌に乗せるような感じで――口ずさんでいたのがとても印象的だったという。それに、これまでの人生で折に触れて、見た目がすこしベイカーに似ていると言われることもあった。これは運命かもしれない。

さらに、ベイカーは不安だらけの歌手志望者にとって、お手本にするにはぴったりだと言っていいだろう。なぜなら彼自身、技術的に大変な苦労をしたからだ。音程が上手くとれずに膨大な数のテイクを重ね、その声は平板で情感がないと言われた。彼が、ある伝記作家が「男とも女ともつかないような、甘いテノール」と呼んだ声質に悩んでいたことはよく知られている。ベイカーの力と名声がピークにあるときですら、評論家たちは手厳しく、ある者は「無理やり高い音を出そうとする酔っぱらいのような貧弱な声」と評した。

しかし私を含め多くの人が、その不完全で平板に思える声のなかに何かを感じた。そして激しい感動とともに心には消えない跡が（それが現実のものかはさておき）残った。それに結局のところ、技術はばっちりでも完全に忘れ去られてしまう歌手はたくさんいる。ある音声学の専門家は私にこう言った。「歌の8割は、いかに自分の声を売り込むかにある。声自体のすばらしさじゃなくてね」

ネットですこし調べてみると、ホークに歌の指導をしたダニエル・アメデオのホームページが見つかった。そこには魔法の言葉である〝初心者歓迎〟の文字があり、しかも彼女が自宅のすぐそばに住んでいることがわかった。

1週間後、私たちは近所のカフェで対面した。38歳のアメデオは、初出産を数カ月後に控えていた（そのため、レッスンは途中で一時中断することになるだろうと言った）。ニューヨーク大学で演劇と歌を学んだあと、9年間の会社員生活を経て、フルタイムで歌を教えはじめたという。生徒の半分は、ブロードウェイを目指しているミュージカルの劇団員だ。そして残りの半分は、上手く声を出せるようにしようとしている役者や、技術を磨こうとしている歌手志望者、それに私のような初心者などいろいろな人が集まっている。

アメデオはこれまで舞台に身をおいてきた人だ。そのため、椅子に座る姿勢が美しく、所作のひとつひとつがまるで役者のようだ。彼女は明るくて好奇心旺盛な目をこちらに向けながら、私が緊張で口ごもりながら打ち明けた期待と不安に対して、共感を示しつつうなずいてくれた。

この歳ではじめるのに遅すぎるでしょうか？　音程がとれなかったらどうしましょう？　そもそも声の質が良くないことがわかったら？

こうした問いに、よくある質問だとでもいうように微笑むと、一部には身体的な理由で正確に音程をとるのが難しいという人もいる、と彼女は言った。その場合、レッスンの前にまず医師の診察を受けたほうがいい、とも。だが幸い私には「心配すべき理由は見当たらない」とのことだった。

それでも私は、音程がとれても、自分の声が好きになれなかったらどうするのかと食い下がった。

「〝これが自分の声。これまでの人生でずっと出してきた声。でも私はこの声が好きじゃない――この声しか出せないのかな？〟と思う日が来たらどうしましょう」。だが、アメデオはこれに対してこう答えた。私たちは自分が出せる声のほんの一部しか使っていない。声の〝初期設定〟をするのは体の構造だが、実際の声は模倣、習慣、あるいはその人の意図によって変わってくる。「声を、たとえば目が青いのと同じような生まれつきの特徴だと思う人が多いみたい。でも、じつは使い方や習慣に大きく左右される〝学べる〟スキルなのよ」

この学習は体全体でおこなわれる。ただ、歌は運動技能の１つだが、歌っている本人には何が起きているのかほとんど見えないという特徴がある。「レベルの高いアスリートを見れば、彼らが何をしているのかわかるけど、歌の場合はすべてが隠れている」とアメデオは言う。仮にゴルフクラブが上手く持てなくても、すくなくともその手を見ることはできる。しかし、『マイ・ウェイ』を歌っているときに輪状甲状筋と甲状披裂筋の使い方が間違っていても、それは見えない。

歌を上手く歌うために必要な個々の筋肉や体の小さなパーツをコントロールするのは簡単ではないため、歌唱法の指導はたとえやイメージに大きく依存せざるを得ない。そのため、特定の音の出し方を教わるのに、鳥が木の枝にとまるところや、ボールが突風で吹き上げられるところを想像させられることになる。

ただ、それはさておいても、私の声がどんなものだろうと、その潜在能力の一部しか使っていない、とアメデオは言った。「私たちはその声を呼び起こし、押し広げて、豊かにすることができる」。50代を目前にした私は、ティーンエイジャーだったときほど、いろいろなことが簡単にはいかないかもしれない。だが、長年にわたって間違った声を使い方をしたのでもない限り、歳をとったからといって、歌う能力が劣るわけではない。

「心をすべてオープンにして、楽しもうと思ってはじめてみましょう」。アメデオは私に、自分の限界を意識するのではなく、未知の体験に挑戦してみてほしいと思っているようだった。「そういう気持ちで（自分の限界を意識して）はじめる人は多いの。でもそうすると、思い込んだ精神的な限界が、本当に身体的な限界になってしまうの」

＊

本章冒頭の質問をすこし言い換えてみよう。あなたが最後に、誰かに向かって、誰かの前で、誰かとともに歌ったのはいつだろうか?

　おそらく、ミュージシャンや教会で歌う人を除けば、この1年間で人前で歌った回数は片手で数えられるくらいではないだろうか。

　この質問を妻にもしてみたところ、すこし考えたあと、「そうね、ライに住んでいるティナの家でパーティーをしたとき、ピアノを囲んでみんなでクリスマス・キャロルを歌ったことがあったわね」と言った。それが10年ちかく前のことであるのを、私は教えてあげた。妻は子どもの頃、日曜日に教会に通い詰めていたせいか、どこかで賛美歌が聞こえると急に歌いだすような人だった。それがいまではあまりに歌う機会が減ったため、10年前の出来事が最近のことのように記憶に残っている。

　人前で歌う習慣が、めっきり減っているのを実感せざるを得ない。

　数年前、私はアメリカ領ヴァージン諸島のセント・クロイ島に行くグーグル・マップのチームにジャーナリストとして同行した。ある夜、地元のレストランでビールを飲んでいると、店の隅にピアノが置いてあるのに気づいた。そしてじつは、チームのメンバーの一人が、すこし前からここで弾き方を習っていたのだった。人が集まったときに披露できるように、彼は丸1曲弾けるようにするというすばらしく実用的な課題を自分自身に課していた。選んだのは、ジャーニーの『ドント・ストップ・ビリーヴィン』。間違いなく盛り上がる曲だ。

　あなたはこの曲を知っているだろう。私も知っている——そう思っていた。だが、意外にも最初の1節を過ぎたあたりから、みなの声がバラバラになりだした。私たちは進むべき道を探るように、お互いの顔を必死に見合わせて、歌詞のヒントを探した。みんなこの歌を歌えるつもりだったが、実際には流れている歌に自分の声を〝合わせる〟方法しか知らなかったわけだ。この2つは別物である。

また、もうひとつ起きたことがある。近くのテーブルに座っていた家族のティーンエイジャーの女の子が立ち上がって、こちらの様子を撮りはじめたのだ。その日われわれは、いったい誰のSNSのフィードをにぎわしたのだろうか？　かつてはありふれていたみなで歌を歌うという行為が、いまでは珍しい動物でも見つけたかのように、わざわざ撮影する価値のあるものになっていたのだ。レコーディングされた音楽が世界中でほとんど絶え間なく流れつづけているおかげで、歌自体の存在感は、かつてないほど高まっている。だが、他の人と一緒に歌うという行為は、間違いなく衰退している。正確に測定はできないが、直感的にそう思う。

「あの頃、村ではたくさんの歌が歌われていた」。これはロナルド・ブライスの『アケンフィールド』という、イギリスの小さな町を舞台にした古典的な小説に登場する、年老いたイギリス人の馬乗りが20世紀初頭を振り返って言ったセリフだ。[*]「少年たちは野原で歌い、夜はみなが鉄工所に集まって歌い、教会は歌声であふれていた。第1次世界大戦がはじまったときも、世の中では歌、歌ばかりだった」

しかし筆記体の書き方や地図の読み方と同じく、みんなで歌うという技術や習慣は、ゆっくりと、

＊　ブライスの著作は、小説として書かれてはいるものの、膨大な量のインタビューにもとづいている。

しかし確実に廃れつつある。

なぜ私たちは歌わなくなったのだろう？　ひとつには、録音された音楽やラジオ、テレビの登場によって、独唱、合唱を問わず、自分で歌わなくても音楽を楽しめるようになったからだ。そのため、音楽は〝前のめりに取りにいくもの〟から、〝もたれかかるもの〟に変わった。

誰もがリビングルームに居ながらにして、世界で最高のミュージシャンの音楽を聴ける。プロの歌がすぐに聴けるのに、どうしてアマチュアたちと一緒に時間を過ごす必要があるのか？　また、残念ながらこうした状況では、プロと比べることで、自分は歌が下手なのではないかと思いはじめる人も増える。そうして国じゅうに歌に対するコンプレックスが広がっていった。大元にあるのは、「たいして得意でもない歌をどうして歌わなきゃいけないんだ」という意識だ。

歌う機会が減ったのには、ほかにも理由がある。たとえば、多くの人があまり教会に行かなくなったことだ。ただここにも、自分たちは人前で歌えるほど上手くないという、よろしくない考え方がある。もっとも人が多く集まる教会ですら、聖歌隊の規模は年々小さくなっているようだ。なぜだろうか？　あるルーテル教会の牧師は次のように主張する。「成果と専門知識を重んじる、いまの文化では、かつてのように生活のいたるところで歌うことはないでしょう。私自身は、家でも学校でも教会でも、毎週のように歌を歌って育ちました。でもいまの人たちは、自分は歌うに値しないと思っているんです」

そして歌うことは私たちの生活のなかで、奇妙な位置を占めるようになった。人前で堂々と披露することなどほとんどありえない、密かな、ほとんど恥ずべきといっていい行為になったのだ。

たとえば、カリフォルニア大学サンフランシスコ校の研究者たちは、人が恥ずかしい状況に置かれたときに脳のどの部分が活性化するかを調査するため、被験者に恥ずかしさを感じさせる行動が必要になった。そこで彼らが選んだのは、被験者にテンプテーションズの『マイ・ガール』を歌わせることだった。ほとんどの人は自分が歌う姿を見ると、「かなりの羞恥心を示す反応」が起きる、と研究者の一人は言っている。これでは、われわれが人前で歌を歌う数少ない場所の1つであるカラオケバーが、大量のアルコールとひやかし半分のノリに支えられているのも無理はない。

その一方でわれわれは、歌を、大半の俗物には手の届かない、ほとんど神聖と言っていい芸術に祭りあげてしまってもいる。そして「ああ、私に歌えない」と、それがあたかも変えられない身体的な条件であるかのように言う。

ミュージシャンのトレイシー・ソーンは「私たちは歌や歌手を神格化したり、美化したりして、実際よりも難しい希少な技術だと思い込んでいる」と言っている。下には音痴の大群がいて、上には一握りのエリートである声の魔術師たちがいるとされ、そのあいだの、そこそこ歌える人という立場をほとんど取りえない状況になっている。

ただ、たしかに、それほど上手くない人が多いのは事実だ。人びとの歌の上手さに関する科学的な調査では、あまり前向きになれるような結果は出ていない。「不正確な歌唱法の蔓延」というタイトルの論文があるという事実だけで、あとは言わなくてもわかるだろう。こうした研究でリトマス試験紙として使われる歌はたいてい『ハッピー・バースデー』だ。ギネスブックによると、英語で歌われる曲としては世界でもっとも親しまれているらしいので、これは無理もない。

だが、じつのところ、われわれはそれほどこの曲をよく知っているのだろうか？　ある二人の研究者は、「人びとが集まって『ハッピー・バースデー』を歌っているのを聴くと、そもそもこの歌をちゃんと習ったことがあるのか疑問に思う」と憤慨している。ほかの曲でもありがちなことだが、みなこの歌を速く歌いすぎる傾向にある。たぶん早く終わらせたいのだろう。

じつは『ハッピー・バースデー』がそれほど簡単な曲ではないことを知っておくと、すこし気が楽になるかもしれない。ノースウェスタン大学の音楽教授スティーブン・デモレストは、次のように述べている。「この曲はドミナントではじまるが、その後、1オクターブにわたって、異なる度数の音程跳躍が断続的に何度も起こる」。つまり、この歌を歌う人は、低音から高音へと何度も大きなジャンプをしなければならないため、音を外さないようにするには練習が必要ということだ。

誰もが歌わなければならない歌――あなたが最後に人前で歌ったであろう可能性が非常に高い歌――が、デモレストの言うように「非常に難しい」ものであるという事実には、深い皮肉を感じる。*　おそらく、19世紀の後半にケンタッキー州に住む二人の学校教師がこの曲をつくった当時、人びとはみな、いまよりも歌が上手かったのだろう。

＊　アメリカ国民にとって、スポーツイベントなどの機会でこれよりもさらに広く歌われるのは、フランシス・スコット・キー作曲のアメリカ国歌だろう。だがこの曲もまた、歌うのが難しいことで知られている。

生まれつき歌うようにできているというなら、なぜこれほど難しく感じるのか？

アメデオはブルックリンハイツにある2階建ての家に住んでいたが、1階にある急ごしらえのスタジオ（そこはベッドルームだった）で最初のレッスンをやるにあたって、私は彼女から、課題曲を持ってくるように言われていた。ここに通うようになったいきさつを考えて、私はジャズのスタンダード・ナンバーである『タイム・アフター・タイム』を選んだ。これはサミー・カーンとジュール・スタインが作曲したもので、1947年にフランク・シナトラが歌って16位のヒットとなったが、さらにその10年後にはチェット・ベイカーが、オリジナルよりもはるかに静かで、切なげとすら言えるバージョンをリリースした歌だ。

個人的になじみがあるのは後者のほうで、じつのところなじみすぎと言ってもいいほどだった。それに、レッスンの前に、私はこの歌を聴き込み、曲にあわせて歌う練習もしてきていた。だが、電子ピアノの前に座ったアメデオが曲を弾きはじめ、最初の数小節を歌ってみると、その声は音楽的に見て正しいものだったにもかかわらず、「これはチェットのやつとは違うな」と感じた。

私のなかでこの曲とベイカー・バージョンの音があまりに強く結びついていたため、アメデオの演奏がほとんど耳に入ってこなかったのだ。「なんか、私が聴き慣れているものとは……音が違う感じがします」と私は言った。するとキリのいいところでピアノを止めた彼女は、「じゃあ、ちょっと歌ってみて。最初のほうを弾いてみるから」と言う。

だが、「タイム――」と歌いだしたところで声がかすれ、咳が止まらなくなった。不安は歌の役に立たないだけでなく、しばしば喉に現れる。
「水を飲んで。ちょっと休みましょう」とアメデオはアドバイスする。
「では最初から！」とカラ元気を出して歌いだした私は、途中でピアノの伴奏がなくなったのにも気づかず（あとからアメデオが言うには、途中で私がキーを変えたので、そのまま弾いても混乱のもとになるのでやめたとのこと）、めちゃくちゃながらも終わりのほうまで歌いつづけた。この曲には最後に〝ビッグ・フィニッシュ〟と呼ばれる1オクターブの跳躍があり、ここまで繰り返し出てきたこの歌の想いを再度強調するため、ドラマチックに声を引き伸ばす。「アンド・タァァァァァイム・アフター・タイム／ユーウィル・ヒア・ミー・セイ・ザット・アイム／ソー・ラッキー・トゥー・ビー・ラビング・ユー」

私の歌はこの部分を、氷の上をすべる蛇のようにうねりながら進んでいき、「ラッキー」のところで大きく上に外れて金切り声になった。

このとき、どうやら同時にいくつかのことが起きていたようだ。アメデオは拍手をしながら「よく最後まで歌いきったわね！」と叫び、私は汗だくになっていて、すぐにエアコンにあたって顔を冷やすよう言われた。この突然の発汗を、私は湿っぽいニューヨークの気候のせいにしようとしたが、さきほどいきなり起きたしつこい咳の発作と同じく、これが心因性のものであるのはほとんど疑いようがなかった。初対面に近い人間の部屋で、その人を前に、チェット・ベイカーの音源もなしに、ひとりで歌わなければならなくなったことに体が反応したのだ。

これは経験者にとっては当たり前だろうし、ナイーブすぎると思われるかもしれないが、室内で、ラジオや誰かの声に合わせることなく、自分ひとりの声を歌として届けるという行為は、心に非常に大きな影響を与えるものだ。歌だけでなく自分の声すら、いままで一度も耳にしたことがないようなものに聴こえてくる。

逆に言えば、録音された音楽にあわせて歌うと、いろいろなことがカバーされる。研究によればそのようなとき、人はあまり正確に歌わないという。その音が足りないところを埋めてくれるからだ。

だが、自分の声だけが出てその場を満たすと、あなたはいかにそれが奇妙であるかに気づく。これは声が体のなかにあるときには気づかないが、自分から離れて初めてわかることだ。どんな技術的な問題があっても、前はラジオの音が覆い隠してくれたが、それが丸出しになってしまう。

だが、ここではさらに深い現象が起きる。歌っていると、自分自身の存在がむき出しになり、感情的に無防備なように感じてしまうのだ。私はその瞬間、奇妙な方法で自己を晒すと同時に、自分が無能であることを示すことになった。この体験は極めて強烈で、最近になって初めてスノーボードをやったときよりもはるかにインパクトが大きかった。

スノーボードのときは、初心者用コースで他の人たちと同じく、重力と経験不足の糸に操られたマリオネットのようにまごまごしているだけだった。だが今回は、自分の感情や歌声をさらけだすのに慣れていない私は、大切な内臓を取り出して、血の滴るそれをアメデオに差し出したかのような気分になった。

たいていの人は、録音した自分の声を聴いて、驚いたりいやな気分になったりした経験があるのではないか。この理由は、普段自分の声を聴くときは、口から出る声だけではなく、骨の振動によって伝わり体内の音響室で増幅された声を聴いているからだと説明されることが多い。

この自家製のハイファイ装置の働きによって、われわれは自分の声を実際よりも深くて豊かなものだと思い込む。* だがMITの研究者であるレベッカ・クラインバーガーが指摘するように、体や脳に組み込まれた多くのフィルタリング機構によって、自身の声の大半を覆い隠してしまう。「あなたはたしかに自分自身の声を聴いているかもしれません。ただ、脳は実際にはその声をそのままの音で聴くことはないのです」とクラインバーガーは言っている。

また、実際に自分の声を聴いてみると不安になることがあるが、それは音質の問題だけではない。心理学者のフィリップ・ホルツマンとクライド・ラウジーの言う、この「ボイス・コンフロンテーション」という現象に直面したとき、私たちはふいにみずからの声がいかに多くを語っているかを悟る。つまり、自分自身について、これまで意識していなかったようなことや、晒したくなかったようなことまで表現しているのが聞こえてくるのだ。

じつのところ、喉頭という目に見えない地味な器官には、「人体の機能系統のなかで、筋繊維に対する神経線維の割合がもっとも高い」という特徴がある。私たちの声――体内の空洞を跳ね回って外の世界に流れでる、この騒がしい空気の突風――は、健康状態から身体的特徴、あるいは結婚

* 自分の声が周りにどう聞こえているかを確認するには、ボイスコーチのクリス・ビーティーが上手いやり方を提案している。まず、書類ばさみか雑誌を両手に持って、両耳の側に垂直に立てる。その状態で声を出し、何もない状態のときと比べてみよう。

相手としてふさわしいかどうかにいたるまで、多くのことを語っている。ある研究によれば、誰かが、ただ「ハロー」という短い言葉を発しただけで、聞き手はその人の性格についてある種の一貫した印象を抱いたという。まるまる1曲歌ったら、何をさらけだしてしまうのか、想像してみてほしい。

「とてもすてきな歌だったわ！」とアメデオは言ったが、あとから録音した自分の歌を聴いてみて、彼女はとりあえず励ますことにしたのだろうと思った。「あなたはこれまでの人生で、この曲をただ楽しんで聴いてきたと言っていたけど、たしかにこれはあなたのための曲みたいね」と彼女は言い、さらにこう続けた。「自分で上手くいったと思うところを教えてくれる？」

「えーと……」まだ慌てていた私は口ごもった。「ちょっと声が震えていたようです。タイミングもよくなかったみたいで。あと、歌詞を棒読みするのではなく、もっと歌にしないといけないと思いました」

彼女は期待に満ちた目でこちらを見たまま「何か気に入ったところはなかったの？」とさらに訊いた。

だが私は「あと、あの高音のところで〝アグッ〟っとなって」と自虐を続けた。

私は高音をたんに〝垂直〟に高いものと思い込むという、初心者にありがちなミスを犯していた。「みんな高音を出すために、頭を上げたり、肩や首を縮めたり、空を見上げたり、音がそこにあると思って手を伸ばしたり、いろんな形で体を動かすわね」と彼女は言った。

しかしこうした動作は結局のところ高音を出す助けにはならないため、直さなければならない癖である。

私はまた、普通はしゃべるときに使われる低音域の「チェストボイス（胸声）」を使って、歌おうとしていた。ちなみに「チェストボイス」は、胸に音を感じるためにこの名がついているが、実際には喉で出す音だ。

歌い手としてはおそらくバリトンの音域を持つ私にとって、このやり方では高音部分は（すくなくとも現時点では）出ないことはわかっていた。喉を痛めないようにするには、その部分を歌うのに軽い「ヘッドボイス（頭声）」を使う必要があった。「ヘッドボイス」はその名の通り、より頭のなかで響く感じがする音だ（ちなみにいわゆるファルセット――裏声――は、歌い手によって弱いヘッドボイスであることもあれば、まったくヘッドボイスでない場合もある）。また、ヘッドボイスの軽快さと、チェストボイスの重厚な響きを組み合わせた「ミックスボイス」という音域もある。

歌手としてはテノールに属するベイカーは、普通の男性では出しづらいヘッドボイスを、きれいに、苦もなく出しているように見える。ただ、アメデオのもとには、私のほかにもベイカーに憧れているホークという男が通っていたが、彼も苦戦していることを知って、すこし気分が楽になった。「ホークには、地声とは違う部分を使う訓練が必要だったたわ」とアメデオは言った。

ここで彼女がさらに「あなたは、すでにちょっと高音が出てるわね。面白いわ」と言ったので、私の耳はピクリと動いた。「話す声からして、あなたはバリトンだと思っていたけど、普通の男の人ではすぐには出せないような、とてもすてきな高音を持っているのね」

これを聞いて、私は妙に誇らしい気分になった。まるでチェット・ベイカーの魂をかけた歌勝負がはじまったかのように。見たか、ホーク！　俺はもう声が出てるんだ。

声が不安定になる根本的な理由

なぜ、私を含め多くの人は、平凡な歌い手になってしまうのだろうか？

だがその前に、実際に自分の歌唱力がどの程度のものなのか、気になっている人もいるかもしれない。なら、スティーブン・デモレストが制作に協力したオンラインテストをぜひ受けてみてほしい。[*]このテストは、歌のレベルを測るうえでもっとも計測しやすい指標である、音程の正確さにもとづいたものだ。ただ、どんなスコアが出たとしても、上達は可能だということを忘れないように。

多くの人が歌を上手く歌えない理由について、デモレストにはひとつの仮説があるが、それは生まれつきの才能とはあまり関係がないという。彼がさまざまな年齢層の人たちの歌唱力を調査したところ、ある顕著な傾向が見られた。それは幼稚園から小学6年生までのあいだ、歌唱力はあきらかに向上するというものだ。

だが、大学生をテストしてみると、実質的に幼稚園児と変わらないレベルだったそうだ。なぜ彼らは〝退化〟するのだろう？

＊　このテストは、Seattle Singing Accuracy Protocol のウェブサイト、ssap.music.northwestern.edu で受けられる。

たんに、ほとんどの人があまり歌わなくなるからだ、というのがデモレストの考えだ。歌の授業は、その他の音楽の科目と同様、6年生以降は普通、「選択科目」になる。そのため、音楽科目の履修率が総じて下がるのだが、とくに歌の授業は顕著だ。これはおそらく、バイオリンやピアノなどと違って、両親は歌の技術を学業の成果だと認めないからかもしれない（ちなみに、カナダの王立音楽院がおこなった調査によれば、声楽専攻の生徒はピアノ専攻の生徒よりもＩＱの平均値が高いという結果が出ている）。

一方、幼い子どもたちはつねに歌いつづけているかのようだ。幼稚園に敷かれたおもちゃのカーペットの上で、かわいい声で歌う『アイ・ワナ・リンガー』を聞いて、涙しなかった親がいるだろうか？　何かの集会があれば、「合唱団」ではなく、クラス全員が歌う（そして、親はまた泣く）。小さな子どものいる家では歌が鳴りやまない。私はいまでもファイストの『１２３４』を聴くと、無意識のうちに彼女が歌った〝セサミストリート〟バージョンの歌詞を口ずさんでしまう。小学３年生のときに、南北戦争の歴史劇をやった際、青い「ユニオンキャップ」をかぶり、「荷馬車は進んでいく！」と歌いながら舞台を行進した記憶も鮮明に残っている。「荷馬車」という言葉を使ったのも、舞台の上で歌ったのも、おぼえている限りそれが最後だ。成長するにつれ、子どもたちは一見わかりづらいが、じつは大きな変化をとげる――「音楽的な自己意識」を持ちはじめるのだ。つまり、自分が〝持っている〟人間かそうでないかを意識しはじめる。

だがここでのポイントは、これはあくまで「意識」にすぎないことだ。デモレストをはじめとする専門家の研究で、子どもたちの歌の上手さに対する自己認識と、実際の歌唱力のあいだにはそれほど強い相関はないことがわかっている。「上手くなるまでは、上手いふりをせよ」とはよく言ったものだ。ただ、自己認識は〝将来、音楽活動に参加するかどうか〟に実際に影響を与える。心理学者のアルバート・バンデューラが言っているように、「自分に能力がないと思い込むことは、それ自体が行動として認識される」からだ。

こうして子どもたちは二手に分かれる。音楽好きな子とそうでない子、歌う子と歌わない子に。「私の同僚たちにも責任はある」と、自身も音楽教師であるデモレストは言う。「彼らは、人前で歌えるほど上手くならない人に教えるのは、無駄な期待をもたせることになるか、あるいは時間の浪費だと考えているんだ。本人がやりたいから教えるという立場じゃなくてね」

娘が7歳のときに地元の合唱団のオーディションに受かった、という私としてはそれとなく誇らしく思っていたことをデモレストに話すと、深く息を吸い込んだあとに「歌を歌いたいと思っている7歳の子どもにオーディションを受けさせるのはどうかと思う」という答えが返ってきたことがあった。

デモレストが、彼の娘が通っていた小学校で放課後に指導していた合唱団のなかに、「本当に上手く音がとれない」女の子が二人いたという。彼はその子たちだけを居残りさせた。苦手意識を持たせることなく、すこしアドバイスをしてあげたかったからだ。すると、「その二人は最後には、中学でも高校でも合唱団に入った」という。つまり上手くなったのだ。

われわれはしばしば、才能を伸ばすには時間がかかるということを忘れ、初心者の段階で余計な口をはさんでしまいがちだ。

そうなれば当然、子どもたちは音楽の能力を運動神経以上に、生まれつきの才能によるものだと考えるようになる。私たちは誰かに対して「いい声してるね」とは言うことはあっても、「いい声を出せるように（保つために）頑張ったね」とは言わないものだ。

そして多くの人はいつしか歌うのをやめ、大人になってから自分が歌自慢でないことに気づくと、上手い歌手の声に感心して耳を傾け、そこであまりの実力差に驚き、彼らの才能についてほとんど神秘的といっていいような説明をつけるようになる。自分ができないと自覚していることに、カテゴライズによる説明をつけることで気分がよくなるのだ。すなわち、世の中には音楽的な人とそうでないそうでない人がいる、と。

あなたも自分は音痴で音感がまったくない、と言う人を見たことがあるのではないだろうか（あるいはあなた自身がそうかもしれない）。だが、先天性失音楽症という名で知られるこの症状は、実際には極めてまれで、そう自己申告する人よりもはるかに数が少ない。たとえば、実験でも証明されているように、有名な曲の音を１つ変えただけでも、ほとんどの人はそれに気づく。

音痴という言葉が広く使われていることで本当の問題が見えにくくなっていると、カナダの王立音楽院のリサーチディレクターであるショーン・ハッチンズは言っていた。私たちは聞き手としては、音程に驚くほど敏感だ。だがハッチンズによれば、問題は正しく音を聞き取ることではなく、*

＊〝調子外れ〟で〝音程がとれない〟ことでその名が広く知られるようになった、人気オーディション番組「アメリカン・アイドル」の出場者であるウィリアム・ハンは、興味深い例外だと言えるだろう。多くの人が指摘しているように、じつは彼の歌の音程はちゃんとあっている。つまり、聞き手が不協和音だと感じる理由は、音程以外のところにある。

音を生み出すほうにあるという。たしかに歌は、驚くほど豊かに感情を表現し、喜びを音として響き渡らせるものではあるが、それでも基本的には運動技能であるという事実を見落としがちだ。これは矢を放ったり、速いボールを投げるのと同じく、いかに筋肉を協調させて望んだ結果を生むかという問題なのだ。

つまり、歌も数ある音楽技術の1つにすぎない。[*]「小学5年生のとき以来、一度もトランペットを手にしたことのない大人に演奏技術があるとは誰も思わないだろう」とデモレストは述べ、さらに「だが、歌声については〝持っている〟か〝持っていない〟かのどちらかだと思っている」と続けた。

ここで私たちは悪循環――歌が上手くないのはあまり歌わないからであり、あまり歌わないのは、上手くないからだと思っているからである――に陥っていることがわかる。

そして幼い頃、両親と音楽を使って大いにコミュニケーションをとり、普段使わないような音にも触れていた（歌は普通の会話よりもはるかに広い声域を使う）魔法のような時間は終わりを告げ、私たちはゆっくりと、会話と歌、歌手とそうでない人が厳密に区別される、秩序だった、しかし単調な音楽生活に戻っていく。

そうして、われわれは自分が本来出せたはずの声を失うのだ。

＊ しかし、世の中ではミュージシャンと歌手（シンガー）はしっかりと区別される傾向がある。たとえば、アメリカ合衆国労働省労働統計局には、「ミュージシャン＆シンガー」という職業カテゴリーがあり、ウェブサイトには、「ミュージシャンか、あるいはシンガーになる方法」と、まるでこの2つが両立しないかのような形で情報が載っている。

歌い方をあえて忘れる

この分野に飛び込むにあたって、私は歌を学ぶというのは、アメデオのスタジオで過ごした最初の午後のレッスンと同じように進むものだと思っていた。すなわち、歌を歌い、それを聞いた先生に問題点を指摘してもらったあと、前よりも上手くできることを目指してまた歌う、というかたちで。だが、実際には、よりシンプルかつ、はるかに奥の深いものだった。

最初に必要だったのは、〝楽器〟の基本的なチューニングだった。しかし、これがまたなんと大変な楽器だったことか！

しゃべるときも歌うときも、人は喉頭にむかって空気を押し上げる。するとその空気の流れが、その後「声帯」にぶつかってそれを押し広げ、コインくらいの大きさでVの字の形をした「声門」を通ると、声帯はふたたび閉じる。要は、風船から空気が抜けるときに音がするのと同じような原理だ。風船（声帯）を膨らませれば膨らませるほど、音は高くなる。

そして、この一連の動きは、まばたきよりも速く起こる。平均的な男性では1秒間に約120回。女性では210回だ。ソプラノ歌手がオペラのアリアでF6キーの音域の声を出したときなど、声帯の振動は1秒間に1400回ちかくに達する。また不思議なことに、普通にしゃべるよりもささやき声のほうが声帯にかかる負担は大きい。

ただし、この空気の流れが声帯だけで終わってしまえば、それは鴨を呼び寄せるときに使う笛のような、うなるような音にしかならない。それが、喉頭、咽頭、口という声の通り道の〝共鳴室〟

に激しく流れ込むことで、さまざまな声に変わるのだ。また、本当に声を響かせているときには、顔も震えている。だが、その空気の大半は唇まで届かない。歌が良いものになるかどうかは、その前に決まっているのだ。

このような筋肉の複雑な連動によって、私たちは力強い声を出すことができる。アメリカ国立音声会話センターの所長であるインゴ・ティッツェが言うように、人間はたった2本のちっぽけな〝弦〟だけで88鍵盤のピアノと同じ音域をカバーできるし、人によってはピアノを超えることもある。イギリス王立音楽院のハッチンズは「犬や猫と比べて、自分の声でどれだけ多くのことができるか考えてみればいい」と言った。私たちは犬や猫の鳴き声を真似ることができるが、犬や猫は何のものまねもできない。

さらに驚くべきは、人間はこれを、しゃべったり歌ったりすることを目的としたものではなく、食べ物などが誤って気管に入るのを防ぐ仕組みを使っておこなっていることだ。何かを飲み込んだとき、声帯は2つの小さな跳ね上げ蓋のようにかっちりと閉まり、物が〝間違ったパイプを通って〟肺に入ってしまうのを防ぐ。

そして人類は進化の過程において、あとからこの仕組みを使って歌うことを〝学んだ〟のだ。ある神経科学者のグループは、人間が正確な発音に苦労することがあるのは、このためではないかと主張している。つまり、口は上手く動かせても、喉頭を制御する神経はそこまで発達していないのだ。そのため普通は口笛のほうが、歌よりも正確に音を出すことができる。

『タイム・アフター・タイム』と格闘しているうちに、自分が〝音痴〟なのではないかと思えてきた。私は安定した音の出し方だけでなく、歌うにあたってのもうひとつの重要な技術――つまり聴き方を覚える必要があった。アメデオはピアノで、C3を1、C4を8として1オクターブの範囲を指定した。これは楽譜の読み方の基礎訓練であるソルフェージュを簡略化した、いわゆるドレミである。

私は、それから数カ月にわたってこの8つの音がつくるメジャー・スケールを土台とした練習を続けることになった。アメデオが1-2-5あるいは1-5-1といった単純なパターンをピアノで弾き、私は「〝ワン〟……〝ファイブ〟……ワン、〝ワン〟……〝ファイブ〟……ワン」と声を出す。そして夜には、娘のピアノを使って、この練習を繰り返した。シャワーを浴びているときも、道を歩いているときも、この数字を忘れないよう自分に言い聞かせるように、パターンをつぶやきつづけた。私は「ワン……〝ファイブ〟……ワン」を意識しなくても流れるように出せるよう、この8つの音を身につける必要があったのだ。

アメデオは、私の声を一度分解して組み立てなおし、数十年かけてついた癖を取り去る必要があった。W・ティモシー・ガルウェイが『インナーゲーム』で言っているように、古い癖をとる一番の方法は「新しい癖をつける」ことだ。

ただ、『タイム・アフター・タイム』における私の欠点を克服するベストな方法は、一度歌おうとするのを止めることだった。かわりに、私は8音の〝安全地帯〟を足場として、子どもがやるような音を出す訓練をはじめた。そのなかには、ブーイングのときのように唇を震わせる音（リップトリル）や、それを伸ばしていってそのまま母音にするような音。「ラス、ダス、マス」のような音（赤ちゃんが出すこうした音には「規準喃語《なんご》」という名前がついている）。あるいは「ミー、メイ、マーモ、ミー、メイ、マーモ、モォォォォ……」という弾みをつけた歌うようなフレーズもあったし、息が漏れる音や鳴くような音、シューっという音や、ため息のような音もあった。

なかでも私がお気に入りだったのは、顎を下げ、唇から舌をだらりと垂らして、「ブラブラブラ」と言う練習だ。歯の麻酔をしたあとのようにモグモグいうのが妙に気持ちよく、普段の生活でこの無礼な音を飛ばすことができたら、どんなに爽快だろう、と思ったりした。

また、音を出すときに邪魔になりがちで「歌い手にとって最大の敵」とも呼ばれる舌との戦いに、私たちは数日にわたってその時間の大半を費やすことになった。歯医者以外で、これほど口のなかをしつこくチェックされた経験はない。だが、これは重要なことなのだ。舌が上にあがっていると、空気が鼻の穴のほうに向かい、鼻にかかったような声になってしまう。研究によれば、こうした音を好む人はいないようだ。

こうした練習をすることで、私は自分が言葉の重荷から解放されて、文字を持たなかった幼年時代に戻っていくような気がした。そしてある意味では、まさにそれがポイントだった。たとえ使う器官が同じでも、いままでの人生で言葉をしゃべってきただけでは、歌の準備としては不十分なのだ。

「私たちの話し方には、いま出したいと思っているような音を妨げる癖が、根深く染み付いているの」とアメデオは言った。私は話すときに、肩をすくめ、顎を突き出して、喉の筋肉を締め、顎をひき、舌をバネのように緊張させる。

これでも、普段のおしゃべりには問題ない。だが、この話し声を歌にしようとするのは、普段は低い音を響かせながら信号待ちの多い一般道を低速で走る旧式の有鉛ガソリン車をオーバーホールして、流線型のF1カーに改造するようなものだった。

歌うためには、もっと多くの空気を、速く、自由に動かせるようになる必要があった。そのための訓練として、私はおもに母音を使った。音を出すのが簡単なうえに、音が開いた声道を流れていくので、子音を出すときのような障害物がない。

「母音は声であり、子音は声をさえぎることだ」と、ある声楽学者は述べている。英語の話し言葉では、母音を発音するのに子音の5倍の時間を使っているが、歌の場合、その比率は200対1にもなる。

そしてこの段階ではまだ、歌詞を歌うのは避けるべきだった。なぜならそこに悪い癖が潜んでいるからだ。そのためアメデオは、私に単母音だけで歌を歌わせた。一人で車を運転中、私は『チェット・ベイカー・シングス』というアルバムの全曲を「オー」と「アー」だけで歌いきった。この練習はシンプルで気持ちがよかった。

しばらくまともに歌うことを考えずにいると、不思議なことが起こりはじめた。その頃、アメデオがピアノで弾く、音階の連続した3つの音に合わせて、私が「いいや、いまは、ダメだ」という言葉を発音する（そして音階をじょじょに上げていく）練習をしたのだが、それを歌詞ではなく、実感を込めて言いなさい、と指示された。

「いいや、いまは、ダメだ！」

「いいじゃない、どうしてもやりたいのよ」

「いいや、いまは、ダメだ！」

「娘に向かって言ってると思って」

「いいや、いまは、ダメだ！」

「窓の外まで聴こえるように！」

「いいや、いまは、だぁめだあああ！」

「向こうの通りまで聴こえるように！」


すると、自分の考えを伝えるのに集中していたためか、歌を歌ったときには出すのに大変な苦労をした高さの音（あるいはそれ以上の音）に楽に到達することができた。声の音域が魔法のように広がったというより、私はそれを意識しなくなったのだった。とにかく、絶対に自分のメッセージを届けなければと、それだけを考えたおかげで。

普段の習慣につきまとう問題

人間にとって、話し声ほど習慣的なものはまずないだろう。私たちはとくに話し方を意識することなく、1日に約1万6000語を発語している。それでも、話すことが喉に負担をかける場合がある。私は、君の話し声にも救いの手が必要だぞ、と周囲の人からいっせいに言われているような気持ちになっていた。話し方にもこんなに悩んでいるのに、どうして歌えようか。

グウェン・ステファニー、ジョン・メイヤー、ジェフ・ブリッジスなどの歌手や俳優たちを指導したこともあるロサンゼルスのボイスコーチ、ロジャー・ラヴは、「歌手の声の問題の原因が、話し言葉にあるのはよくあることだ」と言って、私を安心させてくれた。実際、私は典型的なケースだった。ラヴによると、私の声はときおり、ボーカルフライと呼ばれるエネルギーの低いうなり声になっているという。空気が十分に入ってきていない状態で音を出そうとして、声帯が「潤滑剤をまったく差していないドアの蝶番を動かしているような」状態になっているらしい。それに、話すのに「胃がちゃんと参加していない」ため、空気の流れが安定せず、体が緊張しているとのこと。

「君は、自分がいきなり噴き出すように話していることに気づいてるかい?」――これは、エアロスミスやエイミー・マンなどの指導を担当したこともあるボストンのボーカルコーチ、マーク・バクスターと電話で話したときに訊かれたことだ。その際、テストとして「疑似語」を暗唱させられたのだが、私は喉頭で空気を締め付けるようにしていたらしい。こうすると喉頭が膨らみ、空気の摩擦が起きる。「つまりこれは、舗装された道を歩くのか雪の上を歩くのかの違いだよ」と彼は言った。「抵抗があると、余計につらくなる」

さらに、私は話すときに「同じ音を繰り返す」癖があるようだった。要は反復性の発話障害があったのだ。「声が出なくなることがよくあるんじゃない?」ともバクスターは言った。たしかにそうだった。友人とのディナーやプレゼンテーションのあとに私はよく声をからしていた。「(誰かに話をするとき) 君はまず自分が見られていると感じて、聞いている人にいい印象を与えようとする。そしてドラムを叩くみたいに同じ音を出す! でも、そうした行動はすべて逆効果で、ますます目立ってしまうんだ」と彼は言った。

だが、なぜ自分が無駄に力んでしまうのか、私は疑問に思いはじめた。声の出し方ではなく、発声器官自体に何か問題があるのではないか。

そしてある日、気づけば、マンハッタンにあるコロンビア大学アービング医療センター音声・嚥下研究所の所長であるマイケル・ピットマンのオフィスを訪れていた。多忙なニューヨークの医師らしく、白衣を着て笑顔を浮かべたピットマンは、エネルギッシュで使命感の強い人だった。ほどなくして、言語聴覚士で自身も長年音楽活動をしているカーリー・カンターも診察にくわわった。

さっそく、最近自分の声について下された悲惨な評価について話すと、ピットマンは「たしかに、あなたの声は最適化されているとは言えないね」と応じた。これを聞いた私は、49歳にもなってこんなことを学ばなきゃならないとは、という気持ちになった。ピットマン自身の声は歯切れがよく、ディーゼルエンジンのようなうなりはまったくない。

ただ、私が抱えているおもな問題は、めずらしいものではなかった。喉から声を出している、唇に十分に息を届けていない、顔の前方に声が出ていない。それに私は、自分の声により多くのものを望んでいた。「要はランナーみたいなもので、5マイルなら走れるだろうし、問題も起きない。でもマラソンを走るとなると、どこかに非効率なところがあれば、怪我をしてしまう」とピットマンは言う。彼のクライアントの多くは教師だそうだ。「彼らはつねに声を使うのに、声の出し方はほとんど習っていない」

おそらく、私の声が傷ついているのは、長年の癖によるものだろう。それでもピットマンは、喉頭鏡による検査を勧めた。「鼻からでも口からでも入れられるよ。鼻からでもちゃんと映るし、えずくこともない」。そして細くて透明な管が、私の左の鼻の穴をくだっていった。

そこで私はカンターから、1節の文章を読むよう言われ、さらにそのあと母音をいくつも発音させられた。その間、二人はスクリーンを見ながら話し合っている。カンターは私に「うーん、ちょっと隙間があるわね」と言い、さらに「見て。こっち側がかなり硬くなってるわ」とピットマンに言った。管が抜かれると、われわれ三人はまるでスポーツコメンテーターのように、ビデオのリプレイに目を向けた。

自分の喉をくだっていく喉頭鏡からの眺めは、気の小さい人間には（初めて見る場合はとくに）つらいものだった。細いケーブルを片手に、ライト付きのカメラを頭に付けて、熱帯雨林の暗くてじめじめした洞窟へと入っていく博物学者を想像してほしい。暗くて曲がりくねった道を抜けると、ふいに大きな空洞に行き当たる。そこは球根のように膨らみ、脈のようなものが走った、テラテラと光る壁に囲まれている。そしてふいに、自分が目のない恐ろしい怪物と向かいあっているのに気づく。その怪物は、骨のように白い、ギロチン状の大きな2本の歯を不気味に揺らしながら口を開いたり閉じたりしていて、歯のあいだには粘液が太い糸をひき、その奥には、まだら状になった気管の皮膚だけがのぞいている。このゾッとするような器官から、地球上でもっとも美しい音が生まれるとは、まさに驚き以外のなにものでもない。

自分の声帯がスローモーションで揺れているのを見ていると、「ここがちょっと萎縮してるわ。完全に閉じきってない」とカンターが言った。私はどうやら「声帯萎縮症」になっているようだった。これは珍しい症状ではなく、なんらかの病気の結果として起こることが多い。片方の声帯がほとんど麻痺しているために、全体として上手く振動せず、その傾向はとくに高い周波数のときに顕著だった。

だからといって、音を外さずに歌えないわけではないが――そもそも完璧に左右対称な声帯を持つ人はいない――頑張らないと上手く声が出ないのはたしかだ。「あなたの場合、効率的に声を出さないと、音が悪くなりやすい。つまり、ほかの人より、より正確に歌わなければならないということね」とカンターは言った。

声が割れる音域の境目である、いわゆる「パッサージョ」を超えるのはさらに難しくなりそうだった。声帯萎縮症の人は、筋肉や呼吸器をその場その場で調整して声を補うことが多いが、それによってさらに声帯のこわばりが強くなる場合がある。手術という選択肢もあるが、より一般的な対処法は、ボイスセラピーを受けることだ。ただ、カンターからセラピーに使われる手法についていくつか聞いてみると、いままで受けてきた歌のレッスンとそう変わらないのがわかった。

この診断を聞いた私は、まるで出港したばかりの船の帆――すなわち私の声帯――が吹き飛ばされてしまったような気持ちになった。まだ口を開けてもいないのに、そのなかに潜んでいたハードルにぶつかってしまったのだ。

だが希望はあった。歌い方を学ぶことで、私は自分の声の力を完全に取り戻せるかもしれないのだから。

歌がある種の肉体的なセラピーになるというなら、そこでは同時に、ほかの種類のセラピーも進行しているような気がしてならない。

私は、レッスン中に自分がどう感じているかについて一度も口にしたことがなかったが、それでも毎回1時間の練習をするたびに、心の琴線に触れているような気持ちになっていた。事実、歌は会話よりも、脳の感情と関連する領域をより広く活性化することがわかっている。

＊

家に帰る頃には、ほぼ確実に気分が高揚していて、帰り道は適当に鼻唄を歌いながら歩いた。簡単な舌の運動をするだけで、笑いがとまらなくなることもあった。また、何もできない幼児のように（ときにはカーペットに寝そべって）「オー、ウー、ブラ、ブラ、ブラ」と意味のないフレーズを発音していると、いままで誰にも見せたことがない部分をアメデオにさらけだしているような、妙に無防備で、自我がむき出しになったような気持ちになった。言葉をひとことも発していないのに、それはまるで懺悔のようだった。

こうしたシンプルなエクササイズは、あとに控えている言葉の〝重量挙げ〟に備えた、準備体操であると同時に、警戒心を解くためのものでもあった。アメデオの言葉を借りれば「楽しんで、音が出るのにまかせて、頭で考えすぎないようにしよう」ということだ。おそらく、私は声を解放しようとすることで、いままで心のなかで抑えていたその他もろもろのものも解き放つことになったのかもしれない。

こと、声に関しては、あなた自身が楽器ということになる。であれば、そこから出る音は、純粋に工学的・物理学的な問題ではなく、人間というやっかいな存在の中身すべてに関わるものだと言っていい。

アメデオが産休中のある日、私は以前に電話で話をしたボーカルコーチ、マーク・バクスターから、直接、歌のレッスンを受けることにした。彼は週末にニューヨークで指導をしていたからだ。バクスターはロックシンガーのように肩まで髪を伸ばした、強烈な印象の男だった。アメデオの穏やかな指導がときに母性のようなやすらぎを感じさせるものだとすれば、バクスターは厳しい父親のようだ。

「俺はボーカル・セラピストと名乗ってるんだ」と、ミッドタウンにあるリハーサルスタジオのピアノを前に座ったバクスターはそう言った。『ロックンロール・シンガーズ・サバイバルマニュアル』の著者でもある彼は、数多くの有名な歌手や俳優たちをサポートし、その不安を取り除いてきた。「自分の声に満足している歌手なんか見たことないね。みんな自分は偽物で、そのうちに化けの皮を剥がされるんじゃないかと思ってるんだ」（たとえば、U2のボノは自分の声に「イライラする」と何度も言っているそうだ）。

声を評価するには、人を評価する必要がある。「俺はただ、その人がドアから入ってくるのを見て、どんなコンディションなのかを確認するんだ」。それがたとえなじみのクライアントであっても、離婚など、人生に何か新しい出来事が起きているかもしれない。「あらゆる種類の問題がある。それが全部集まって声になる」

私のなかに潜んでいるものはなんだろうか？　いくつかエクササイズをやってみて、自分の声が「すこし震えている」気がすると言うと、彼は強くうなずいた。「おもな理由は、君が柔らかくやりすぎてるからだ。自転車に乗るのと同じだよ。ゆっくり漕ぐと、タイヤがグラグラする」

エクササイズが進むうちに、彼はだんだんイライラしていった。「しゃべってるときは、倍は声が出てるぞ！」。彼は私がどんな子ども時代を過ごしたのか不思議に思っているようだった。音を出すのは悪いことだと言われて育ったのか、と訊かれたので、とくにそんなことはなかったと答えたが、よく考えてみると、私は物静かでシャイで本が好きな子どもだった。

そのあと、できるだけ長く、シューっと息を吐きつづけるよう言われた。15秒しかできなかった私に、「目標は60秒！」と彼は叫んだ。君は自転車乗りなんだから、肺活量は十分あるはずだ、と彼は言う。要は、酸素不足ではなく、パニックになっているせいらしい。息をコントロールしなければ。「呼吸の仕方まで戻って教えなきゃいけないとは皮肉なもんだね。生まれつきやってることだぞ！」と、バクスターの声が飛ぶ。

私のハードルは精神的なもので、空気の「自然な流れ」をみずから妨げてしまっていた。息すらまともにできていないのに、どうして歌うことができるだろう。バクスターはピアノの蓋を開け、いくつか音を弾いた。そして「同じ音量で弾いたのに、音は大きくなっただろう」と言った。*要は、私は自分に蓋をして、声を弱めていたのだ。

＊ 違う母音で音を出してみると、これと似たようなことが起きる。「フード」と「ファーザー」を同じくらいの力で言ってみよう。「ファーザー」の「ァ」を発音するときに口を大きく開ける必要があるので、音が大きくなる。

声を出す妨げになっているのは、不安や抑圧だけとは限らない。ときには、自分の体が邪魔していることもある。たとえば、私は、歌を歌う際の大きな課題の1つとされている顎の力みに悩まされていた。

人間の顎はとてもパワフルだが、とくに閉じる筋肉には開ける筋肉の約4倍もの力がある。歌いやすいように顎をだらりと開けるのに苦労するのも無理はないのだ。

アメデオからはよく、床に寝そべって何かに意識を集中するよう言われた。この「建設的休憩」は、普段の生活でたまった緊張を和らげるためのものだった。「声は体の一部なのよ」と彼女は言う。強張った筋肉はいい音を出す邪魔となる。文字通り空気の通り道を狭くし、音の共鳴器を止めてしまう。

*

おおかた筋肉から力みが抜けたところで、なるべく楽に、小さな音を出して見るようアメデオから指示される。最初は「マ」や「ア」などの音を〝笹の葉から落ちる雪のように〟ほとんど聴こえなくらいの大きさで出す。次に音を大きくしながら、同時に「意思」を込めていく。ただ、「この音を出すのに、何か省けるものはないか」という意識はつねに持ったまま。

この練習のおかげで、私はおおむね安定して、正しい音程で、前よりも楽に音が出せるようになった。ここにも上達の鍵がある。それは無駄をなくすことだ。

いまから100年以上前、オーストラリアで役者をしていたF・M・アレクサンダーは、シェイクスピアの朗読をすると、そのたびに声が嗄《か》れていくのに気づいた。そこで自分の話す姿を鏡で見てみると、「頭を後ろにひいて、喉頭を下げ、あえぐような声を出すために口で息をする癖がある」ことに気づいた。

だが、それを直そうとしても、すぐに元の状態に戻ってしまう。最終的にわかったのは、〝正しいやり方をしようとする〟のではなく、〝するのをやめる〟のがコツということだった。つまり、正しく歌うことなどの目的に焦点をあてるのではなく、その過程――彼の言う「そこにいたる手段」――に集中する。

「アレクサンダー・テクニーク」として有名になったこの手法では、学ぶことと同じくらい〝学んだことを忘れること〟を重視する。だが、癖を取り去るのは、それをそのままにするよりはるかに難しい。「人は何かをやめるよう言われると、はじめからそれをしないようにするのではなく、それをしようとする自分を止めようとする」と彼は記している。「だがこれでは、心でやろうとしていることを、筋肉を緊張させて邪魔しているにすぎない」

学んだことを忘れるのが難しいのは、古い癖は完全には消えないからだ。これは、アリゾナ州立大学知覚行動研究所の所長であるロブ・グレイが、「アクション・スリップ」と呼んだ現象にもあらわれている。これはたとえば、土曜日に雑貨屋に行こうと思って車を出発させたのに、気づけば職場に向かって走っている、といったことだ。アクション・スリップは「緊張しているとき」にとくに起きやすい。グレイはＮＦＬのクオーターバックであるティム・ティーボウを例にあげた。ティーボウは試合になると低い位置からボールを投げてしまう悪癖があることで知られていた。この投げ方は大学レベルでは通用したが、テンポの速いプロの試合では不利になるとされていた。

私は歌うにあたって、とくに緊張感の高まるタイミングで出る多くのことを〝忘れ〟なければならなかった。高音を出そうとしているとき、私は全身を緊張させ、高いところにある葉っぱを食べようとするキリンのように首を伸ばして、歌の一番高いところに声を届かせようとしていた。だがこうすると喉頭が上がり、逆にその音を出すのが難しくなってしまう。

この癖を抑えようとするかわりに、アメデオは『インナーゲーム』で示されているような、優雅でシンプルな解決法を用意していた。つまり、古い癖を新しい癖で上書きするのだ。

フレーズの高い音にさしかかったとき、彼女は私に体を沈めるという直感に反する動きをさせた。じつはわずかに膝を曲げると、自然と喉頭は下がったままになる。歌うことよりも膝を曲げるのに集中するようにしてみると、たしかに音を出すのが楽になった。

きれいな声を出したいのなら、まずは醜い声を出さなければならない

シャワーをしながら歌うのがなぜあれほど気持ちいいのか、不思議に思ったことはないだろうか？

そこには自分ひとりしかおらず、体は温まっている。湿度は十分で喉も潤っている。姿勢はまっすぐで、お湯を浴びているおかげで気分はリラックスしていて、爽快だ。しかもやるべき作業は単純で、気をそらすものもほとんどない。テンポや音程も自由に決められ、タイルが見事な共鳴をも

たらしてくれる。

　では次に、車の運転中に歌うことを思い浮かべてほしい。座った状態でシートベルトに締め付けられているので、息の流れが自由にならない。あなたはウォーミングアップもせず、流れだした曲をすぐに歌いはじめたのではないか？　車内の空気は乾燥ぎみで、眠気覚ましに脱水作用のあるコーヒーを飲んでいるかもしれない。それに交通の流れに乗るためのストレスや安全運転に気を配っているせいで、神経は緊張で張り詰めた状態になっている。周囲の環境に気を取られているうえに、ラジオに合わせて歌うあなたの声は、曲の音と周りの車の騒音に飲み込まれてしまう。

　練習の際には、〝全神経を集中〟させるだけでなく、適切な条件を整えるのが大事であることを、私はじょじょに理解しつつあった。最適とは言えない形で練習すると、結果もそれなりのものになってしまいかねない。これは、野球で昔からおこなわれている試合前の打撃練習が、じつは有害なのではないかという説と同じだ。そこでは球の良し悪しに関わらず、バッターはつねに全力でバットを振るが、実際の試合ではありえないくらい遅い球が来るからだ。

　どこにいても、シャワーで歌っているときの感覚を再現する。それが目標だと私は考えるようになった。

　そのためには、まず体を温めること。歌でもほかの運動と同様に、怪我を防ぎ、パフォーマンスを上げるにはウォーミングアップが重要となる。唇を震わせるリップトリルをすこしやったり、ストローを持っていれば、それを通して発声練習をする（いわゆる〝ストロー発声法〟）ことで、声帯の筋肉をすばやくリフレッシュできる。

次に、リラックスすること。ちょっと横になって、顎をマッサージし、舌を出して「ブラ、ブラ、ブラ」をやってみる。

そして、気持ちを明るくすること。アメデオには「明るい顔をして」と言われることがあるが、これは〝元気な〟音を出すための、ちょっとした神経と筋肉の調整法の1つだ。

さらに、音を響かせること。口のなかに〝スペース〟をつくるため、私はお決まりの短いエクササイズをした。たとえば、喉頭を下げるために、あくびをするような形で口を開けたり（ただし本当にあくびはしないこと）、漫画のキャラクターであるヨギ・ベアのしゃべり方を真似したりする。私のお気に入りは、kの音を出しながら息を吐き、同じように音を出しながら息を吸い込むというもので、そのとき下がった軟口蓋を持ちあげるようにして、音を丸く響かせるようにする。試しにやってみてほしい。「クゥ、クゥ、クゥ」という音を出し、次に息を吸いながら、口の奥のほうをカエルのように軽く膨らませる感じで、同じ音を出す。

最後に、まっすぐに立つこと。私は前かがみになってポケットに手に入れているのをいつもアメデオに指摘されていた。クニャクニャのアップライト・ベース（まっすぐに立てて音を出すベース）から正しい音が出ると思う？　と、よく注意された。

＊

そのあと、私たちはレッスンの場所をマンハッタンにあるCAP21というリハーサルスペースに移したのだが、ここに集まっている人の多くは、私の半分くらいの歳の、演劇やミュージカル志望の若者たちだった。

廊下ではつねに熱気が飛び交っていた。驚くほど薄いスタジオの壁ごしに伝わってくる、声の曲芸に驚きながら、私は自分の耳ざわりな薄っぺらい声が漏れていないか不安になった。周りの人はみな、プロになるために練習している。自分はここにいる資格があるのだろうか？

ただ、歌の練習を通して、私はこれまで多くのことを学んできた。正しく体を動かすための運動技能。ウォーミングアップや効率的な練習法。悪い癖を見つけ、直す方法。自分の声そのものについても学んだ。それがどんな声で、限界やこれからの可能性はどこまであるか。そして声だけでなく、自分自身の限界と可能性についても。

また、音楽に関してもすこしわかってきた。歌を練習したことで、複雑な音の重なりが見えてきたのだ。意識的に歌を歌うのは、要は、漫然と曲を聴いているときには決してできないような形で、聴いたものをその場で理解することであると、私はすぐに気がついた。これは、よく知っていたはずの曲が、まるでジグソーパズルのピースをバラバラにしたように、急にわからなくなるような感じだった。

人は、話しているときに、たとえ途中で息を止めて発音しているところがあったとしても、フレーズの最後まで空気が足りるかどうかを心配することはない。無意識のうちにペース配分をしているからだ。

一方、歌のとき、私はつねに息切れしていた。たいていはフレーズの最初のほうで息を使いすぎているせいだった。また、慣れ親しんだ言葉にもつまずくようになっていた。たとえばR.E.M.

の『ナイトスイミング』で、私は当初clearerという単語を、普段話しているときのようにclear-erと発音しようとしていた。だが歌だと、これはかなり冗長で耳ざわりになるため、clee-ruhと発音したほうがいい。アメデオは「R、g、kの音は歌うのがかなり難しい」と言っていた。

ただ、歌うことで、自分の母語がふたたび新鮮なものに感じられるという効果もあった。『ミュージック・エデュケーターズ・ジャーナル』によれば「楽器演奏者が1つの言語しか持たないのに対して、歌手は音楽と言葉という2つの言語をマスターしなければならない」そうだ。

しかし私はこの時点でもまだ、あきらかな「ボーカルブレーク」が出てしまうことに悩んでいた。これは「チェストボイス」を出す筋肉が限界に達し、「ヘッドボイス」の筋肉に仕事を引き継ぐ瞬間に起こる声割れのことだ。これを聴いたアメデオは「下手なギアチェンジみたいね」と言い、私は、声変わりの時期の少年が歌うヨーデルのようだと思った。

私たちはこの2つの声を、「マァ、オオオオ、アアアア」と発音しながら音を高くしていくシンプルなエクササイズで〝つなげようと〟していた。ただ、なんとか音の継ぎ目がわからないように歌おうとするものの、ほとんど上手くいかない。「きれいな音が出る前に音は醜くなるのよ。でもそれは必要なことなの」とアメデオは言う。

ただ、自分の声の状態がどう変わるかについては、あまり予想がつかなかった。手入れの行き届いていない古いバイオリンのように、ちょっとしたことで調子が悪くなるからだ。歌手のイアン・ボストリッジが「人生は痰に支配されている」と嘆いていた気持ちがわかる気がした。家で、私の〝醜い〟声と痰に関する愚痴を聞かされつづけた妻は「じゃあ、かわりに模型船づくりでもはじめたらどうなの?」と不満を爆発させた。

それでも、私は進歩しつつあった。正しく音程がとれることが増えてきたし、高さもテノールの音域へと入っていった。突然G4の音が出せるようになった(ちなみにアート・ガーファンクルが『明日に架ける橋』の終わりの部分――「アイ・ウィル・イーズ・ユア・〝マインド〟」のところで出しているのがG4の高さだ)。

自信もついてきた。私は冗談半分で、アーハの『テイク・オン・ミー』でE5の音が出ている部分(「イン・ア・デイ・オア・トゥウゥウゥー」)を歌うなど、ほとんど不可能だと思われる課題を設定してみた。いったい、彼はどうやってあんな声を出しているのだろうか?(コツを長時間かけて解説している動画がユーチューブにある)。

いつか喉を痛めずにあの音を出せる日がくることを、アメデオは約束してくれた。そしてなにより重要なのは、自分自身で問題を発見し、修正できるようになってきたことだ。声が鼻にかかってきたのがわかったら〝空間をつくろう〟としたり、音が平板になってきたら顔をあげるようにしたりと。

そんなある日、アメデオは、私の歌がとりあえずのところまで上達したのではないかと判断した。「あなたはすごく上達したわ。ここまで聴いていて、つねに進歩しているのがわかる。それに、自分の上達を自分で感じられるようになったら、もう初心者じゃないのよ」。最初の頃は、エクササイズについていくのがやっとで、スタジオでやったことを家で復習しようとしても、やり方がわからないときも多かった。だがいまは、自分のやりたいことや、そこにたどりつくのに何が必要なのかがよくわかるようになっていた。

　もちろんやるべきことはまだたくさんあったし、レッスンをやめるつもりもない。だが、リハーサルスタジオという居心地のいい場所を離れ、外の世界に飛び出すときがきた。私はそう感じていた。

第4章 自分が何をしているのかわからなくても、とにかくやる

ほかの人と一緒に、実地で学ぶことのメリット

CHAPTER 4 : I DON'T KNOW WHAT I'M DOING, BUT I'M DOING IT ANYWAY
– The Virtues of Learning on the Fly with a Group

コーラス効果

毎週月曜日の夕方、私はブルックリンの自宅からマンハッタンのローワー・イースト・サイドに向かう。そして、市場のような喧騒とデランシー・ストリートのうなるような車の音から隔絶された一角にある、19世紀のネオゴシック様式の巨大な建物に入っていく。

かつてパブリック・スクール160として使われていたこの建物は、ここ数十年はクレモント・ソト・ベレス文化教育センターになっている。私は階段をのぼってシアタースペースを抜け、「マインドフル・カポエラ」（〝マインドレス〟バージョンもあるのだろうか？）のクラスを横目に見ながら進み、203号室の1席についた。部屋の塗装は色あせ、窓からは外の冷気が入り込み、古び

た木の床には、かつて落ち着きのない生徒たちが、その下で足をバタバタと動かしていただろう机の跡が、一定の間隔で刻まれている。

ここは、ブリットポップ合唱団――その名が示すとおり、おもにイギリスの現代ポップミュージック（オアシス、アデル、デヴィッド・ボウイ、クイーン、あるいはテイク・ザットのような〝ボーイ・バンド〟まで）を歌う合唱団――のリハーサルスペースになっている。所属メンバーは50名を超え、たいていの夜は30数名がこの部屋に詰め込まれる。ニューヨーク生まれで、その後ロンドンで育ち、いっときリバプールにも住み、いまから10年前にアメリカに戻ってきた指導者のチャーリー・アダムスを中心に、合唱団のメンバーは椅子を半円形に並べて座る。アダムスはつねにきびきびと動き、無尽蔵に思えるその情熱と体力を活かして、にぎやかなメンバーたちに負けないような音量で歌い、大声を張り上げる。

それから90分間、ここではある種の魔法が起きる。暗い通りを抜けて集まってきたメンバーは、1週間の仕事がはじまったばかりのためか、すこし元気がなく、肩を落としている。そこでアダムスが、みなを立たせてウォーミングアップをはじめる。体を激しく揺らしたり、いろいろな形でストレッチをしたり、何度も顔を歪ませたり。唇を震わせるリップトリルをやるときには、突然変異を起こしたスズメの鳴き声のような不協和音が部屋中に渦巻く。その後、音階練習と音合わせをすこしやる。そして歌がはじまる。つねにメンバーが入れ替わっているこの合唱団では、90分のセッション10回を1サイクルとして、そのあいだに（既存のレパートリーを通じて磨きをかけた）半ダースほどの新曲を覚えなければならない。サイクルの終わりに、（たいていは）マンハッタンのどこかにあるライブ会場で披露するためだ。喉を整え、歌詞カードを握りしめたメンバーは、アダムスの号令で、まずは試しに声を出してみる。

ここからの90分で、部屋の空気は一変する。最初は町内の役員会のようだったのが、俗世間から離れた暖かい部屋のなかにウイルスが解き放たれ、そこにいる一人ひとりに感染していくかのように、にぎやかなパーティーのような雰囲気に変わっていく。ときおりメンバーの声が融合して、脈動する1個の統一体となる瞬間が訪れ、ある種の――音や感情、場合によっては魂の――超越が起きているように思える。これは作曲家のアリス・パーカーが「まるで私たちの体内のすべてのイオンが、あらかじめ同じタイミングで同じ方向に動くことが決まっているかのよう」と表現した瞬間だ。

ときには音を立てて飛び交うイオンの数が多くなりすぎて、アダムスが、大騒ぎしている幼稚園児を相手にするように私たちを黙らせないと、セッションがまったく進まなくなってしまうこともある。そして午後9時、折りたたみ式の椅子を部屋の隅に戻す頃になると、部屋には明るい空気が広がる。メンバーたちは近隣では評判のその高い声で、興奮ぎみにおしゃべりをしながら、階段を降りて通りへと出ていく。数時間経ってもエネルギーが体にみなぎっているので、きっと今夜はなかなか寝付けないだろう。

一方、彼らがいなくなった部屋は静寂に包まれる。ここで何が起きたのか、どのような音が生まれたのかを示すものは何も残らない（私が思い出したようにアイフォンでセッションを録音したとき以外は）。だが、ハーモニーについていったり、歌詞を思い出すのに苦労しているとき、私はたまに、メンバーと一緒にそうした声を出しているのが信じられないことがある。それはまるで、猛烈な音を目の前にしたアダムスに駆り立てられて、部屋に収まりきらない巨大な嵐を巻き起こしたかのようだ。

メンバーは各自声を出しているだけでなく、そこにいるだけで、ほかの人の声を伝播する手助けをしている。部屋は音を響かせる「拡散音場」となり、音圧のレベルが一定となる。集団で歌うと、それぞれの声のインパクトは単体で見ると小さくなるが、全体としての共鳴は強くなる。この現象はコーラス効果と呼ばれる。*

音響研究者のステン・テルンストロムは「認知的な観点から言えば、コーラス効果はその音を音源から魔法のように切り離し、独立した、ほとんどエーテルのような存在にすることができる」と述べている。私はときに、自分が歌っているというよりも、空気中に広がる目に見えない超生命体——蒸気のようでありながら脈動する体を持つ、何でも食べてしまう生命体——に息を吹き込んでいるような気分になることがあった。

また、みな正確に音を出そうとするが、不思議なことにそれが完璧だったとしても、音が力強くなるわけではない。むしろコーラス効果が生まれるのは、人間のどうしてもわずかに（ときには大きく）音を外してしまう習性のおかげなのだ。

私たちに限らずどの合唱団でも、もし全員がまったく同じように、完璧な音程で、完全に声を揃

---

* たとえばギター奏者は、コーラス・エフェクト・ペダルを使って、音を増幅することができる。ニルヴァーナの『カム・アズ・ユー・アー』などがその例だ。

えて歌えば、結果はシンプルに〝大きく〟なる。音量が増して、音は大きくなるが、すこし単調になるだろう。

しかし、フラッターやワウと呼ばれる小さな音揺れによって、それぞれの声がすこしずれているとき、単一の音源では決して出せない、豊かで充実した、魅力ある〝疑似ランダム〟的な音が生み出される。この〝ブレンド〟が上手くいくと（それには指揮者と歌い手の努力が必要だが）、全員の歌が混ざりあって個人の声は区別できなくなり、聞き手はどこからともなく聴こえてくる――しかし同時にその場全体を満たす――声に心地よく酔わされる。

ただ、個人的に特筆すべきだと思っていたのは、私がここにいるという事実そのものだった。ここに参加するまで、私は自分が合唱をするような人間だとは思っていなかったし、合唱の練習をしていると告げたときの表情から察するに、大半の友人や家族もそうしたタイプではないようだった。だが正直に言って、いままでは1週間のなかで月曜日が一番楽しみな日になった。それに合唱団は、私の曜日に対する感覚だけでなく、人生そのものを変えてくれた。

＊

一人の人間に向かって歌うボイスレッスン以上の経験を、私は求めていた。もっと大きなことをやってみたい。実験室で育てたこの小さなスキルを世の中に出してみたかった。だが、ソロリサイタルのようなものをやって見てはどうか、というアメデオの提案にはゾッとした。

私は1日中一人で文章を書いているような人間で、ときおり数百人の観客を相手に講演をすることもあるが、参加者の多い会議の席ではほとんど発言できないようなタイプでもある（そもそもそうした会議に出席することもめったにないが）。実生活でのやりとりを苦痛に感じることも多く、社交的な性格の妻に、しょっちゅう肩代わりしてもらおうとしていた。スーパーのサービスカウンターに行くのがやっとという私が、どうして一人で舞台の上で歌えるだろうか？

その点、合唱団というのは理想的な妥協点に思えた（それでも正直、まだ怖かったが）。私が歌うことには変わりないが、ほかの人たちと一緒だし、強烈なスポットライトからもすこしは守られる（ある意味当然だが、調査では、合唱団の歌い手のほうがソロの歌手よりもストレスが少ないという結果が出ている）。

ただ当時の私は、合唱について、それが何を伴い、何を意味するのかには考えがおよんでおらず、たんに集団で歌うという認識しかなかった。個人的に最後にみた合唱団は、メトロポリタン美術館でヘンデルの『メサイア』のアンサンブルをしていたことを覚えている。彼らはとてもすばらしかったが、私のような初心者にとって、その緩やかなローブやソングブック、天使のようなソプラノや響いてくるようなバスは、まるで違う星からやってきたもののように感じられた。

この頃、偶然にも、シアトルでデザイナーをしている友人のキャサリンも、歌う場所を探していた。ただ、彼女は、周りの人のカラオケへの情熱には感心していたものの、自分には向かないと思っていたようだ。「カラオケは歌自体よりも、自分をどう見せるかに関心がある人たちのものに思えるのよ」

一方で、キャサリンがそれまでに調べた合唱団はレベルが高すぎたり、ちょっとマニアックな感じがするところが多かったようだ。地元のアマチュア合唱団に入っている友達から、オーケストラをバックに流行の歌を歌うのは楽しいよ、と勧められたものの、私と同じく、まずは練習が必要だと思った彼女は、ボイストレーニングを受けはじめる。

そしてしばらくたったある日、彼女はついに勇気を振り絞って合唱団のリハーサルを受けた（「とても怖かった」という）。人に紛れてあまり目立たないようにしたいと思っていたのだが、そもそもそこには歌う人がすこししかいないのに気づいた。しかも楽譜が読めないので、自分のパートを覚えるのも大変だった。

「中年の新人である私にとってはそこから出ていって、いつまでもボイストレーニングを続けているほうがはるかに楽だったはず」とキャサリンは言う。

だが、彼女は目標が欲しかった。ボイストレーニングをするにしろ、〝何か〟に向けてやりたかった。曲を覚えることで集中力が高まったし（音符が読めない彼女は、ノータビリティという入力した音符を音として再生してくれるアプリケーションを使った）、割り当てられたパートをちゃんと歌わなければならないことはモチベーションにつながった。

要は、合唱団はキャサリンに〝何か〟を与えたのだ。それは私にもよくわかる。「家をオフィスにしたフリーランス生活になってから、私はとても孤独だったわ」と彼女は言う。付き合いのある友人は、以前同じ職場で働いたことがあったり、一緒にものをつくったことがある人たちだったが、「みんなすてきな友達だけど、ただ食事をするだけじゃなくて、また誰かと一緒に何かをしてみたかったの」

彼女が合唱団に深く惚れ込んだという話に勇気づけられ、私はインターネットで〝アマチュア合唱団　ニューヨーク〟のようなキーワードで検索してみた。すると「アマチュア」という言葉にはさまざまな意味があり、あきらかに「初心者」の同義語ではないことがすぐにわかった。とくにニューヨークのような音楽の才能を持つ人が山のようにいるところでは、アマチュアとは「ギャラが発生しない範囲において、できる限りのことをする」という意味のようだった。

　検索結果に出てきた合唱団も、あきらかに私には分不相応なように見えた。入団オーディションがあったり、英語以外の歌を歌わされるところもある。私は英語で歌っていてもときおり、外国語のように感じることがあったので、これは無理だと思った。

　ある合唱団のオーディションの注意事項には「課題曲としてアリアは禁止です」と大書されていた。ああ……アリアなんてそもそも歌えやしない。「楽譜を見てすぐに歌える必要はありません」と、安心させるような形の文言を載せているところもあったが、それは暗に、こちらがそのスキルをある程度身につけているという前提があることを意味する。私は楽譜を読むのがやっとで、見てすぐに歌うことなどとてもできなかった。そのうえオーディション？　それはつまり、一人で歌うということであり、私がまさに避けたいと思っていたことだ。

　もう一度違うキーワードで――たとえば「本当に本当のアマチュア合唱団　ニューヨーク」などで――検索しようかと思いかけたとき、ブリットポップ合唱団のサイトが目にとまった。

　オアシス、ブラー、パルプといったバンドのファンである私は、すぐに興味を持った。それに「プロの人から、シャワーのときにビヨンセになりきっている人まで、どなたでもオーディションなしで参加できます」という文句が目に飛び込んできた。これはいけるかもしれない、と思った。だが、すぐに私はこの文言を分析しはじめる。待てよ、ということはメンバーにプロもいるということか？　それに、シャワーを浴びているときでも、とてもビヨンセになれるなんて思ったことはないぞ。

サイトにあったサンプル動画をいくつかクリックしてみると、部屋いっぱいの人たちがすごく楽しそうに、とても堂々と、自信にあふれた声で歌っていた。ただ、それぞれの動画を数回ずつ見て、彼らのなかにいる自分の姿を思い浮かべようとしてみたが、とてもそんな発想の飛躍は無理だった。

それでも本書で掲げたチャレンジ精神に背中を押された私は、問い合わせをした。そしてそれが「都市合唱団プロジェクト」の創始者であるチャーリー・アダムスとの出会いにつながったのだった。

電話で私が、自分の目的にくわえて、これまでにコーラスの経験がないことを伝えると、「私たちの誇りの1つは、レベルの高さと参加しやすさを両立していることなの」と彼女は答えた。ただここは、ある意味で変わったポジションにあるところだった。「〝アマチュア〟っていうのは変な言葉ね。私たちは〝コミュニティ合唱団〟って言っているけど、この言葉にも含みはあるわ」ブリットポップ合唱団では楽譜を使わない。「私たちはすべて耳から覚えるの」とアダムスは言う。これを聞いて安心する人もいれば、危険信号だと思う人もいる。「最初の頃に来た人たちのなかには、ここが自分が求める水準に達していないと思った人たちもいたわ」と彼女は言う。

私の求める条件はかなり具体的なものだった。自分のような初心者を受けいれてくれるところが良かったが、かといって必ずしも初心者だけに囲まれたいわけではない。上達したときになるべくいい合唱ができるところに行きたかったのだ。

ただ、平等主義のコミュニティ合唱団（私はこのコンセプトに心から賛同する）の世界では、一見何の問題もないように見える〝上達したい〟という考え方すら、議論を呼ぶ可能性があった。私が以前、ここ数十年のあいだイギリスで人気を博している、技術よりも参加することに重点を置く、いわゆる〝歌えない人のための合唱団〟の代表者の一人にコンタクトをとって自分のプロジェクトについて説明し、見学希望の旨を伝えたときのこと。先方からは次のような慎重な返事が返ってきた。「われわれが〝生涯学習〟をしているのか、私にはわかりません。ただ、みなさんに、上達しなければならないというプレッシャーを感じることなく、自由に歌える機会を提供したいだけなんです」。これを読んだ私は、映画『天使にラブ・ソングを…』のウーピー・ゴールドバーグが現れて特訓をさせる前の、声の揃わない寄せ集めの聖歌隊――すなわち、永遠に半人前のままの集団を想像してしまった（もちろんこれが勝手な想像なのはわかっている）。

どうやらブリットポップ合唱団は、ちょうどいいバランスを保っているようだ。

アダムスは「私の仕事はスターを育てることとは関係ない。それよりも歌を通じて、人と人を結びつけたいと思ってるの」と言った。

だが一方で「音が悪ければ、みんな楽しめない」とも言う。それに、歌の技術それ自体は教えなくても、時間をかけて励ましていけば、いつかいい声が出るようになるだろう、とも。そしてアダムスは数年前にメンバーにくわわった一人の女性のことを思い出して次のように語った。「彼女は本当に怖がっていたし、ほとんど声を合わせることもできなかった」。でもいまは、事実上ひとつの部門をひっぱるまでになった、と。

また「人と人を結びつけ」るのがおもな目的であるのには変わりないが、最近、ブリットポップ合唱団が進化していることをアダムスは認めた。たとえば、CMのために歌ったり、ダンスグループとコラボレーションしたり、有名なスタジオ・ミュージシャンのバックコーラスを務めたり。「メンバーはかなり上手いわよ。入団するのに条件はないけど、ほとんどの人はすこしは経験があるみたいね」。なかにはスタジオのステージで歌った経験がある人もいる。才能ある「歌姫」も一人か二人はいるかもしれない。パフォーマンスの副業で忙しいメンバーも多く、ブリットポップ合唱団はセミプロのレベルに達していた。

すると、私は急にこの状況が好ましくないように思えてきた。しかも入団希望者がすでに順番待ちをしていることもわかった。そこでアダムスは、ブルックリナイト合唱団という、もうひとつのグループを運営していることを教えてくれた。ここよりも、より〝ご近所感覚〟の合唱団だという彼女の説明を、私は〝初心者感覚〟と理解した。自宅にも近いし、自分のレベルにも近い。それに、すぐに参加できそうだった。彼女が、ブリットポップから出ていくならいまのうちだぞ、と警告しているのではないかとも思った。

それでも、結局のところ、私はブリットポップ合唱団に加入した。それはまるで運命に突き動かされたような感じで、私のような気まぐれな旅をしている者にとって、たとえそれが岩場に向かうものだったとしても、これ以上の船はないと思ったのだ。

*

ある春の暖かい夜、新しいサイクルの最初のリハーサルに参加するため、私は動画で見たリビングトン通りにあるリハーサル室に入っていった。ほかのメンバーたちはハグをして、興奮ぎみに再会を喜んでいる。私は、中学2年の転校初日にまだ誰も友達がいなかったときのことを思い出しながら、かつては学校の教室だったこの部屋の椅子にそっと腰をおろした。そこでウェブサイトの動画に映っていた人を何人か見つけたとき、ふいに自分の魂が体を抜け出て、この部屋を見下ろしているような感覚に襲われた。私は本当にここにいるのだろうか。

部屋のなかは圧倒的に女性が多く、男性は片手で数えられるほどで、ほかの男たちは戦争に行っているかのようだ。これは（すくなくともアメリカの）合唱団の世界ではよくあることだが、これまでつねにそうだったわけではない。歴史学者のJ・テリー・ゲイツは、植民地時代のアメリカでは、ほかの多くの公共活動と同じく、歌の世界でも男性が多数派だったと述べている。1930年代におこなわれた、高校生を対象とした調査では、歌を歌う男子と女子の数はおおむね同じくらいだという結果が出ている。最近では、高校の合唱団の7割が女子で3割が男子という分析結果がある。ただ、このような文化的な変化がなぜ起きたのか、はっきりした理由はわかっていない。

つねに男性メンバーを探しているアダムスは、独身男性相手に女性との出会いの場として合唱団を売り出そうかな、と冗談交じりに言ったこともある。私が加入する前には、合唱界のカサノバとでも言うべき、名も知れぬ〝ロンドンから来た男〟の噂が飛んだこともあったようだ。

それはさておき、部屋のなかはじょじょに静かになっていき、産休から復帰したばかりのアダムスが部屋の真ん中に立った。「今日から参加される方たち、ブリットポップ合唱団にようこそ！」と私のほうを見て言う。「私はアダムス。この合唱団の指揮者」と言ったあと「だと思います」と小さな声でつけくわえた。だがその謙虚さとは裏腹に彼女は驚くほど優秀で、新しい参加者——私以外にも数人いた——の緊張をほぐすために簡単な前口上を入れた。「私はあなた方を困らせたり、ソロで歌わせたりするつもりはありません。あえて希望するというなら話は別だけど」。アダムスを見ていると、かっこよくて、その人になりたいと思わせるような、憧れの学校の先生を思い出した。私は彼女よりずっと年上だったが、このような変わった形で生徒と教師の関係になったことで、自分のほうが年下のような感じがした。

それから彼女はすばやくメンバーをセクションに割り振っていった（電話で会話したときの声を聴いて、彼女は私をバスに決めていたようだ。ちなみにここでは、クラシックの合唱団における分類とは違って、テノール以下はすべてバスとなる。じつのところ男性の大半がバスにあてはまる）。「トムの周りは女性ばかりね」とアダムスは茶化しつつ、「ハンク。トムを助けてあげて！」と言った。そのあとすぐにわかったが、役者兼歌手兼教師のハンクはアダムスの片腕であり、そのマルチオクターブの音域で、合唱団の音の弱い部分（私もここに含まれるだろう）を、まるで液体バンドエイドのようにカバーできる、おしゃべりな男だった。その後、挨拶もそこそこに、私たちはすぐに歌いはじめた。

この日の時間はすべて、イギリスのバンド、ザ・コーラルの『ドリーミング・オブ・ユー』の練習に費やされた。休憩中に誰かとおしゃべりしてみようと思った私は、おもにバスセクションのメンバーである二人の男性に話しかけてみた（合唱団では、属するセクションが自分の世界の多くを占めることが、すぐにわかったからだ）。

一人はロジャーという背の高いアジア系アメリカ人だった。深く響く声の持ち主ながら、笑うときは妙に愛嬌のある高い声になるこの男は、この合唱団での私のお手本となった。ロジャーは、ブリットポップが結成されてまもない頃から参加していて、事実上、セクションのリーダーだった。彼は自分が何をしているかをちゃんとわかっているようだったので、その日の練習から（そのあとも）、その一挙手一投足を真似るようになった。

私は笑顔を顔に貼り付けたまま、アダムスから飛ぶ、「バスのみんなは、アルトのパートを1オクターブ下げて歌いなさい」などの指示にうなずきつつ、最初のセッションの大半をやり過ごした。ここまで一人で歌ってきたので音楽理論をほとんど知らなかった――最近になってピアノをやっている娘からすこし教わっただけの――私にとって、AK－47（ロシア製自動小銃。通称カラシニコフ）の分解をやらされるようなものだった。なんとなくあっているだろう音を、ロジャーの声からあまり離れすぎないように注意しながら出そうとするだけだ。

＊

ただ、その場では気づかなかったが、このとき私は強烈な〝没入型学習環境〟に身を投じていたのだ。まず、私たちの学びがおもに観察によって進むのだとすれば、周りには観察すべき対象が何十人もいた。それにフィードバックが学びの助けになるとすれば、自分の（あるいはほかの人の）歌が外れているかどうかは、周りの人の声を聴けばわかった。モチベーションが学習を促すのだとすれば、私は自分が何か大きなものの一部になったような感覚に突き動かされていた。

いまから1世紀以上前、心理学者の草分けであったノーマン・トリプレットが、自転車レースの記録を分析して、パフォーマンスの心理学のその後の歴史に大きな影響を与える見解を示した。ほかの選手と競って（あるいはペースメーカーと呼ばれる人と一緒に）自転車を漕いだほうが、一人のときよりも速く走れる傾向があることを見つけだしたのである。

ノーマンが「社会的促進」と名付けたこの概念は、要するにその場にほかの人がいたほうがパフォーマンスがあがるというものであり、いまでは当たり前だと考えられている。歌の上手い人たちに囲まれていると、自分もそれについていけるよう頑張ろうと思える。だが、社会的促進には落とし穴もある。それは単純作業かあるいは練度の高いタスクにしか効果を発揮しないことだ。歌のなかにまだ習っていなかったり練習不足だったりする部分があるときには、周りに人がいることで、余計に上手くできなくなってしまう場合があった。ただ、私としては、これはなるべく早く上達しようというモチベーションをあげてくれるはずだと思っていた。

だが、最初のリハーサルで一番驚いたのは、いまになって録音を再生してみても、自分の声がぜんぜん聴こえないことだ。つまり、私がやっていたのはほとんど口パクみたいなもので、申し訳程度にどうでもいい音を出していただけだったのである。この「社会的手抜き」は社会的促進のコインの裏側であり、ほかの人の存在によって、自分が頑張らなくてもいいと思い、それが許されてしまう状態のことを言う。
私が、自分の声を聞こえるような状態に持っていくには、まだ時間が必要だった。

歌うことは、ソーシャル・ネットワークの元祖

毎週月曜日の夜、203号室でおこなわれているこの〝儀式〟は、世界中で親しまれているものだ。

2004年の報告書によるとアメリカ国内では、「公の場のパフォーマンスとして合唱に参加するアメリカ人の数は、ほかのどの芸術よりも多い。じつのところ公の場での芸術表現として、合唱は他の追随を許さない」という。またイギリスでも、合唱団の数は――〝歌える人のための〟ものと〝歌えない人のための〟ものを合わせて――「史上最高」になっているようだ。小学生への合唱普及をおもな目的とした「シング・アップ」という政府主導のプログラムもある。2000年から2012年にかけてイギリスの大聖堂に集まる人が増加したのは、17世紀なかばから歌い継がれている聖歌をそこで歌うようになったのが大きな要因だとされる。さらに、イギリスの人気リアリティ・ショー番組の存在を忘れるわけにはいかないだろう。そこではクールな合唱団指揮者であるギャレス・マローンが、音楽のない職場や、軍人の妻たちのグループ、さらには街全体を、滑らかに動くボーカルマシンに変えてしまうのだ。オーストラリアでは合唱団への順番待ちの参加希望者が長蛇の列をつくっているというし、社会的ネットワークが発達しているスウェーデンでは、合唱は

「国民的娯楽」となっている。

こうした現象には十分な理由がある。前の章で述べたように、一人で歌うだけでも気分がよくなるのなら、ほかの人と一緒なら、さらに気持ちがいいはずだからだ。

合唱団で歌うことは、まずそれ自体が楽しいうえに、幸福感を高めてくれるし、健康にもいいことがわかっている。誰かと一緒に歌うと、一人で歌ったときよりも脳の活動が幅広く活性化される。また、オキシトシンレベルを高め、痛みへの耐性を高めることも知られている。ある研究では、グループでの〝会話〟ではなく、グループでの〝合唱〟がストレスホルモンであるコルチゾールのレベルを下げるという結果が出ている。さらに別の小規模な調査では、ストレス性の胃腸障害に苦しむ人たちに合唱団に参加してもらい、1年後の状態を観察した。すると、彼らは、歌を歌わなかった人たちに比べて、痛みが少なくなり、症状に関連するホルモンのレベルが下がったという。

つまり、みんなで歌うことは、間接的な予防医療だと言える。しかも、それは体の健康だけに限らない。合唱はメンタルヘルスプログラムでも〝治療機器〟として導入され、効果をあげている。また、ホームレスのための合唱団、恋人が行方不明になってしまった人のための合唱団、「不平の合唱団」（これは二人のフィンランド人が、〔日照時間が短いことで知られる〕ヘルシンキの冬のあいだにたまった人びとの不平不満を、ポジティブな方向に導くためにはじめたもの）、受刑者のための合唱団、末期患者のための合唱団、自閉症の子どもや大人のための合唱団、さらに、壊滅的な被害をもたらしたハリケーン・カトリーナのために避難を余儀なくされた人のケアと回復のために結成された「ハリケーン合唱団」もある。

なるほど、歌には人びとを癒やす効果があるようだ。だが、それはなぜなのだろうか？　ある報告書には「歌うと楽しいし、それ自体が喜びだ」とある。ただ、それ以上に重要なのは、合唱は音楽の力を使って、人間のより強烈な衝動を満たすのを助けているように見えることだ。ひとことで言えば、歌は社会的な接着剤であり、人びとを結びつけるのに役に立つ。

ブリットポップ合唱団の定員は50名だが、これは偶然にも、われわれが狩猟採集生活を送っていた頃の好ましい集団の大きさの上限とおおむね一致しており、おそらく社会的結束がもっとも高まる規模だと言える。

ある人類学者が示唆しているように、ほかの霊長類は社会的結束（とエンドルフィンの放出）のための手段として、1対1の毛繕い《グルーミング》に頼っている。だが、人間の集団は、個別にそこまでの注意を払うにはあまりに規模が大きすぎたので、言語の前段階として、ともに歌ったり音を出したりといった、別の手段が必要になった。ある研究グループは、ほかの社会的レジャー活動と比較して、新しく合唱団をつくることで「はるかに早く社会的な絆が強くなる」ことを発見した。彼らはこれを「アイスブレーカー効果」と呼ぶ。

その理由の1つは同調性にある。同じことを同じタイミングとリズムで、上手くやろうとすることは、強烈に社交を促すことが知られている。もちろん、社会的な絆を高めるのに役立つ活動はほかにもある。廊下を抜けた先でマインドフル・カポエラを楽しんでいる人たちも、ほかのチームスポーツをしている人たちも、間違いなくそこから同じような活力を得ているだろう。ただ、ハーモニーで歌うには、みなで協力して呼吸を合わせ、文字通り調和《ハーモニー》をとらなければならない——合唱団の歌い手たちは心臓の鼓動すら同調しはじめる——ため、とくに効果的なはずだ。

社会学者のロバート・パットナムが、いまでは有名となったある研究のなかで、イタリアの一部の地方自治体がほかに比べて上手く機能している理由を調べたところ、政党による政治や豊かさのレベルといった予想される要因は、ほとんど関係していないことがわかった。そこで重要だとされたのは、「市民参加の習慣が根付いていること」であり、そのうちの1つが「合唱団への所属」だったのだ。*

ブリットポップ合唱団で過ごす時間が増えるにつれて、私はこのグループこそ、健全な参加型民主主義がいかに機能するかを示す小さなモデルだと思うようになった。合唱団をまわしていくにはみなが協力しなければならない。練習に顔を出し、歌詞を覚え、自分のパートを磨く。私たちはいわゆる「実践共同体」のなかで、ともに学んでいた。ここではほかの人の動きを予測しつつ、ともに働かなければならない。もし自分のパートがすこし弱ければ、誰かが助けてくれる。そのかわり次の曲では、こちらがお返しをする。

最高の音をつくるにはそれぞれの声の存在が不可欠であり、どの声も（どのグループの声も）強すぎるということはない。さまざまな声があることは邪魔になるどころか、その合唱団の音の強さそのものとなる。年齢も人種も育った環境も経験も違う人たちが集まって、それぞれが不可欠な部

* ただし、合唱団が世界中の苦しみを癒やす万能薬だと言うつもりはない。たとえば、ナチス・ドイツ政権下で合唱団が〝ソーシャル・キャピタル〟を醸成するための手段として用いられていたことが指摘されている。詳しくは、Shanker Satyanath, Nico Voigtländer, and Hans-Joachim Voth, "Bowling for Fascism: Social Capital and the Rise of the Nazi Party," *Journal of Political Economy* 125, no. 2 (2017) を参照のこと。

品でありながら、どの個人の力よりも大きなものに取り組んでいる。それは1つの大きな船を持ちあげる声の波であり、12ドルで行ける週に一度の小さな楽園だった。

そして、私たちのつくる音はすばらしかった。

*

この頃から、私は携帯電話を通じて、見知らぬ人と一緒に歌うようになった。

合唱団で誰かと一緒に歌うときのポジティブな感覚は、ほとんど中毒になりそうだった。そこで次のリハーサルまでにその欲求を満たす方法を探していたところ、ある日ネットで「スミュール」という変わった名前のアプリを見つけたのだ。

使い方は簡単。イヤホンを携帯に差し込んだら、あとはサイトのデータベースから好きな歌を選んで、歌いはじめるだけだ。録音したあとは、オートチューン〔ポピュラーな音声補正用ソフトウェア〕風のフィルターやエフェクトを使って、自分の歌を調整することもできる。自分の歌っている姿を撮影することもできるし、声だけを録ってもいい。私も何曲か歌って録音してみた。操作は簡単だし、音もまあまあだ。ちょっと不毛な感じもするが、これだけですでに楽しかった。

ただ、このサービスの魔法の扉を開けたような気がしたのは、「デュエット」というコマンドを見つけたときだ。私は自分の〝オリジナル・コンテンツ〟（曲の半分を歌ったもの）を世界に向けて発信し、誰かがそこに参加してくれるのをドキドキしながら待つ。あるいは、誰かがすでに投稿した曲に、喜んでくれるのを期待しつつデュエットをつけることもできた。

そうしているうちに、突然私は、世界と一緒に歌っているような感覚になった。頭にスカーフを巻いたインドネシアの女の人と一緒にジョン・レノンの『イマジン』を歌い、バージニア州在住のプロフィール写真でアサルトライフルを撃っている男性とはR.E.M.の曲を歌った。さらに、中高年世代の人たちと70年代の曲を、10代20代の若者とはいまの曲を歌った。大きなマイクを使ってプロ並みの環境でレコーディングしている人もいれば、車のなかで歌っているだけの人もたくさんいた。その車も停車中の場合もあれば、走行中の場合（私はこれは控えていたが）もあった。大声で歌う人もいれば、ささやき声に近い人もいた。

私にとってスミュールは、舌がもつれるようなフリースタイルのラップに挑戦してみたり、下手くそなスペイン語で歌ってみたりと、いつもとは違う喉の筋肉を使って遊ぶ、〝砂場〟のような場所だった。娘にも試しに使わせてみたところ、「どうしてパパが長いあいだ部屋にこもって出てこないのかわかったわ」と言った。

合唱団と同じく、このアプリにも楽園の――人びとが距離や時間、言葉や文化の壁を超えて同じ歌を歌う、ユートピアの――香りがした。その他のソーシャルアプリと同じく、コメントを残したり、「いいね！」をつけたり「お気に入り」に登録したり、フォローしてもらったりすることもできる。最初は〝荒らし〟を警戒していたが、一緒に歌っている人たちはみな礼儀正しかったし、彼らが褒めてくれるのは、歌をはじめたばかりの私にとって、このうえなくうれしいことだった。私には、家にいるときはほとんどつねに歌いつづけるという癖があって、妻や娘を困らせていた（それはそうだろう）。だがスミュールでは、誰も困っていない。むしろ一緒に歌う仲間が増えたことを喜んでくれているようだ。「おお、バッチリだね」などのコメントを糧に私はすくすくと成長していった。このアプリは、自分を助けてくれる秘密のネットワークのようなものになっていった。

スミュールがどのようにしてできたのか気になりはじめた私は、アプリと同名の開発元企業のCEOであるジェフ・スミスにコンタクトをとった。シリコンバレーの起業家として長年活躍し、自身がミュージシャンでもある彼は、以前から、人びとが自分一人でなく誰かと一緒に音楽をつくるのに、スマートフォンのようなテクノロジーが役に立つのではないかと考えていたという。

「音楽はソーシャル・ネットワークの元祖なんです」と彼は言った。当初、スミュール社は、スマートフォンのピアノアプリなどをつくっていた。だが、人間だれもが持つ、自分の声以上に表現力豊かな楽器は存在しない。「声はまさにその人そのものなんです」とスミスは言う。声とはすなわち、表現のもっとも基本的な形なのだ。「ブルースのギタリストたちは、弾くときに口を動かしているでしょう。あれは声をなぞっているんです」。自身も歌手として挫折した経験を持つスミスは、歌に対するハードルを下げたいと思っていた。そしてそれには、誰かと一緒に歌えばいいのではないかと考えたのだ。「知り合いが目の前にいるときに歌うより、世界中の知らない人とともに歌うほうが、やりやすいんじゃないかと思ったんです」

そして、太古の昔から使われてきた、音楽の人を結びつける力が、ソーシャルメディアのゲーム化された世界に持ち込まれ、見事にマッチした。ほとんどの場合、この結びつきは歌だけで終わるが、ときにはより深いつながりが生まれることもある。デュエットで知り合ったカップルから、これまでに100件以上〝スミュール・ベイビー〟誕生の報告を受けていると彼は言った。

私自身は恋人を探しているわけではないし、必ずしも友達をつくろうとも思っていなかったが、それでも何度か一緒に歌った人たちとはある種の絆を感じるようになった。ここでは、アクセスする時間も住んでいる場所も違う人たちが、一風変わったやり方で自分を解放し、共通の体験をつくりあげる。テキサス出身のある女性は、10代の頃、所属していた合唱団とともにニューヨークを訪れたことがある経験豊かな歌い手だったが、スミュールを使って歌を再開し、仕事のあとの息抜きにしていた。また、私がもっともよく一緒に歌ったパートナーの一人であるイギリス人は、伝説のジョン・ピールのラジオショーに出演したこともある元パフォーマーで、皮肉なウィットに富んだ男だった。彼は鬱《うつ》を患っていたが、このアプリが思った以上に気分のコントロールに役立ったと語っていた。「歌が憂うつを追い払ってくれたのさ」

一時期一緒に歌っていたとてもすてきな声の女性が、突然の心臓発作で亡くなったのをあとで知ったこともあった。そこでいつものメンバーで――みな、オンラインでしか知らない人たちだ――彼女を偲ぶ歌を歌った。私たちが実際には一度も顔を合わせたことがないのを思うと、不思議と胸に迫るものがあった。

愛、喪失、あるいは人生そのもの。歌は音楽と同じく、多くのものを包み込む。どんな気持ちであっても、誰かとともに歌うことは、一人で歌うよりも深い意味があり、また、楽しくもあると私は思う。

*

その一方で、私はブリットポップ合唱団の何人かとも親しくなっていた。そして、ただ歌うことが好きだというだけでなく、いろいろな理由を持って参加している人が、自分のほかにもいることを知った。ある夜、バーにいったとき、女性メンバーの一人が、軽い気持ちで合唱団に参加してみたら、「自分が人生で探していたのはこれだ」とすぐに気づいたと、事も無げに話してくれた。

そこでは、何かが変わる瞬間――新たなはじまり――が話題になった。同じバスセクション仲間であるロジャーは、子どもの頃から合唱団に入っていた。声変わりする前はニューヨーク郊外の中国語合唱団で何度もソロを務めたことがあるそうだ。彼がふたたび歌に戻ってきたのは、つらい別れがあり、「自己探求と再生」の時期にあったからだという。

ロジャーは、ブリットポップ合唱団にたどりつく前、より伝統的な、メンバー全員が男性の合唱団で数年間を過ごした。「男が希少な合唱団に入ると、求められる基準が下がるんだよ」と冗談めかして言った。テニスや絵などほかにもストレス解消の手段はあるが、それでもほかの街での仕事のオファーがあってもなかなか引き受けられないほど、この合唱団が大きな存在になっていると、ロジャーは言う。

また、よく響くアルトの声を持つ、社交的なサラとはすぐに打ち解けた。生まれてからずっと音楽をやってきた彼女は、これまでにいくつもの合唱団に参加し、ニューヨークにある数々のカラオケバーで観客の喝采を浴び、職場の〝スキルシェア〟プログラムでは歌の講師を務めたこともあった。いまはボイスコーチをつけて「ヘビーメタルのスクリーム」の出し方を習っている。さらにここ10年ほどは、「女の子だけのアコーディオン・オーケストラ」のメンバーとして活動してきたという（チャリティコンサートに出て、司会のコメディアンのジョン・スチュワートから紹介されたとき「で、君たちの〝ウリ〟はなんなの？」と言われた、と笑っていた）。だが、オーケストラの指揮者で、ある意味で人生の師匠でもあった人が数年前に亡くなると、定期的に集まって練習することもなくなってしまった。「決まった日にリハーサルができないのが、こんなにつらいなんて思ってなかった。やっぱり歌ってすごく脳にいいのよ」と彼女は言った。

ただ、合唱団での練習は、その場では打ち解けた雰囲気を感じられるものの、同じセクションの仲間以外の人と付き合うには積極的に動く必要があった。リハーサルは短期集中で、それが終わるとみなすぐに家に帰ることが多いからだ。全体の飲み会も1回か2回は企画されたが、月曜日の夜にはなかなかつらいものがあった。

それでも私は、笑い上戸のフランス人、ローレンスと仲良くなった。フランス人女性にありがちな肩の力の抜けた物腰の彼女と話すようになったのは、たんに近所でたまたま出会うことが多かったからだろう。偶然だが私の家のそばには、評判のいいフランス語のイマージョン・プログラムを開講している公立学校があり、たくさんの外国人が集まっていたのだ。私たちは歳が近く、同じ学校に子どもを通わせていて、お互い初心者としてブリットポップに参加した。私は合唱団でのソウルメイトを見つけたような気分になった。

ある晩、近所のカフェでお茶を飲みながら、彼女は子どもたちを放課後の歌のプログラムに参加させたときに、アダムスと初めて出会ったと話してくれた。「子どもたちがまだ小さかったから、すべてのレッスンに付き添ったの。そしたらアダムスに夢中になっちゃった。あまりにエネルギッシュだから」

そしてある日、ローレンスはアダムスに大人向けのプログラムはないかと尋ねる。「私はそれまで歌ったことがなかった。カラオケすらね。だから本当に顔を出してみただけ。楽しめるかも続けられるかもわからなかった」。最初のリハーサルのときはちょっとしたパニックだったという。「かなりビビってたわ」と彼女は言う。「歌の経験のある人がたくさんいる気がして、自分には合わないんじゃないかと、とても不安だった。〝この声の出ないフランス人の小娘はいったい何をしに来たんだろう〟って思われるんじゃないかって」

それでも月曜日の夜は、家庭生活からの一時的な避難所となった。その頃、彼女が経験していた家庭内での緊張状態は――ほどなくして離婚へと進むのだが――おそらく1週間の仕事がはじまるというプレッシャーのためか、月曜日にもっとも強くなるのがつねだった。だが、じょじょに合唱団になじんでいった彼女は、週に一度の高揚感を貴重だと思うようになった。新しいことをはじめることで生き返るような感じもした。「何かをはじめるのに遅すぎることはないって実感できるのはとても気持ちいい、私はいつもそう思ってた」

友人たちはその変化に驚いたが、歌は突然、彼女のアイデンティティのよりどころとなったのだ。「それは完璧なタイミングでやってきたの」と彼女は言う。20年におよんだ結婚生活が取り返しのつかない状態になりつつなるなか、歌は活力だけでなく、自分のために何かできるという感覚を与えてくれた。「子どもがいると、自分に何が必要で何を望んでいるのか、思い出せなくなるのよ。ただ子どもに一緒にくっついてまわるだけになっちゃってね」。ローレンスの夫は、彼女が合唱団に入るのに反対はしなかったそうだが、発表会には一度も姿をみせなかった。

話の途中で、彼女はふと思い出したことがある。結婚生活も終わりにさしかかった頃、夫は「いつも私の声に文句を言うようになった」。ストレスのためか、「あらゆる騒音に対する堪え性がなくなって」いたという。そして彼女の声がそのターゲットになったのだ。「私はすこし声が大きいの。でもどうしようもない。大声で話したり笑ったりするときは、楽しかったり、うれしかったりするときなんだから」。それでも彼女は「声を変えれば解決するかもしれない」と思って、ボイスコーチを雇うことも考えた。だが、とても手が出ないほど高かった。ニューヨークでは優秀なボイスコーチを雇うと、1時間に100ドル以上かかる。だが、ブリットポップ合唱団なら練習1回あたりの費用は、映画を1本観るのと変わらない。アダムスに会った彼女は、歌うことで自分の声を〝調整〟できるのではないかと考えた。

夫と別れることが決まった週のリハーサルでは、涙が止まらなかったのを覚えているという。「通りを歩いているときには泣いてなかったのよ」と彼女は言う。「でも、歌うと心が動くの。終わったあとアダムスが私のところに来て〝あなたのこんな姿を見るのは初めてだわ〟って」

それから数年が経ち、ローレンスはいまではアダムスが率いる両方の合唱団で歌うようになった。最近ではブリットポップの主要メンバーを対象にした内部オーディションにも参加した。これは急に外で歌う機会ができたときにアダムスが招集する顔ぶれを選ぶためのものだ。「アダムスは本当に優しかった。一人で歌った私に、彼女は、〝あなたの声を聞くと幸せになる〟って言ってくれたの」

私たちはみな、それぞれ違う場所から、それぞれ違うストーリーや動機を持って、合唱団にやってきた。しかし全員が何か新しいことをはじめようとしている、あるいはもう一度やり直そうとしている初心者だった。ある者は新しい方向に進もうと、ある者は古い情熱をもう一度追求しようとしていた。

そして一部には、さらに大きなものを賭けている人たちもいた。彼らは人生そのものを取り戻そうとしていたのだ。

*

サイクルもはじまったばかりのある夜、吹けば飛ぶような我がバスセクションに、新メンバーがくわわったという驚きのニュースが入ってきた。剃り上げた頭にアディダスのスニーカー、フレッドペリーのポロシャツを身につけた彼は、イギリスのプレミアリーグの試合でテラス席にいそうな感じの人物だった。あとからわかったことだが、実際このエイドリアンは、北ロンドン出身のサッカーコーチで、レッドブル・アカデミーで教えるためにアメリカに来たのだった。1週間後、私はブリットポップが好きだ、という感想を聞けることを期待しつつ、彼に話しかけた。

だが返ってきたのは「俺は脳腫瘍を患っている」という言葉だった。「それで担当の言語聴覚士から歌を勧められたんだ」

のちに朝食をともにしたとき、彼は自分の健康状態について誰かに話すとは思わなかったと言っていた。なぜ私に打ち明けたのかもわからないが、おそらく私がプロの聞き手であることを感じ取ったのかもしれない。とにかく、彼は堰《せき》を切ったように自分のストーリーを語りはじめた。

前の年の8月、ある暑い日の午後に、自宅のアパートのそばにある、マンハッタンのグラマシー・パークのプールから戻ってきた彼は、ふいに発作に襲われた。

「体が震えはじめた。心臓発作かと思ったよ」。近くのスーパーにたまたま居合わせた医師が駆けつけ、救急車を呼んだ。緊急治療室の医師たちはすぐに心臓を検査したが、何も異常は見つからない。気分は良くなっており、あの2分間の発作は夢のなかの出来事のようだった。その後、別の病院に送られてMRIで脳を検査すると、何時間も待たされたあと、医師から一晩病院に泊まるよう言われる。「何も問題ない。俺はそう思ってたよ」

だが翌朝、脳に瘤《こぶ》があることを告げられる。すぐに取り除かなければならない腫瘍であり、1週間後に手術ということになった。そのあと彼は両親との電話中に、またも軽い発作を起こした。手術に立ち会うため、家族がニューヨークに集まりはじめる。目を覚ましたとき、腫瘍の9割を取り除いたと聞かされた（すべてを取り除いてしまうと「重大な損傷」を受けることになる、と説明されたという）。だがそこで、返事ができないことに気づく。「俺はしゃべれなかった。部屋のなかで起きていることは全部理解できたけど、ただ、言葉が出ないんだ」

彼の症状は非流暢性失語というものだった。手術を担当したマウントサイナイ病院の外科医であるレイマンド・ヤンに話を聞いたところ、病巣は左前頭葉の「ブローカ野」と呼ばれる領域の近くにあったとのこと。ここは脳の主要な「言語中枢」の片方であり、おもに発語に関わる領域だ（もう片方はおもに会話の理解に関連する「ウェルニッケ野」）。

腫瘍を切除すると、脳のほかの部分につながっている、膨大な数のワイヤーが内臓された光ファイバーケーブルのような多くの接続部分が、必然的に損傷することになる。エイドリアンは〝どうやって話すか〟という知識自体は失っていなかった。ただ、実際に話すのに必要な運動指令を実行する機能を失っていたのだ。さらにほかの運動機能も同じように問題を起こしていた。筆談で両親とコミュニケーションをとろうとしたが、右手の指のほとんどが動かなくなっており、ものすごく苦労した。距離感も上手くつかめなかった。「ずっとこのままなのだろうか？」という疑問が頭に浮かんだ。

だがある日、病院にお見舞いにきた友達が、エイドリアンの好きなバンドであるオアシスのアルバムをかけた。すると、彼の喉頭は急に息を吹き返した。「曲に合わせて大きな声で歌えたんだ。歌詞も全部覚えていた」。簡単な会話すらできない状態だったのに、それでも歌うことができたのだ。

歌は一般的に右脳でおこなわれるため、話す力を失ったとしても〝保存〟されることが多い。オアシスの曲を歌うことで、彼は言葉を〝つくりだした〟のではなく、メロディとともにコード化されていた言葉を〝再生〟したのだ。そしてヤンも言っていたように、右脳には左脳とつながっていて、その一部をコピーしている領域があり、それを〝バックアップ〟として使うことができる。

おそらく歌がその架け橋になったのだろう。神経学者のオリバー・サックスが『音楽嗜好症（ミュージコフィリア）——脳神経科医と音楽に憑かれた人々』で示したように、歌は、過剰に働きすぎるようになった右脳を〝鎮める〟とともに、〝抑制された〟左脳にふたたび火を点けるという好循環を生み出すようだ。エイドリアンの脳は、両半球のリソースをやりくりすることでそれぞれを補いあっていたが、不思議なことに、年齢を重ねると基本的に誰もがこうしたことをするようになるという。

エイドリアンは自然と声が出たことについて「それは命綱みたいなものだった」と言った。「急に、〝よし、また話せるようになるかもしれない〟と思ったんだ」。だがそのとき彼は、認知療法、言語聴覚療法、グループ療法、理学療法など集中的なリハビリテーションをはじめたばかりだった。「それは信じがたい出来事だった」と彼は言う。

以前は簡単にできた作業も、学びなおさなければならなかった。ただこれは認知的に学びなおすわけではない――なぜなら〝頭のなか〟ではやり方はわかっているからだ。だが、脳と体の連携を可能にする神経回路をつなぎなおす必要があった。たとえば、エイドリアンは物がはっきりと見えていたが、視線を思うようなところに上手く持っていけなかった（神経検眼士には〝眼の腕立て伏せ〟をやるよう言われた）。誰でも冷蔵庫を開けたのに、目の前にある物を見つけられなかったことがあるだろう。彼の1日は、そうした瞬間の連続だった。

それはまるで経験豊かな人間が初心者の体に閉じ込められたようなものだ。ある日、セラピストにスーパーマーケットに連れていかれたエイドリアンは買い物リストを手渡された。目的は単純で、買い物をすることだ。だが、立ち並ぶ棚のあいだに放置された彼は、商品の数や、狭い通路を埋め尽くす買い物客のざわめき、店内の照明や音楽に圧倒された。「最初のとき、俺は買い物ができなかった。脳と体の連携が切れて、混乱してしまったんだ」

騒がしい通りや混雑した地下鉄など、ニューヨークの刺激だけで、彼は疲れてしまった。移動もゆっくりと慎重にしなければならず、ときには一見健康な若い男が、なぜもっと速く歩かないのかと、通りがかりの人にいらだちをぶつけられたりもした。そして気づけば、脳卒中の患者を中心としたサポートグループに、ここ数十年で最少年のメンバーとして参加していた。

それから数週間のうちに、担当の言語聴覚士から歌うことが症状改善につながるのではないかと提案された。とくに、リズムにのってゆっくりと発音するのが、言葉の流れに弾みをつけるのによさそうだとのこと。そして私と同じように、インターネットでブリットポップ合唱団を見つけ、のちに妻となるシューズデザイナーのロズとともに入会した（エイドリアンをサポートするために来たロズだったが、「私は歌えないわ」と冗談めかして言いながらも、入会以来、メンバーとして熱心に活動している）。

化学療法やその他のセラピーでハードな日々を送るなか、彼はいま、みんなと一緒にオアシスを歌っている。会話はだいぶ元に戻ったとはいえ、まだすこしゆっくりで機械的な感じがするし、表情が消えて急に止まることもある。「そういうときは頭が真っ白になってるんだ」。脳卒中患者のサポートグループで、ほかのメンバーたちに歌うことのメリットを熱心に語ったこともあるが、「みんなきっと、俺がおかしくなったと思ってるよ」と彼は笑う。

それでも夏がはじまる頃には、エイドリアンは「ウィー・キャン・キック・イット」というサッカーを通じて小児がんの子どもたちを支援する団体を立ち上げるまでに回復した。さらにワールドカップの開催が近づくと、「アイス・バケツ・チャレンジ」のようにオンラインで、サッカーボールを10回リフティングする動画をつなげていくという試みもはじめた。

彼にとってこれは、以前なら半分寝ながらでもできるようなことだったが、いまは〝ゼロから〟覚える必要があった。リフティングは苦手だったが、私も参加することにした。カメラの前で恥をかかないよう何週間も練習し、結果的には二人とも10回を達成した。

だが、技術習得の過程はそれぞれ違った。私はリフティングの習得という一度も到達したことのない目的地に向かって、脳に新しい轍《わだち》をつけていった。一方、エイドリアンはすでにリフティングの熟練者という境地を知っていたが、そこにいたる脳内の道に障害物があって通れなかったため、既知の場所へと向かう新しい神経経路を探っていたのだ。

はじめたばかりの初心者のように

ところで、私は合唱を楽しむ一方で、自分はなんとか取り繕うことができているだけなのではないかという思いがあった。つまり、遅かれ早かれボロを出し、才能のなさがバレてしまうような気がしていた。未知の文化のなかにただ一人放り込まれた人類学者のように、何の意味があるのかわからないまま、ただ周りの人がやっていることを丁寧に真似しているだけのような感覚になるときがあったのだ。

リハーサルの最中、アダムスは基本的に真ん中に立って、それぞれのパートを歌うメンバーの様子を見渡していた。私はまるで、問題の答えがわからないので先生の視線を避けるようとする子どものようになったが、教室で一番背が高い場合、これはそうそう上手くいくものではない。ときおり、キラリと光るメガネの奥で、アダムスの眼が細くなり、その視線が私に——とくに口元に——止まることがあった。その顔は無表情だ。そんなとき私は密かにパニックになった。何かまずいことをしたのだろうか？「さあ、トム。みんなの前でそのパートを一人で歌ってもらわなきゃね。みんながこんなに頑張ってやってきたことをあなたが台無しにしないために」などと言われるのを想像したりもした。

ありがたいことに、実際にはそうしたことは起きなかった。アダムスは何かを優しく注意することがあっても、それはあくまでセクションに向けてであり、自分ひとりが責められている気持ちにはならずに済んだ。だが、それでも私はプレッシャーを感じた。バスのメンバーが、アダムスと面と向かって1つのパートを確認する時間は、1分が5分にも感じられた（たとえそれ以外の人たちのほとんどが、携帯を見ていたとしても）。

ある日の練習で、あとから聞いたところによると新メンバーを〝ビビらせる〟ことで知られているというロジャーが、その厳格な基準を適用して、あるパッセージのところで私の声が「すこし下がっている」と指摘した。もちろんプロであれば、淡々と音程を調節して終わりだろう。だが、初心者として傷つきやすい自意識を持っていた私は、まるで自分の存在意義を疑われたような気持ちになった。

だが、同時にこのフィードバックに感謝もした。合唱団で歌っていて気づいたのは、音の反響の仕方しだいで、自分の声がほとんど聴こえなくなるときがあるということだ。たんに大きな声で歌うという手もあるが、そうすると、周りから浮いてしまう危険性がある。さらに、周りの音が大きいと、自分の声も大きくなるという「ロンバード効果」のせいで、一人が大きな声を出すと、みんなの音量もあがってしまう。大声で合唱すると、ミスが目立たなくなるため、調子外れの歌をそれと気づかないまま、のんきに歌いつづけることにもなりかねない。

私は事前にボイスレッスンを受けていたことで、こうした点については底上げされていると思っていたが、実際はそう単純ではないようだった。ボイスコーチは、個人の声を育て、その人特有の表現力を伸ばすために存在する。一方で、合唱団の指揮者は、親和性の高い、全体の調和をとるのに適した人を求める。つまり、前者と後者では要求するものが異なるのだ。ある記事ではこれを、「合唱団の指揮者は火星人で、ボイスコーチは金星人だ」とたとえている。

アメデオとのレッスンでは、私は頑張って自分の声にビブラートをかけようとしていたが、アダムスとのセッションではビブラートはむしろ邪魔となる。じつは、合唱団で歌うことはソロの歌声には悪影響ですらある、という考え方が昔からある。たしかに、この2つの活動はほとんど似ていない。独唱のレッスンは、個別のスキルに磨きをかけるための反復練習が多く、ゴールキーパーに向けてPKの練習を延々と続けるようなものだった。一方、合唱団で歌うのは、突然サッカーの試合に放り込まれたようなもので、ゲームの流れを読み、自分がどこにいるべきかを把握し、ほかのプレイヤーの行動を予測しなければならない。それもすべて観客の前でだ。

合唱団でみなと一緒に歌うのと、一人で歌うのは、まったく違う技術であることに、私は遅まきながら気づいた。みなでクランベリーズの『リンガー』を練習しているとき、私は割り振られたバスのパートからしょっちゅうはみ出して、この曲をラジオで聴いたメロディそのままに歌っていた。正直なところ、ときに自分がバス担当であることを忘れてしまっていた。この〝逸脱行為〟をロジャーに聞きとがめられ、そういう影響を完全に排除できなくては強い歌い手とは言えないぞ、と言われた。たしかに、いかに魅力的なハーモニーが周りにいくつも流れていようと、自分のラインを守りつづけることができるのは、熟練した合唱歌手の証だ。

だが、私は熟練者ではなかった。片方の耳でロジャーのバスを、もう片方でハンクのテノールを聴いていると、音の綱引きをしているような気分になった。おそらく間違った音を出しているときが半分はあったかもしれない。

アダムスがたまに〝ジャム〟をやらせてくれるときも、本当に上手くできなかった。これは全員が歌の一部のパートを歌いながら、部屋のなかを自由に歩き回り、その気になった相手と即興のセッションをやるというアクティビティだ。これは楽しむためのもので、ハーモニーを使った交流の機会と言えたが、私はたいていどうしていいのかわからず、晒し者状態だった。

この経験を通じてわかったのは、私のような初心者は、同じ場所、同じ人の隣で、しかも近い距離で歌うことを好むということだった（それを裏付ける研究もある。ちなみに熟練した歌い手はこれとはまったく逆だ）。一般に、合唱団のなかで歌手の立ち位置を変えたり、セクションをシャッフルしたりすることで最高の音が生まれると言われているが、アマチュアの歌い手にとってはあまりうれしいことではないわけだ。

たとえ安住の地から一歩踏み出して新しい場所に来たとしても、人はそこでも安住の地を必要とするのである。

＊

それから10週間が経ち、ついにグリニッジ・ヴィレッジの有名クラブ、ル・ポワソン・ルージュで、パフォーマンスをするときがやってきた。期末試験のように何週間も前からこのイベントが近づいてくるのを意識していた私は、慌てて歌詞を覚えたり、高音を出そうと必死になったりした。

この日の衣装であるバンドTシャツも私にとっては難題だった。大学時代にはたくさん持っていたが、あれから数十年が経ち、クローゼットには1枚も残っていなかったのだ。そのため、アーバン・アウトフィッターズ〔おもにアパレルを取り扱うアメリカのリテールショップ〕の地下で、「ピンク」や「ドクター・ドレー」のTシャツを漁ることになった。悪目立ちしないよう娘にもついてきてもらい、年代的にぴったりの「ニュー・オーダー」のものを見つけた。

そして当日。ショータイムは突然はじまった。ステージが狭いため、私はロジャーから何人か後ろの最後列に配置され、普段は離れて歌っている人たちに囲まれる形となった。

さらに、最初の曲であるトーキング・ヘッズの「ロード・トゥ・ノーウェア」を歌いはじめたとき、普段とは逆の感覚になっていることに気づいた（これは練習のときにもたまに起こった）。自分の声だけが聴こえてきて、まるで観客全員に向けてソロで歌っているような感じがしたのだ。くそっ！　音響のせいだ。

さらにまずかったのはブルックリナイト合唱団と一緒にTOTOの『アフリカ』をやる予定にな

っていたことだ。曲を知ってはいたが、一度も一緒にリハーサルをしていない。要は、ある狩猟民族の一団にライバルの一派が合流したかのように、急に見知らぬ顔と声が混じることになった。こいつらはいったい誰なんだ？

いま、中年になった私は、小学校3年生のとき以来、初めてステージにあがって歌っている。

また、偶然ではあるが、このとき7歳だった娘も、アダムスがやっているアフタースクール・プログラムである「ブロードウェイ・ショーストッパーズ」に入っていた。いまから数週間前、妻と私は他の子のご両親たちとともに、彼らの小さなパフォーマンスを見にいった。そのショーは――どんな子どもたちのものでもそうであるように――まるで奇跡だった。娘がステージに立つのを見ただけで、私たちは涙が出そうになった。ミスはたくさんあったが、子どもなのだからそんなことは関係ない。未来への希望にあふれた彼らは、まったく混じりけのない純粋な喜びに満ちた声を響かせていた。

さて、一方私のステージだが、会場はメンバーの友人や家族でいっぱいになっていて、基本的にはみな、かなり興味を持っている様子だ。娘は笑顔で私のほうをみており、我が合唱団はまるでスターだった。

だが残念ながら漂う哀愁は隠しようがなかった。私たちはみな、30代から60代の大人なのだ。もはや、無限の可能性に満ちているわけではなく、プロの歌手になろうとしている者も――それを思い描く者すらもいない。ミスにしろ、子どものように夢中になっているからというより、たんに能力不足という感じが否めない。最初は子どもを見守る親のような、底抜けに寛容な笑顔を浮かべていた観客たち――われわれのやっていることを尊重し、プロではないということを理解しつつ、おそらく自分もかつては同じようにステージに立って歌った経験があるために、多少の懐かしさを感じてくれていた観客たち――も、じょじょに複雑な表情に変わっていく。

とはいえ、この観客の甘めの採点基準を差し引いても、この日のショーは結果的に成功だと評価され、私は自分のなかで何か決定的な変化が起きたような気がした。そして、その後も歌いつづけた。1回だったショーは、2回、3回、4回となり、ときおり単発《ワンオフ》のコンサートを開く、〝セミプロ〟の小さな合唱団にも入った。ブロンクスで開かれたオランダとプエルトリコのミュージシャンたちによるコンサートではバックコーラスを担当したり、実際にCDを出してファンがいるようなグループと一緒に歌ったりもした。ルーズベルト島の病院では、その多くが車椅子に乗っているお年寄りのグループに、歌を披露した。私たちの歌った曲を知っていたかはあやしいが、それでもご老人たちは笑顔で足を叩きながら聴いてくれて、病院の灰色の雰囲気を一瞬とはいえ明るくできたような気がした。また、ニューヨークのポート・オーソリティ・バスターミナルでは行き交う通勤者を前に、クリスマスのお祝いムードを盛り上げるために歌った。このショーを最初から最後まで見てくれたのは、オー・ボン・パン〔ベーカリーカフェのチェーン店〕のそばに立ってあたりを見張っていた、カーキ色の軍服を身につけて自動小銃を持った海兵隊員たちだけだった。彼らは感情をあらわにして笑ったり、足を叩いたりということはなかったが、きっとそうしたかったはずだ（と思いたい）。

延々と意味のないBGMがなりつづけるこの世界で、みずからの声でその空間を満たすというのは意味のあることだと思う。〝妹分〟であるブルックリナイト合唱団と共演したとき、一人の女性メンバーから、われわれバスセクションの「豊かで深みのある声がうらやましい」と言われ、誇らしくておもわず顔がほころんだ。

〝彼女たち〟とはしょっちゅう飲みにいくようになり、グループにいるいろいろな人たちについておしゃべりをした。実際には歌っていないように見えるのに、決してリハーサルを休まない女の人。逆にリハーサルには一度も出ないのに、なぜか舞台には来て、しかも何をすべきかちゃんとわかっている人。あまり声があっていないと思っていたら、突然いなくなった新メンバー（頻繁ではないが、たまに起こることだった）などなど。

私はこの合唱団にますます愛着を持つようになった。ディナーの席でたまに、ニューヨークからほかの場所に生活の拠点を移そうかという話題が出ることがあったが、そういうときに真っ先に思い浮かぶのは、そこからリハーサルに通えるだろうか、という疑問だった（ロジャーも同じことを言っていた）。

自分でも気づかないうちに、ブリットポップ合唱団は私の人生の多くのニーズを満たしてくれていた。たんに家から外に出て、ほかの人たちと一緒に仕事以外のものに取り組むこと。リハーサルを終えると、毎回必ず、すばらしい高揚感に包まれていること。そして、高密度の高い声の訓練を授けてくれること。私は以前のボイストレーニングが大好きだったが、費用は決して安いものではなかった。だが合唱団への参加はそれに次ぐくらいの効果がある。音程のとり方が上手くなり、タイミングをはかる感覚が鋭くなった。しかもそうした練習を――すくなくともブリットポップ合唱団では――お祭りのような雰囲気のなかですることができる。

サイクルも後半、公演が近づきつつあったある夜、お酒の席でロジャーが私に真剣な様子でこう言った。「合唱には技術がある。そして俺たちはそれを楽しむためにここにいる。でも音はあくまで音だ。それに出席したからといって表彰されるわけじゃない。それでも君は、最初に参加してからいままで、ずっと上手くなってきた。家でも練習してたんだろう？　それが君の歌い手としてのキャリアにどういう意味があるかはわからないけど、君はいまその道を進んでいるよ」

ブリットポップ合唱団には入団オーディションはない。でも私は、この瞬間、ついに合格したような気になった。まるで歌をはじめたばかりの初心者のように。

第5章 U字型の波に乗る
中級者の苦悩と喜び

CHAPTER 5 : SURFING THE U-SHAPED WAVE – The Agony and the Ecstasy of the Advanced Beginner

サーフショップの店員：やあ、君たちの歳でサーフィンを習うってのはクールだな。まあ、何の問題もないよ。
ジョニー・ユタ　　　：俺は25だけど。
サーフショップの店員：ああ、だからそのことを言ってるのさ。遅すぎるなんてことはないってね。

――映画『ハートブルー』（1991年）より

監督の元で楽しむ：ロッカウェイビーチ

私はサーフィンに、2つの結婚指輪、数千ドルの費用、そして背骨の椎間板の隙間を数ミリほど捧げたが、それでもまだ上手くはなっていない。

中年の初心者の多くがそうであるように、私の動機は長年〝遠い憧れ〟であったサーフィンに、手遅れになる前にチャレンジしてみたい、というものだった。それにこれまでにない形で自分を試すこともできるかもしれない。

1970年代、海のないアメリカ中西部に生まれ育った私の意識にサーフィンが入ってきたのは、ほかの多くのものと同じく、テレビを通じてだった。『ワイド・ワールド・オブ・スポーツ』の短い映像や、『ゆかいなブレディー家』の〝ハワイ3部作〟で登場人物のグレッグが波に飲まれて消えていく恐ろしいシーン。私はいまでも、タブーとされているティキ（ハワイの神の像）が呪いをかけたシーンの不気味な音楽を思い出すことができる。

初めて直接サーファーに会ったのは、20代の後半に、雑誌の取材でカリフォルニア州オレンジ郡に行って、有名なサーファーでサーフボード職人でもあるドナルド・タカヤマのインタビューをしたときだったと思う（これはあきらかに私の手に余る仕事だった）。タカヤマとともに作業場で朝を過ごしたあと、ハンティントンビーチに向かうと、桟橋の杭の周りでショートボードに乗った子どもたちが、興奮したアメンボのように騒ぎ回っているのを見た。

それから数十年、私は心の片隅でサーフィンに密かな恋心を抱きつづけてきた。まるで大学時代に街の流行りのコーヒーショップで働く年上の女性に寄せていたのと同じように。つまり、サーフィンは彼女のように、ミステリアスで、たぶんちょっと危険で、結局は手の届かない存在だったというわけだ。

この分野は〝初心者歓迎〟の看板を大きく掲げているわけではない。「ビーチ・グリット」のようなコアなサイトでは、〝無力な大人の初心者〟――それもとくに、熱に浮かされたように「1週間前に初めて乗った波が人生を変えるような喜びだった」と語るたぐいの人は、容赦なくバカにされる。オーストラリアのプロサーファーであるバートン・リンチは、かつてサーファーたちのことを「この世界のどのような集団と比べても、もっとも自信過剰で独善的な奴ら」と評したことがある。ほとんどサーフィンに関心がない人でも、待ち望んでいたブレイク（波が崩れる瞬間）を邪魔されて怒った地元の住民（つねに男）が、〝クークス（サーフィンの初心者のこと）〟を脅しているという話は聞いたことがあるだろう。つまり、いろいろな意味で参加のハードルは高そうだった。

そのため、海に囲まれた（しかもまともなサーフスポットもたくさんあるとされる）ニューヨークに引っ越しても、私の憧れはあくまで頭のなかのものであり、サーフィンとはプラトニックな関係にとどまっていた。ニューヨークでの生活は型にはまったものになりがちで、ロッカウェイビーチはまるで外国のようだ。どうやって行けばいい？　ビーチのどこに行けばいい？　そもそも、誰から教われば？　知り合いにはサーフィンをしている人なんかいやしない。

なので、私はただ、幻想の世界に浸ることにした。むさぼるようにサーフィンに関する本を読み、映画を見て、マーベリックス、ジョーズ、トラッセルズ、ホースシューズ、アウター・ログ・キャビンズといった心躍るサーフスポットの名前を覚えた（あるサーファーは、最高の波が来る場所は最後に〝S〟がつくんだ、と言った。簡単に例外が見つかる理屈ではあるが、それでも興味をかきたてられる）。

夜明け前に起きて、ブイを見て波の調子を読む、哲学的な修行僧のような海の男になった自分の姿を想像する。私はサーフィンの太陽の光のもとでの快楽的な側面よりも、このような実直な部分――ある目的にすべてを捧げる精神や、厳粛な儀式、自然との強固な一体感といったもの――に惹かれたのだった。

そしていつか、自分が思い描くサーファー像を体現してみせる。そんな思いを、普段の生活に疲れたときの幻の避難所として、私は胸にしまっておいた。小さなビーチタウンに住み、朝はサーフィンをして、午後に執筆し、夜は読書をする。心の中ではその準備はできているつもりだった。だが、〝いつか〟という言葉が表す時間の範囲は、途方もなく広かった。現実が私のサーフィンの夢を侵食したのか、あるいはサーフィンを夢のままにしておくために、私はそれを現実にする必要がなかったのか。

＊

だが、それから数十年が経った、11月の寒いある日の午後、風の強い荒涼としたロッカウェイのビーチで、私は9フィートの青く泡立つスラブ〔急角度で隆起した波〕のうえに横たわろうとしていた。濃い灰色の海では、2、3フィートの波が打ち寄せている。やかましくて縄張り意識の強いセグロカモメたちが、ゴツゴツとした岩の防波堤にとまっている。頭上では、JFK空港に着陸する大型ジェット機がひっきりなしに飛んでいる。

私は、ロッカウェイを拠点とする小さな団体である「ローカルズ・サーフ・スクール」のインストラクター、ディロン・オトゥールと合流した。彼は突然、霧のなかから出てきたかのように、2枚のサーフボードとバーニーサンダースのバッチがついた小さなデザートカモ柄のバックパックだけを持って姿を現した。長身で日焼けをしてあごひげを生やした、低くて落ち着いた声を持つ20代なかばのディロンは、「ローカルズ」のインストラクターの多くがそうであるように、ロッカウェイビーチで生まれ育ち、小さな頃からサーフボードに乗ってきた。私からすれば息子であってもおかしくないような歳だが、それでも彼の持つ権威を前に、自分のほうが子どものような気分になった。

そして、サーフボードに体を横たえた私は、ワイキキからボンダイまで、サーフィンの初心者にはおなじみのシーンを演じた。あなたも次のような光景を見たことがあるかもしれない。黒いウェットスーツを着て輪になった初心者たちが、砂浜に置いたサーフボードのうえでつらそうに首を曲げ、浜辺にうちあげられて暴れるアザラシのように、パドリングの練習をしている。日焼けした鼻の世話役がそれを退屈そうに見守っている。この練習の発想は単純で、水に入るとボードが不安定になって動いてしまうので、その前に体の位置やターンのやり方、正しい姿勢など、サーフィンの基本を陸の上でやってしまおうというものだ。そしてもちろん、うつぶせでパドリングをする状態から、前かがみになって膝を曲げ、バランスをとるために両手を広げながら立ち姿勢にすばやく移行する、いわゆる「ポップアップ」も練習する。「アーチャーが弓を引くような感じで」とディロンは言った。

ポップアップというのは変わった性質を持っていて、まず初心者にとってはサーフィンをするうえで極めて大きなウエイトを占める動作となる。インストラクターがいい波を選んでくれて、そこに押し込んでくれるので、あとはただ、デッキ〔サーフボードの表面〕の上に体を持ちあげて、不安定な状態さえ乗り切れば、基本的にやるべきことは終わりだ。あとは、大きくて幅の広い初心者に優しい波に刺さったくさびであるソフトトップのサーフボードから落ちさえしなければ、それで（すくなくとも辞書的な意味では）サーフィンをしたことになる。１９０８年にワイキキの波打ち際でハワイの原住民の様子を探っていた作家のジャック・ロンドンを魅了した魔法――「彼は翼の生えた踵を使って、砕け散る白い波しぶきの上に乗り、砂浜へとまっすぐに飛んだ」――をあなたも使ったのだ。

だが、あとになって、本物のサーフィンに近いことができるようになったときには、ポップアップについてはほとんど意識していない。自然とそうなるのだ。かわりに頭では違うことを考えるようになる。だが最初のうちは、それがすべてだ。私は自分がポップアップする姿を思い浮かべながら、リビングで練習した。

ロッカウェイは専門的に言えば、左回りのビーチブレイクであり、かつ、ジェッティ・ブレイク〔堤防など人工物の影響を受けて波が割れること〕ということになる。ある意味では、サーフィンを学ぶのに最適な場所だ。砂地なので礁や岩などの障害物がなく、幸いなことにサメもいない。波をつかまえるために長いあいだパドリングする必要もない。

だが、難点もある。海底の地形が独特なので、波が急角度で砕けやすい。「大きな波がチューブを巻いたときは、ほとんど直角みたいなものさ」とディロンは言う。また、たとえばマリブのような場所に比べると、ここではるかにすばやいポップアップが必要となる。さらに、ブレイクする波を生み出す砂そのものが、砂漠のようにつねに動いているため、何が起きるのかを正確に予測するのは不可能だ。

砂浜でばっちりポップアップができるようになった私は、ついに海に入ることになった。「そこまで大変じゃないね」。フード付きの分厚い冬用ウェットスーツに身を包んだ私は、ディロンにそう言った。だがそのとき、予想外に大きな波が近くでブレイクし、立ち上がった水の壁にぶつかると、まるで小さな針を千本も顔に打ち込まれたような感じがした。

首まで水に浸かったディロンは、私のボードのノーズ〔先端部分〕で波をかき分けつつ、額に手をかざしながら水平線のほうに進んでいく。そこには海の緑と影が渦巻く、無限の平野があった。ディロンもこの愛すべき光景を見ていた。そして、「オーケー。じゃあ準備をして」と言った。

私は背中をそらし、つま先をボードに垂直に立てて、前を見る。「ゆーーっくり漕いで」とディロンが低く穏やかな声で言う。「ディグ!」という指示で、私はさらに強くパドリングをする。踵に波の泡を感じ、ボードがわずかに傾きはじめるのがわかった。「ポップ!」とディロンが叫ぶ。しかし突然、陸上では忍者のようだった私はいなくなってしまった。手でボードの淵をつかんだまま、ふらふらと足を登らせようとしたものの、横倒しになり、冷たい水が悪魔のネティポット〔鼻うがいに使う水差し〕のように鼻の穴を吹き上げた。

次のトライでは、すこしのあいだ立つことができたが、そのときに足元を見てしまったのが失敗だった。自転車やレーシングカーのコーナリングと同じく、サーフィンでも「行きたい方向を見る」のが鉄則だ。だがここで、スキルの習得につきもののある現象が起きる。初心者はつねに自分自身を見てしまうのだ。自転車に乗りたての人はハンドルを握っている手を、新米ドライバーはボンネットを見る。逆に上手くなればなるほど、遠くを見るようになる。初心者は下を見ることで、無意識のうちに体が下を向くような筋肉の動きをつくりだしている。サーフィンの世界では、「下を見れば、下に落ちる」という言葉がある。

そしてまさにそのとおりのことが起きた。体重がノーズのほうにかかったせいで、ボードが体とともに前に突っ込んでしまったのだ。これはパーリングとかノーズ・ダイビングと呼ばれる。いったんこの現象がはじまると、へんに意識してしまい、さらに失敗しやすくなる。

スポーツ心理学者のガブリエレ・ウルフの理論によると、運動をするときに自分自身に意識を向けてしまうと、何か「外部の」目標物に集中したときよりも上手くいかないという。そしてこうした理解はほとんどすべてのスポーツに共通する。ダーツの選手は、自分の腕ではなくボードに注意を向けたほうが上手くいくし、ゴルファーも肘よりもカップに集中したほうがいい。ミュージシャンも、楽器をかき鳴らす指より、音全体を意識したほうがいい演奏ができるようだ。この現象は１８０もの研究で再現されているとウルフは語る。さらに、自分自身に意識を向けると「わずかな動きの固まり《マイクロ・チョーキング》」を誘発し、一般に熟練者の特徴と言われる〝無意識の動き〟を邪魔するとウルフは考えている。

そこでロッカウェイでは、ボードの前の部分ではなく、陸にあるビルに意識を向けるようディロンから指示された。それを見ていれば、あとは自動的に上手くいくはずだというのが、その理屈だ。

しかし、私のポップアップはさまざまな形で失敗した。立ち上がろうとするときに腕が前方に出過ぎて体重が前にかかってしまったり、タイミングが遅すぎて波がボードの下を通りすぎるだけになってしまったりした。また、まっすぐに立ちすぎたり、膝ではなく背中を曲げたせいでバランスを崩すこともあった。ときには、大波の勢いに気をとられてまったくポップアップできず、腹ばいのまま長々と浜辺に流されたりもした。これがサーフィンじゃなければ、それはそれで楽しかったかもしれない。でもここでは、あきらかな失敗のにおいが漂っていた。

これはまるで、頭のなかのチェックリストに必死に目を走らせながら、その場で、しかも一瞬のうちに、すべてをまとめて実行しろ、と言われているようなものだった。ボードの位置は正しいか？ マル。視線は浜辺に向いているか？ マル。〝アーチャーの姿勢〟はとれているか？ マル、というように。そして私は、ボードの位置に気を取られるあまり、浜辺を見るのを忘れる。1つルールを導入すると、必ず1つのルールが抜け落ちてしまうのだ。

じつのところ、これこそ典型的な初心者の特徴だ。いまから数十年前、カリフォルニア大学の教授であるヒューバート・ドレイファスとスチュアート・ドレイファスの兄弟は、アメリカ空軍科学研究局の依頼を受け、人間が複雑なスキルを習得する過程について研究していた。彼らは、パイロットや第2言語学習者、チェスの選手などを対象に調査をおこない、のちの研究に広く影響を与えた「5段階の技術習得モデル」を考案した。技術を習得する者は、一番下の「初心者」からはじまって、次に「中級者」になり、中間点である「上級者」を通過し、さらに「熟練者」となり、最後に「達人」に到達する。ドレイファス兄弟は、達人は技術と一心同体になる傾向があると述べている。パイロットであれば、飛行機を操縦しているという感覚はなくなり、ただ飛んでいるだけになる。歩くことの達人であるわれわれは、第2章で紹介した赤ちゃんのように、どうやって歩道を歩けばいいのかなどとは考えない。ただ、歩くだけだ。

「初心者」の段階では、学習者は「状況に依存しない」ルールに厳密に従う。新米ドライバーは、赤信号では必ず止まれと言われるし、駆け出しのチェスプレイヤーは〝つねに〟こう指しなさいと教わる（たとえば、ナイトをチェス盤の端に移動させてはならない、など）。だが、もしドライバーが赤信号が壊れている交差点に来てしまったらどうするのだろうか（これは、「初心者」のレベルにある自動運転車に、昔からつきまとう問題だった）。あるいは、こちらの教科書どおりの指し方に対して、相手が変則的な手を返してきたら？　ドレイファス兄弟いわく、初心者はどれだけ事前に教わったルールを忠実に守れるかで、みずからのパフォーマンスを判断するという。

私もサーフボードの上で、現実の世界で何が起きているかに注意を払うことなく、一揃いの基本ルールに従おうとしていた。そうしたルールを守ろうとするだけで、精神的にいっぱいいっぱいだったからだ。だが、ある波に自分にしては上手く乗れたとしても、ディロンに次の波に押し込まれると完全に失敗してしまう。そして彼は「あの場合、もっと角度をつけてテイクオフしなきゃだめだ」とか「いまのは〝死んだ〟波だったね」などと言うのだった。

次の「中級者」の段階に進むためには、私は自分のサーフィンに「状況的側面」――すなわち、コンテクストを取り入れる必要があった。つまり、状況に応じて、ルールをいつ、どのように適用するかを知らなければならないのだ。これはどんな分野でも簡単なことではないが、つねに状況が変化しつづけるサーフィンではとりわけ難しかった。

一般に、サーフィンはスノーボードに似ていると思う人もいるかもしれない。要は、板の上でバランスをとりながら斜面を滑りおりるという行為だからだ。だが、想像してみてほしい。あなたは、その板が滑りはじめたタイミングで、ジャンプして正しい位置に飛び乗らなければならない。さらに、滑りおりるのは、ほとんど動くことのない山の上ではなく、つねにプルプルと震えながら形を変える巨大なゼリーの表面だ。また、一瞬で正しい動きを選択しなければ、成功する機会は永遠に失われる。もし転んだら、その板は、命に関わるほど強力なブーメランと化してこちらに飛んでくる可能性もある。おまけに、戻ってくるときも、快適なリフトが運んでくれるわけではなく、叩きつける波とほかのサーファーでいっぱいの「インパクトゾーン」をなんとか自力で通り抜けてこなければならない。サーフィンと比較するなら、スノーボードには軽い雪崩が起きているという条件をつけたほうがフェアかもしれない。ピーター・ヘラーは著書『クーク』で、ある聖者のようなサーファーから、サーフィンは1年程度で身につくものではなく、「一生の道」だと言われたと記している。

私はその一生の道をたかだか数歩分、進んだにすぎないのだから、簡単にはいかないのはわかっていた。あのジャック・ロンドンも、初日に4時間を水のなかで費やして「明日はぜったいに立ってやろうと思った」と書いているのだから。

それでも、ついに2回目のレッスンで立つことができた私は、その日の夜、妻と娘に得意げに「波に乗ったよ！　すばらしかった！」と報告した。

まだ、そのときは理解していなかったのだ。自分の解読したコードがいかに少なく、そこからの進歩がいかに大変であるかを。いや、それどころか、このあと一度スキルは下がり、しかもそれが元に戻るという保証もない――それが、いかに気の滅入ることであるかを。

＊

私はすぐに、ロッカウェイに出かけることを大切にするようになった。週に一度ほど、娘を学校に送り届けたあと、働かなければという自分の良心に対して、「これは仕事だ」と言い聞かせながら（実際はやはり仕事だとは思えなかったが）、通勤ラッシュの流れに逆らってビーチに車を走らせる。45分の道中、車のなかでチェット・ベイカーのアルバム、『チェット・ベイカー・シングス』を流して歌の練習をしながら。

波に乗る爽快感もさることながら、海に入るだけでも楽しかった。ただ、サーフィン仲間はつくりたいと思った。安全のためでもあるし、友達も欲しかったからだ。候補としてはまず、娘の学校の保護者仲間であるダイアナがいたが、彼女はハワイに引っ越してしまった。もう一人の候補、デンマーク出身の現代版ヴァイキングであるストイックなヘンリックは、サーフィンが上手かったが（上手すぎてついていけないこともあった）、やはりコペンハーゲンに引っ越してしまった。サーフィンの腕前が同じくらいの人を見つけるのは難しいし、スケジュールを合わせるのはもっと大変だ。だから、海に行くときはたいてい一人だった。これはあまり勧められることではないが、それでも一人で海と向き合うのを、私は楽しんでいた。

ロッカウェイの——より正確に言えばロッカウェイのアーバーン地区の陸に目を向けると、絵葉書のような見ごたえのある風景が広がっている。公営住宅が立ち並ぶ一画の隣にはニューアーバニズム風の高級住宅街があり、この街の開発手法は、ニューヨークというよりもフロリダに近い気がする。新しい高級コンドミニアムを宣伝する看板には、スーツを着た身なりのよい男性がサーフボードを持った姿が描かれている——「持ち方が逆だよ」と、あるサーファーが笑いながら言っていた。

ロッカウェイには独特の魅力があった。まずひとつには、ここが小さな街だと感じられることだ。前に、ヘンリックとともにサーフィンを終えて、道具一式を預けているサーフショップに戻ったら、扉が閉まっていたことがあった。水の滴るウェットスーツ姿のまま歩道で立ち尽くしていると、ふいにビーチクルーザー〔砂浜用の自転車〕に乗ったディロンが現れ、「通りをわたったところにある薬局に鍵が置いてあるってさ」と言うと、すぐにペダルを漕いでどこかに行ってしまった。薬局で鍵を受け取った私たちは荷物をとり、店の戸締まりをして、鍵を返した。

サーフボードに乗って海のほうに向かい、波を——風が形づくった遠くの嵐の消えゆく痕跡を——探していると、急にこの街が溶けていくように感じる。その日の海のうねりのパターンに合わせて、リズミカルに上下しながら、スマートフォンから解放されて、空との境界が溶け合った無限に続く水平線を見ていると、心はその広大な空間に広がっていく。

作家でありサーファーでもあるアラン・ワイズベッカーは、この現象を「シー・ハブ」と呼んでいる。サーフィンで気分がよくなることを科学的に証明する必要があるのかはわからないが、とりあえず、サーフィンが終わったあとに気分が落ち込む人が多いという結果は、どの研究からも出ていないと言っておこう。合唱と同じく、サーフィンは、精神疾患のある子どもからPTSDの退役軍人まで、幅広い人びとの治療手段として使われている。

なぜもっと早くやらなかったのだろう、と私は思った。ブルックリンの都会の喧騒から1時間足らずで、人間よりもイルカや海鳥のほうが多いときもある自然豊かな場所に行けるのだ。これは形を変えた瞑想のようなもので、しかもよりじっくりと没頭できる。サーフィンの大会についてのある分析によると、実際に波に乗っている時間は通常、サーフィン全体の4パーセントにすぎないという。残りの時間の半分はパドリング、もう半分は待ち時間だ。ここにもうひとつ教訓がある。それはサーフィンでは人生と同じで我慢が大切だということだ。

レッスンが終わると、ときどき私と同じように新しくサーフィンをはじめる――初めて雪の上を歩く子犬のように興奮とためらいを同時に感じている――人たちと出くわすことがあった。夏になると、こうした初心者の数が増え、競合するサーフスクールが浜辺や海で押し合いへし合いをはじめる。同じ波に4、5人の初心者が乗ろうとするシーンも珍しくない。たいていのビーチではこれはルール違反だが、ここでは大目に見てくれる。それどころか、「パーティー・ウェイブ！」という暖かいかけ声とともにむしろ奨励されることもあるという。

マイク・コロヤンとともに「ローカルズ」を興したマイク・ラインハルトは、こうした傾向はごく最近のものだと語る。ラインハルトが生まれ育った1990年代、この地域には初心者を集めて〝その日限り〟のレッスンをするサーフスクールはなかった。その頃、サーフィンはまだ、いまのような季節限定の、右肩上がりの人気を持つスポーツではなかったのだ。地元の多くの子どもたちと同じく、ラインハルトもまた、浜辺に降りていき、自分一人で、ときに危険なやり方でサーフィンを学びはじめた。2012年にこの〝二人のマイク〟（生徒たちはわかりやすいように「金髪のマイク」と「黒髪のマイク」と呼び分けている）が初めてサーフスクールをつくった当時は、「地元の口の悪い奴らからは〝ああいうサーフスクールは、クークスを吐き出しているだけだ〟とさんざん悪口を言われた」と、ラインハルトは語る。

彼いわく、ほとんどの生徒は「サーフィン観光客」だという。そうした人たちは、長いあいだ海のなかで過ごすわけではない。「全5回のレッスンコースをとるくらいかな。でも、5回じゃ自分一人で安全にサーフィンができるようにはならない」

ただ、短期滞在者にもメリットはあるという。それは、ほかのスポーツやアクティビティと違って、サーフィンは上手くなくても十分に楽しめることだ。「もし習うのがキックボクシングだったら、最初の半年はトレーナーからケツを蹴り上げられることになるだろう。普通は充実感を得るには、上手くなきゃだめなのさ」

一方、インストラクターのディロンは昔から、サーフィンの学習者はいくつかのタイプに分かれることに注目していたという。まずは、冬にビーチにやってくる人たち（私もここに含まれる）。ディロンいわく「彼らはちゃんと取り組むし、人生で何があろうと学びたがる」。次に彼が〝レジャーレッスン〟と呼ぶ、「いい時間を過ごすために来て、安全な範囲内でいい波をつかまえようとする」人たち。さらに、〝ジェットコースター乗り〟と名付けた、たいていは夏に観光客として来る人たち。「彼らは何かを吸収するために来ているわけじゃない。ちょっとボードの上に立ってみたい、ちょっと水に濡れてみたい。ただ、それだけ。レッスンの大半は、インスタグラムで自慢するためのものなんだ」とディロンは言う。

サーフィンライターのニック・キャロルが、オーストラリアのサーフスクールを調査したところ、最初のレッスンを終えたあと、次の機会にも講習を受けた人は、全体の5パーセントにとどまったという。「大半の人は、サーフィンをやってみたことがある、と言えるだけで満足しているようだ」とキャロルは指摘する。逆に言えば、ほとんどの人が数年で挫折していることになる。

＊

じつは私もその気持ちが理解できた。そこから前に進むのが簡単ではなかったからだ。しかも中年以降の場合、とくにその傾向が強いらしい。ラインハルトいわく、子どもにサーフィンを教えるのは、〝道理に合わない恐怖〟を克服するのを助けるためであることが多いという。「子どもは小さな波に悲鳴をあげていたかと思うと、次の瞬間にはその波に乗って笑ってたりするからね」

一方、大人の恐怖は道理にかなっている。「腕をひねって仕事ができなくなったり、病院に行ってお金を払わなければならなくなったりしたら、何を失うのか大人は知っているんだ」

子どもがただ楽しむために海にくるのに対して、大人は厳しい目標を掲げてやってくることが多いそうだ。だが、ラインハルトはこれを戒める。「サーフィンにはフラストレーションがつきものだ。だからあんまり根を詰めすぎるのはよくない。それに楽しむことを否定したら、結局、何のためにやってるって言うんだい？」」。また、概して女性のほうが男性よりも上達しやすいという。「女の人のほうが自分に厳しすぎない感じがする。男どもはあまりにいきりたっていて、〝あの波をぶっ潰してやる〟とでも言わんばかりだから」

これは初心者にありがちな〝非現実的な期待〟という問題を物語っている。その分野の中身や、必要とされる要素、あるいは上達の道筋などについてほとんど理解していない状態で、前もって厳しい目標を設定しても、ほとんど意味がない。手の届かない目標は、モチベーションを上げるどころか、かえって逆効果にもなりかねない。

それよりは、結果よりも学習そのものを目的にしたほうがいい。学習研究の権威であるバーバラ・オークリーは「成果物よりもプロセスに焦点をあてよう」と提案し、学習における苦痛の多くは結果にこだわりすぎることから生じている、と主張している。

サーフィンの上達度合いを決めるおもな要因は、年齢や体力ではなく、練習スケジュールだ。ラインハルトによれば、多くの人が、最初にまとめて予約を入れ、まず2、3回レッスンに顔を出して感覚をつかみはじめたところで、仕事の都合で1、2週間休むそうだ。そして寒くなってくると参加率が下がる。「彼らは一冬来ない。そして春には、また最初からやらなきゃいけなくなる」。ただ、スケジュールは、波の状態に合わせてたてなければならないが、あまりいい波ではない場合もあれば、乗れるような波がまったくこないこともある。ロッカウェイのサーフィン情報サイトには、「どうしてもサーフィンしたいなら、乗れる波がすこしはある」といった、やる気の萎える文言が並んでいることがある。私が来た日にも、そういう状況はしばしばあった。

また、概してサーフィンはお金と時間のある人に向いていると言える。くわえて、サーフィンを学ぶには、モチベーション、練習、フィードバックの3つが必要だ。ビーチの目の前に住んでいない限り、波が割れるところまで行くのも大変だし、何週間も波がこなければ、反復練習もままならない。

それにサーフィンにおけるフィードバックは、たとえコーチがついていても難しいことがある。ディロンは私を波に押し込んだあと、そのなかで何が起きているのかを確認するのに苦労すると言っていた。彼は数年かけて、生徒の肩の動きから足がどうなっているのかを感じ取れるようになったが、それでも私がワイプアウトしたとき、その理由がわからないことがあった（私自身もわからない）。

だが、おそらくそれはいいことだった。多すぎるフィードバックは、学習の妨げになりかねないからだ。学習者は圧倒されるか、あるいはそれに依存するようになる可能性がある。自分の失敗にみずから反応できなくなってしまうのだ。サーファーがよく言うように、自分なりのやり方でやってみて、なぜそうなったかを自分の頭で理解することが大事だ。

そしてサーフィンは人を謙虚にする。思うように自由のきかない体と、海の予測不能で止められない巨大な運動エネルギーの組み合わせによって、サーフィンは非常に不安定な錬金術と化す。さらに歳をくっているうえに重心が高い私は、黙っていても成功するタイプとはとても言えなかった。

ちょうどその頃、ウィリアム・フィネガンの『バーバリアンデイズ』という熱狂的な支持を得た本が発売され、私と、サーフィンをやっている知り合い全員——くわえてやっていない多くの人たちも、この本を熱心に読んだ。すると、そのなかの一行が私を凍りつかせた。「一定の歳を越えて——要は14歳よりあとにはじめようとした人は、私の知る限り、熟練の見込みはない。それにおそらく、やめる前に苦痛と悲しみを味わうことになる」。14歳よりあと⁉　その次には、しぶしぶながらといった感じの譲歩が続く。「ただしコーチの監督の元、適切な条件下であれば、楽しむことは可能だろう」

この部分はまるで、かつての流行の先端を行っていた若者が歳を重ねたあとに、古き良き時代を振り返って語っているかのような印象だが、たしかに一理ある。別にフィネガンのサーフィンに対する考え方に疑問を呈するつもりはないし、〝監督の元で楽しむ〟というのはまさにいま私がやっていることだ。では〝熟練〟する必要があるだろうか？　これはドレイファス・モデルの第4段階である。私は第3段階の「上級者」までいければ十分だ。

ほどなくして、レッスンと自分一人での練習を交互にこなせる自信がついた。ただ、スタイロフォーム製の我が〝空母〟に乗って、浜辺に向かって一直線に突き進み、それでばっちり決まったと思っていたが、それは素人のやり方だとあとから言われたりした。また、〝片方のマイク〟が生徒とともに海にいるのを見つけ、そちらに向かってまるで歴戦のベテランのように静かにうなずいていたら、ふいの波にさらわれてボードが横倒しになったこともあった。それに結婚指輪のひとつを、大西洋で指がふやけてシワシワになったときになくしてしまった。

詩的な表現をすれば、その後、もうひとつの指輪は太平洋で失われる運命にある、といったところだろうか。

*

ただ、私はそのとき自分が、U字型のカーブに飛び込みつつあることなど、知るよしもなかった。これは程度はともあれ、学習の過程において避けることのできない、極めて興味深い現象の1つであり、さまざまな理由、さまざまな形で起こる。

たとえばチェスの世界では、学習と練習を重ねるうちにプレイヤーのレーティングは当初、かなりのペースで上昇していくのが普通だ。初心者の戦いはいかに悪手を減らせるかにくわえて、序盤のちょっとした戦略、戦術が大きな意味を持つからだ。しかし、そうした戦略戦術を知っている相手に当たるようになると負けはじめる。強くなった初心者は、すぐに平凡な中級者の仲間入りをするわけだ。

また、U字型の上達の典型例として、子どもが文法を学ぶときがあげられる。子どもの話し言葉には模倣が多いため、最初は動詞の過去時制を丸覚えするものの、なぜそうなるのかは理解していない。そして文法のルールを習う時期になると、彼らは自信たっぷりにそのルールを一律に適用する――すなわち「過剰一般化」をはじめるのだ。そのため、文法を学ぶ前は正しく〝spoke〟と言っていたところを、急に〝speaked〟と言いはじめる。

ある興味深い実験では、まず、小さな子どもたちが「10℃のカップ1杯の水に、同じく10℃の水をカップ1杯くわえると、カップ2杯分の10℃の水になる」という常識を、正しく理解していることが示された（私の7歳の娘もちゃんとわかっていた）。だが、これが6歳から9歳になると、急に間違う子が増えることがわかった。要は一見、〝後戻り〟してしまうわけだが、これはなぜだろうか？　理由は、足し算というピカピカの新しいスキルを身につけたことで大胆になり、突然、答えは20℃だと勘違いすることにある。

ドレイファス・モデルでは、〝初心者〟はルールを学び、それに従う段階とされる。そして〝中級者〟に進むには、ルールを実際に適用することが求められるが、これには適用してはいけない場合や、適用すべきルールがなさそうなときにどうすればいいかを知ることも含まれる。

これは思ったより簡単ではない。私の場合、問題の最初の兆候は、仕事でポルトガルに行ったときに、初めてロッカウェイ以外のサーフスポットで――リスボン南部にある、近くの発電所で温められた水が流れるスポットで、1日レッスンに参加したときに現れた。

これまで水のなかで過ごしてきた総時間を自信たっぷりにインストラクターに申告した私だったが、そのあとすぐ、ボードの上に立つことができないという見事な無能っぷりで彼を驚かせた。慣れないブレイク、新しいボード、波のタイミングや形など、すべてが違っていたのである。

ここでまたひとつ、私は貴重な学びを得た。すくなくともかなりのレベルに達するまでは、新しいサーフスポットに行くたびに初心者に戻ってしまう、という。ある場所で上手くできるようになったことも、別のところではできない可能性がある。また、たとえ場所が同じでも日が違えば、上手くいかないかもしれない。波が相手となると、確実に言えるのは、変化があるということだけなのだ。

ボードに立てない私を見て、いらだちをつのらせたインストラクターは、ポップアップのやり方がぜんぜん違うと言い、1つの方法をやって見せた。それはまず片膝立ちになってから、もう片方の脚を引きつけて立つというちょっと不格好に見えるものだった。あとで知ったのだが、これは「ツーステップ・ポップアップ」と呼ばれる方法らしい。その日はこのやり方でそれなりに上手くいった。

だが、ロッカウェイに戻ると、ディロンは首を振った。「それは1日限りのレッスンで人を立たせるための方法だよ。でも、長い目で見ると君のやるべきことじゃない」。U字カーブの教訓を思い出してほしい。その場で上手くいったからといって、それが上達につながるとは限らないのだ。

そして、そろそろ自前のサーフボードが必要だと決意したとき、さらなる問題が起きた。このころ私は、サーフスクールの定番であるソフトボード〔発泡スチロールなどのスポンジ素材が使われているサーフボードのこと〕は、哀れな初心者の印だと思うようになっていた。だがいま思えば、それを受けいれるべきだったのかもしれない。ディロンはソフトボードにもそれなりの良さがあると固く信じていたし、実際、波が大きい日でさえ、ソフトボードに乗ってノーズを踏み、波を削り取るようなターンを楽しそうに決める彼の姿をときおり見かけることがあったのだから。

それでも私は、地元のとある店で、7フィート8インチのボードを選んだ。ミッドレングスとして知られるこのサイズは、敏捷性の高いショートボードと、優雅で安定したロングボードの中間に位置するものだ。次の日、新しいボードを携えて自信たっぷりにビーチを向かっていると、それを見ていた金髪のマイクが、私のボードを調べて「うーん。どうかな」と言った。「俺には、ロングとショート、両方のいいところを失っているように見えるけど」

私はその言葉を振り払おうと海に入ったが、それから1時間、文字通りまったく波に乗れなかった。新しいボードは短いだけでなく、前のものよりもだいぶ薄い。そのせいで、まるで氷のうえでタップダンスをしているみたいだった。私はここでもうひとつの典型的な初心者の罠にはまっていた。ボードを小さくするタイミングが早すぎたのだ。

駆け出しのサーファーであっても、最低限のパフォーマンスの壁を超えなければ、成功の実感は得られない。そしていま私は、U字型の学習曲線の上り坂という新たな壁に直面していた。要は、自分自身で波を見極めるべき段階に来たのである。だがこれは、時間と経験を積み重ねることでしかできるようにならない。まずは、波を見る眼を養わなければならない。初心者はすべての波をつかまえようとするので、すぐに疲れてしまう。また、自力でパドリングして波のなかに入っていくには、もっと体力が必要だった。それに、ポップアップのタイミングを合わせ、テイクオフの角度を正確に決める必要もあった。

この頃、私は上達がとまっているどころか、むしろ後退しているように感じていた。ただ、実際にはこのとき、〝メタ認知の窓〟が開いていたのだ。以前の私は自分が何を知っているのかわかっていなかった。だがいままでは、サーフィンが実際にどういうものなのかわかりはじめていた。ただ、ポップアップの動作は前と同じでも、いまはそれをどのタイミングでやるか自分で決めなければならない。これはそう簡単ではない。サーファーは波をとらえる瞬間まで、肩越しにサッと視線を走らせるだけで状況を把握する必要がある。波はつねに変化していて、ヘラクレイトス風に言えば〝同じ波に二度乗ることはできない〟からだ。これまで学んだルールが役に立つ場合もあったが、それは適切なタイミングで、ちょうどいい波が来たときだけだった。

＊

そして私は、より高いところから全体像を捉える必要があると思うにいたった。自分の殻を破り、限界を押し広げなければいけない。幼児行動研究所の子どもたちが、みずからの能力の限界ギリギリ——いや、それを超えたところにある〝険しい崖〟に果敢に挑んでいったように、私も「発達の最近接領域」へと向かう必要があったのだ。

そんなとき、友人の一人からコスタリカのサーフキャンプで一気に上達したという話を聞いた。そこでは1週間にわたって集中的なサーフィンレッスンをやり、ビデオによる分析もあるうえに、生徒とコーチの人数のバランスもいいという。それに、2月の熱帯地域であれば、分厚いウェットスーツもいらないし、詮索好きなハトに囲まれて、道端で震えながら服を脱ぐ必要もない。波の上から滑りおりて、そのあと上半身裸のままフルーツカクテルを片手にビーチサイドでくつろぐ自分の姿を想像すると、それだけで楽しくなった。

ところが、あれは12月のある日の午後、ロッカウェイでのセッションを終えようとしていたときのことだった。気温は低いながらも空は晴れていた。波はかなり大きく、潮は引きつつあり、海にはほかにも何人かサーファーがいて、私はその日、それなりの波をいくつかつかまえていた。

そのとき、ふいに波がやってきた。私はパドリングをはじめたが、その波が予想よりも高く立ち上がっているのに気づくのがすこし遅かった。反射的にボードのうえに立とうとしたが、次の瞬間、気づけば顔面から砂底に叩きつけられていた。ドスンと鈍い音がして、海の底の冷たい、ザラザラとした、サンドバッグのような硬さを一瞬感じた（においすらした気がする）。吐き気とめまいに襲われながら、すこしのあいだ海の底を転がったが、ふらつきながらもなんとか立ち上がることができた。何が起きたのか、周りには気づいた人もいたのかもしれないが、誰も何も言わなかった。

その後、病院でＭＲＩのチューブのなかに入った私はこの転倒によって、「Ｃ２がＣ３に対して、それにＣ３がＣ４に対して２ミリから３ミリほど前にずれており、Ｃ５－Ｃ６とＣ６－Ｃ７に軽度の変性・終板変化、軽度の椎間板狭窄、小から中程度の椎体辺縁骨棘が生じている」と告げられた。

さらに担当の医師は明るい口調で「たんこぶとすり傷がいくつかあるね」とつけくわえた。神経がずっと圧迫されているようで、首はほとんど動かせなかった。「フィネガンは正しかった」と思った。これが「苦痛と悲しみ」だ。その後、数週間にわたる理学療法が待っていた。

これが大人の学習につきまとうデメリットの１つだ。つまり、私たちの体が、すでに大人のそれであるということ。

そしてサーフィンにはリスクがつきものだ。『アメリカ救急医療ジャーナル』に掲載されたある分析によると、対象となる１２００人以上のサーファーの半数以上が、すくなくとも１回以上、急性損傷〔瞬間的に外から大きな力が加わったことによる怪我〕を経験していて、その大半が頭部に自分のボードが当たることによるものだった。そして、そうした怪我をしたのはほとんどが〝自称達人〟のサーファーたちだったという。

それでも私は幸運なケースだったと思う。もし海底にぶつかる角度がほんのすこし違っていたら？　もし気絶して、ほかのサーファーがそれに気づかなかったら？　あるいはその日でなければ、周りに誰もいなかったかもしれない。

コスタリカのサーフキャンプは数カ月後に迫っていた。再診の結果、担当医は行っても大丈夫だと言ってくれた。だがこれまでで最大の波を目前にして、私の自信はいままでにないほどしぼんでいた。

知恵の樹に登る：コスタリカ、ノサラにて

ノサラはコスタリカのニコヤ半島にある、海沿いに村が集まっている地域だ。そのなかにあるプラヤ・グイオネスは、砂っぽくて小さな、外国人に開かれた集落であり、日焼けをして驚くほど地域に溶け込んだアメリカ人やヨーロッパ人たちが、ほとんど舗装されていない道路を四輪バギーやくたびれた自転車で走り回っている。ここは熱帯の植物が生い茂るなか、海辺のみやげもの屋や、生搾りジュースのスタンド、洒落たレンタルハウスが立ち並ぶ、すばらしい行楽地だ。チーク材とわらやヤシの葉で葺《ふ》いた屋根の下、メキシコのトゥルムやバリ島のクタにも通じる、穏やかで目立たないがどこか元気が出るような環境音にあわせて人びとが空中ヨガをしているような、そんな雰囲気の場所だ。

ここには開発の手が入っていない素朴な砂浜もある。グイオネスはその地理的・海洋学的特性から、パラボラアンテナのように太平洋から押し寄せる波の鼓動をつねに拾いつづけている。つまり、年間を通じてサーフィンに適した日がほぼ毎日のように続くということだ。デコボコした未舗装の

のもうなずける。

道を乗り越えなければたどりつけないこの辺鄙《へんぴ》な街が、あらゆるサーファーのメッカになっている

ノサラはまた〝サーフ・コーチング・リゾート〟を謳う、「サーフ・シンプリー」というリゾート会社の本拠地でもある。スキルを磨こうと思った私が問い合わせをしたところ、当初、予約は2年待ちと言われたが、幸運にもキャンセルが出たため、2月に1週間滞在できることになった。

到着した日曜日の午後、この緑豊かな丘の中腹にあるバンガローは静かだった。部屋に荷物を置いて、割ったばかりのココナッツからジュースを注いでいるとき、私はこの1週間を同じ宿で過ごすことになるダニーと出会った。あとから知ったのだが、彼はアイビーリーグの大学で気候学者をしていた。

ダニーはいまから軽くサーフィンをしにいくという。さて、一緒に行くべきだろうか？

実際にキャンプがはじまるのは明日の朝からだ。それに、移動で疲れていたし、じつのところサーフィンそのものにかなり弱腰になっていた。だから本当は彼の誘いを断りたかったのだが、気づけば首を縦に振っていた。私たちはボードを手に取ってビーチクルーザーのサイドラックに取りつけると、ビーチまでの半マイルをペダルを漕いでくだっていった。その道すがら、ダニーは自分がこのキャンプのリピーターであり、1年前に覚えたテクニックにさらに磨きをかけようとして参加したと言った。

そして彼もまた、サーフィン関連で怪我をしたことがあるらしい。陸上での訓練として広く推奨されているスケートボードに、私道で初めて乗ったとき、すぐに転倒して鎖骨を折ってしまったと

いう。

ビーチは、浜辺も海のなかも人はまばらだった。パドリングをしてみると、ロッカウェイと比べて波がブレイクする場所がかなり遠いのに驚いた。また、分厚いウェットスーツなしのサーフィンが初めてなのにも気づいた。白く泡立つ大波を超えて、ようやく海の穏やかな場所に出たときには、私はすでになかば疲れかけていた。

そこでパドリングをしていたアジア系アメリカ人のサーファーに、ダニーが手を振る。前回のキャンプのときに出会った仲間だという。名をエディーといって、元はニューヨークで金融関係の仕事をしていたが、サーフィンをするためにノサラに移ってきて、「次に何をすべきかを考えている」ところだそうだ。私はその後すぐ、彼がこのあたりの顔役であることを知ることになる。リラックスした服装と、伝説のビッグウェーブサーファーであるマーク・フーを思わせるシャギーカットの髪のおかげで、彼を見分けるのは簡単だった。

私は何度か波に挑んでみたが、中途半端な感じだった。一歩間違えれば脊椎に一生治らない怪我を負ってしまうという思いが消えなかったのだ。波を探すために首を回すとまだ痛みがあった。ダニーを見ると、しばらく練習していなかったためかあまり上手くいっていないので、すこし安心した。

ただ、いまはたんに水のなかにいることが大切に思える。自分の命をもてあそんでいるという感覚を振り払う必要があった。

＊

その日の晩、リゾートのプールサイドに、1週間をともに過ごすゲストたちが集合した。飲み物が置かれた低いカウチソファに座った私は「サーフ・シンプリー」の創業者の一人である長身で感じのよいイギリス人、ハリー・ナイトと初めての言葉を交わしていた。

薄明かりが湿気を含んだ夜の空気のなかでゆらめき、バックにはゆったりとした音楽が流れている。みな、カジュアルだがおしゃれな服装をしていて、その顔は南国の心地よい暖かさでほてっていた。この光景全体がテレビのリアリティ・ショーのようで、しかも1対4という男女の構成比を考えるとその番組は『バチェラー』だろう。

私たちは輪をつくると、それに沿って動いていった。さきほどのダニーもいた。このときはずっと食べ物を探し回っていた精力的なこの男は、ドライで遠慮のないウィットの持ち主でもあり、この〝小さなジュラシック・パーク〟のジェフ・ゴールドブラムといったところだ。

ダニーは、サーフ・シンプリーのウェブサイトの「あなたはサーファーとしてどのレベル？」というページにモデルとして出ているため、自分こそが大人の上達の〝ポスターボーイ〟だとジョークを飛ばした。そのページには、日焼けを防ぐ帽子をかぶり、適度な大きさの波を「ダウンザライン〔ブレイクする方向に波を滑りおりること〕」で、すこしぎこちないながらも着実に乗りこなす彼の姿がある。そしてその後ろでは、サーフ・シンプリーのインストラクターが強烈な「カットバック〔波に乗ったあと、前に出過ぎてしまったときに向きを一瞬転換してピークに戻るテクニック〕」を決めて波の斜面を駆けのぼり、サーフボードが宙に浮こうとしている瞬間が映し出されている。

これは、たとえ同じ波でも、スキルレベルの異なるサーファーが乗ると、どれほどの違いが出るかを鮮烈に示している。「ぼくはダウンザラインが安定してできるようになったし、それだけでもう一生の幸せだよ」とダニーは言う。「でもみんないつも、何かほかのことをやるべきだって言うんだ」。ダニーは妻であるエレンとともに参加していた。数年前までサーフィンをしていて、子どもを授かったのを機に一度はやめたエレンだが、もう一度やりたくなった、という。

ここにはもう一組カップルがいた。モンタナ州からきたマイケルとシャーリーだ。二人はそれぞれ1箇所、その年の旅行先を決めるのだが、彼女はサーフィン、彼は山での自転車を選ぶことが多かった。ノサラへはシャーリーは2回目、マイケルは初めてだという。背が高くておおらかな性格のマイケルは、カリフォルニアに住んでいたときに7、8年ほどサーフィンをしていたという。「いままでにたくさんスポーツをしてきたけど、そのなかでもとくにサーフィンは上達するのが難しいといつも思うよ」と彼は言った。

一方、つねにトラッカーハットを被っているので海にいても見つけやすいシャーリーは、話しかけるとすぐにモンタナ出身であることを教えてくれたが、髪が硬いうえに金髪でもないので、どうみてもサーファーには見えなかった〔サーフィンをすると髪の色が抜け髪質が柔らかくなる〕。私と同じく、彼女も恐怖を克服するのが目的の1つのようだった。「時速20マイルで迫ってくる巨大な水の塊の前に、あえて身を晒すなんて、ほかならまずないわよね。恐ろしいわ」と彼女は言った。

同じバンガローに泊まっているウルリケは、ドイツ出身の小児科医で、いまはアメリカの中西部に住んでいるという。以前からサーフィンを夢見ていた彼女は、去年のキャンプで初めて経験した。そのときはどっちの足を前にしてボードに乗ればいいかもわからなかったと、冗談めかして言う（ナイトはこれを調べる簡単な方法として「目を閉じて後ろから誰かに押されたとき、どちらの足が前に出るか」を考えればいいと言っていた）。「頭に知識はたくさん入れてきたのよ。でもそれを実際の動きに結びつけることができなかった」とウルリケは言う。

この1週間のキャンプに参加する残りのメンバーは、ニューヨークからきた6人の女性グループで、みなほとんどサーフィンに興味のない夫たちを置いてきたそうだ。結局、私は彼女たちととくに意気投合することになるのだが、それはニューヨーク的なノリだったのかもしれない。彼女たちは、プライベートスクールの〝聖域〟であるアッパー・イースト・サイドに住み、チャリティイベントに出て、夏は避暑地のハンプトンズに長期滞在するなど、同じニューヨークでも私とは住む世界が違った。夫たちはみな金融マンで、パームビーチに別荘とワイナリーを持っている。

そのうちの一人がアシュリーで、友人たちからは冗談半分に「バービー」と呼ばれていた（彼女は柔らかい金髪をしていた）。「私は初心者中の初心者よ。みんな私より上手いから緊張するの」と彼女は言った。そして、ひょうきんな性格のアビーは自称「ジャージー・ガール（派手めでイケイケの女性）」で、ほかのメンバーよりすこし若く、ファッションの会社を立ち上げたばかり。「定期的にサーフィンをやってたのはけっこう前のことなの。2日目には体が覚えている動きが戻ってくれればいいんだけど」。じつのところ、彼女は私と同じくらいの腕前だったので、私たちはのちに練習パートナーになるのだった。

さらに、波に乗っているときもそうでないときも、サーフウェアのモデルでもおかしくないように見える、ヴァネッサがいた。彼女は失われた時間を取り戻そうとするかのように、とくにやる気を見せていた。「サーフィンをはじめたのは子どもができたあとだったけど、いままで自分がやってきたなかで最高のものだって確信したわ」と彼女は言う。「はじめたのが遅いから、本当の意味では上手くなれないと思って、すごく悔しかった」

「またまた！　謙遜してるけど、パドリングは普通じゃないくらい上手いわよ」と言ったのはキャシーだ。あとから知ったが、基本的にみなをここに集めたのはキャシーらしい。陽気で話し上手な彼女はグループのリーダーのようで、波に向かっていくときも「カード・アゲンスト・ヒューマニティー」（私たちが夜の暇つぶしとしてハマっていたゲームの1つ）をやるときも、つねに危険を恐れず冒険するタイプだった。

「私はいまホワイトウォーター・クライムの練習をしてるの。いままで1、2回は成功したことがあるかもしれないけど、足がまだ上手く動かないのよ」という彼女に、何の話なのかよくわからないまま私はうなずいていた。というのも、このときすでに、私にとってのサーフィンとは、「ボードに乗って生きたまま、浜辺に戻ってくる」というところまで後退していたからだ。

お互いのことをほとんど知らない者同士が、一緒に肉体的・精神的な挑戦をする。私たちはこれから、そんな不思議な体験に臨もうとしていた。自分が、海辺のドラマの渦中にいながらも、すこし超然とした立場でみなと付き合いつつその人間模様を観察する、エルキュール・ポアロのような存在のように思えてきた。全員がそれぞれの理由を持ってここにいるのがわかったし、その夜みん

な の前で話したように、サーフィンのスキルをあげたいというシンプルな目的の人もいれば、より深い理由を胸に秘めた人もいた。

*

サーフ・シンプリーのとある1室は、ストレッチをしたり、レッスンを受けたり、海洋天気予報の読み方を習ったりする場所だったが、そこに貼ってあるほとんど壁一面に広がる大きさの「知恵の樹」と題した印象的なフローチャート式の図表に、私の目は釘付けになった。

この「知恵の樹」はサーフ・シンプリーの持つ知見の核であり、サーフィンというスポーツのDNAの根底をなす設計図でもある。このタイトルはすこし仰々しい感じもするが、ここに込められた真摯な思いには敬意を表したい。私は、未知の世界に接した冒険者のように、その広がりを覗き込んだ。

そこには、サーフ・シンプリーの定めた5つの技術レベル（それはドレイファス・モデルを思わせるものだった）に応じた大見出しがあり、それぞれから数十にものぼる個別のサーフィンスキルが枝分かれしている。私はすこし楽観的に、自分はレベル2に当たると自己評価した（いわく「レベル2のサーファーは、ボードの上に楽に立つことができ、ブレイク前の波を探すのに集中できる」とのこと）。

ただし、スキルの習得には、かなりムラがあるものなので、数字はあくまでおおまかな目安にすぎない。私はあるときは実質的にレベル3ぐらいの位置にいるかもしれないし、ときにはレベル1

に近づくときもあるだろう。ただ、知恵の樹を見たことで、「サーフィン」というシンプルな言葉に含まれる技術のあまりの多彩さと、自分がそのごく一部しかやったことがないという事実にショックを受けた（そこには「ホワイトウォーター・フローター」「フェイデッド・テイクオフ」「ドロップ・ニー・ターン」など多くの名称が書かれていた）。

サーフ・シンプリーのもう一人の共同創設者であるルパート・ヒル（彼もやはりイギリス人だった）に会ったとき、私は、ほかのゲストたちはかなりサーフィンの経験がありそうなので驚いていると伝えた。ただ、本当に聞きたかったのは、この知恵の樹を進んでいくのにどのくらい時間がかかるのかということだった。「平均的には、レベル1になるには毎日サーフィンをしたとして1週間から10日くらい。レベル2なら1カ月。レベル3は1年。そしてレベル4は――」と彼はすこし考えたあと、「10年くらいかな」と答えた。

毎日のようにサーフィンを続けて10年……。レベル5については聞きたくもなかった。いま言った数字は額面どおり受け取る必要がある、とヒルは強調した。自称サーフィン歴2年という人が、じつは去年は1週間、今年も1週間しかやっていないことがあるという。「その場合、サーフィン歴は2年じゃない。2週間だよ」

ヒルは、サーフィンが「自分がいままでやってきたスポーツのなかで一番難しい」と認めたが、そこですこし考えて「いや、ボクシングを除いて、かな。習ったことを思い出そうとしているあいだに相手に顔を殴られちゃうからね」

ヒルがサーフィンについて感じていることは、私がほかの分野のスキル習得に挑んだときに実感したのと同じものだろう。すなわち、もともとそこまでいけば十分だろうと考えていたレベルは、たどりついてみると実際には思っていたほどでもない、ということだ。

「学べば学ぶほど、自分が知らないことに気づく。新しい知識を得るたびに、ゴールが遠のいていくのさ」

ヒルとナイトはいまから何年も前にコーンウォールで出会った。二人ともこのイギリスのサーフシーンの中心地でこのスポーツの技術を磨いた。2007年に初めてノサラを訪れた頃、ヒルは車の屋根にボードをくくりつけた、よくいるサーフィンインストラクターの一人だった。すぐにナイトもやってきて、二人は街にサーフショップをオープンし、その場で客をとってサーフィンを教えはじめた。

ただ、二人がやりたかったのは、1回限りのよくあるバケーションレッスン以上のものだった。そこで、もっとしっかりとした教え方を考えることになった。二人はそれまでに、多くの初心者に教え、さらに競技サーファーのコーチも務めてきたが、不思議なことに、そのあいだにいる「サーフィンの99パーセントを占める中間層」への指導がすっぽりと抜け落ちていた。閉鎖的なギルドのような、伝統的に男性優位のサーフィンの世界では、しばしば技術とは若いグロム（子どもを意味するサーファー用語）が、無精ひげに海藻のかけらをつけた神秘的な長老から、水のなかでまるで魔法でも授かるように身につけるものとされてきた。

ヒルとナイトはサーフィンからそうした神秘のベールを取り除きたいと思っていた。「神秘性によって得るものもあった。でもそれがあまりに広まりすぎた」とヒルは言う。彼は決してサーフィンにおける〝クールキッズ（大人ぶってかっこつける子ども）〟ではなかった。「ぼくはクールキッズたちの手からサーフィンを取り戻して、普通の人たちに、〝これはあなたたちのものでもあるんだよ〟と言いたかったんだ」

つまり、彼らはサーフィンの神話を、つくりあげるのではなく、壊したかったのだ。「業界の常識では、サーフィンはスポーツというより」、むしろライフスタイルだと見なされてきたという。たしかに、サーフィンにまつわる、海を前に座り、自然に圧倒されるといった出来事は、意識しなくてもおのずから起こるものであるとヒルは考えている。

ただ、より早く上達するには、サーフィンをスポーツとしてとらえ、それに必要な手段の数々――考え抜かれた厳密な上達プランやビデオによるフィードバック、分析、ドリル練習――を用意する必要があるというのが彼の提案だ。

こうした考えにもとづき、翌朝、アビーと私がコーチであるジェシー・カーンズと初めて顔をあわせたとき、まず最初に命じられたのは、その日1日を「ホワイトウォーターのなか」で過ごすことだった。つまり、私たちがつかまえられるのはかなり前にブレイクして白くなった波だけということになる。そこは、子どもたちや観光客が戯れている浅瀬だった。

ナイトは私たちに、侮られたと思わないように、と言った。「ホワイトウォーターを使うのは、〝君たちは初心者だからここで。バックに出られるようになるのはまだ先〟という意味じゃない」――ちなみに〝バックに出る〟とは、波がブレイクしているところよりもさらに沖に出ることを指す。「われわれはここを、スキルを身につけるための反復練習の場として使っている」。バックに出て、ブレイク前の波をとらえるには数々のハードルがあり、それは私たち初心者にとっては数時間のうちに数回しかチャンスがこないことを意味する。だが、ホワイトウォーターでは、つねにボールを打ち出すテニスのサーブマシンのように、途切れることなく波がやってくる。

それでも私たちはすこしがっかりしていたが、ほかのみんなもホワイトウォーターにいるのを知って安心した。実際、経験のある人はここでサーフィンをやれと言われると、顔色を変えることもあるらしい。たとえばサーフ・シンプリーの卒業生であるエディーが最初、「ここでいったい何をしろっていうんだ」と言ったことをナイトは覚えているという。

ただ、ホワイトウォーターは練習の役には立つが、決して簡単ではない、とナイトは言った。「ボードは速ければ速いほど安定する。ここは自転車をゆっくり漕ぐのと同じで、ものすごく難しい」。ホワイトウォーターを〝安全地帯〟だと思い込んでいる人が多いのは面白いと彼は言う。「ホワイトウォーターで上手にサーフィンできる人なら、バックに出たら波をいったりきたりして、それこそ切り刻むように乗りこなすだろうね」

そして準備体操が終わると、私たちはジェシーに促されて水に入った。フロリダ出身で、元はトップクラスの競技サーファーだった彼女は、抑えきれないほど陽気な人だった。あまりによく笑うので、1日が終わる頃には、顔に塗った分厚い日焼け止めクリームに笑いじわのひび割れができ、普通にしていても笑顔に見えるほどだった。彼女の監督のもと、私たちは朝から、サーフボードの上にうつぶせになり、泡立つ波のなかでシンプルなターンの練習に取り組んだ。ボードはコントローラーのようなもので、いろいろなボタンを押せば思い通りに動かせることを、ジェシーは私たちに教えようとしていた。

それでもホワイトウォーターのなかにいると、「中級者」であるはずの自分が何かの罰として、一番最初の段階に戻されたような気分になった。自己評価としては、はじめたばかりの頃よりかなり上達していると思っていたのだ。だが、ヒルは、私がいままでやってきたようなことの大半は、膝立ちでもできると言った。「立つのは、そうすることで〝ボタン〟をより強く、すばやく押せるから。理由はそれだけ」。また、ホワイトウォーターには子どもの頃にやったボディボードのような楽しさがあった。思ったとおりに波をとらえて、しかもロッカウェイではやったことがないようなロングライドもできた。そのあと、私たちは立ち上がって、大きくカービング（波を削るようにターンすること）をはじめた。さらにボードの後ろのほうに体を傾けて減速したり、前に出て加速したり。レール（横の縁の部分）をつかんで、足を交互に出してボードの上を前後に進むなど、細かい動きを練習した。

この頃には、私はこの状況を受けいれ、ホワイトウォーターのケリー・スレーター（11回のワールドタイトルを獲得したプロサーファー）になってやろうと決意していた。そしてこれまでのサーフィン以外の学習から得た考え方を思い出そうとした。赤ちゃんは、歩く前にハイハイをしなければならない。歌なら、音程を合わせる練習をしてからでないと、実際には歌えない。チェスなら、たんに64マスのなかに飛び込むよりも、まずは戦術と戦略を学ぶべきだ。もし私がいきなり大波のまわりでめちゃくちゃやりはじめたら、それこそ両手を上げても追いつかない波に飲まれるだろう。まさにお手上げだ。

それには時間が必要だった。また偶然ではあるが、波が高くなるのはその週の後半と予報されていた。

＊

それから私たちはすぐに、夢のような生活を送るようになった。朝は、色鮮やかなフルーツでいっぱいのテーブルを囲んで朝食をとる。そばに置いてあるテレビでは、サーフィンのビデオがエンドレスで再生されている。そこにはいっぱいに広がる青い地平線と、すべてを見渡す空からの眺め。それに日焼けして色の抜けた髪と赤茶けた鼻のサーファーたちが、インドネシアの波の頂点で〝エア〟を決め、それ以外のときはカメラに向かってすこし不機嫌だが気持ちのこもった視線を投げかける姿が映っていた。バックで流れている音楽をヒルが好まなかったので、このビデオはつねにミュートされていた。そのため、私たちはアストラッド・ジルベルトやマイルス・デイヴィスなどを流しっぱなしにして心地よい音にひたった。

それからサーフィンをして、ランチをとり、またサーフィンをする。午後には、サーフィンのマナーや海洋天気予報の読み方などをテーマにしたクラスが1つか2つあった。こうした情報の詳細はすべて、共有スペースにあるサーフボードの形をしたチョークボードに書かれている。ただ、グループのみんなはちょっといきすぎなほどいたずら好きだったため、ある朝、部屋から降りてきて予定表が書き換えられているのを見つけたときも、とくに驚きはしなかった。もとの予定がなんだったかは知らないが、とにかくわれわれは午前10時から〝ケツを舐める〟ことになっていたのだ。

その朝、ナイトが初めてチョークボードに目をとめたとき、イギリス人らしい取り澄ました彼の顔に浮かんだ、無言の非難の表情を私は忘れることができない。

夜になると、宿や街のレストランでディナーをとり、メスカル酒を何杯も飲みながら〝例の彼女たち〟と「カード・アゲンスト・ヒューマニティー」を何度もやった。ゲームの途中でサソリが出て、私が退治する役目を仰せつかったこともある。コンセントのなかに逃げ込んだのには閉口したものだ。

また歌手志望のキャシーとともに、ギターを手に、1980年代のオルタナティブ・ロック中心のレパートリーを披露したりもした。小さな宿にみなが泊まり、講義があり、青臭いユーモアがあり、先生に関するゴシップが飛び交う。すべてが学生生活のようで、実際こんなに楽しかったのは、大学生のとき以来かもしれなかった。

一方、水のなかでは、自分が難しい場所にさしかかりつつあるのがわかった。ホワイトウォーターを超えて、ついに〝バックに出る〟ときがきた。だが、ただそこにたどりつくだけでもまったく未知の体験が待っていた。まず、いままでの3倍はパドリングをしなければならなかった。そのうえロッカウェイでは、ボードからすこし体を持ちあげるだけで、正面から迫ってくる割れた波をやり過ごせたが、ここでは波が大きすぎて下手をすると、浜辺ちかくまで押し戻されてしまう。

そのため私は、ホテルのプールでジェシーと半日をかけて「タートル・ダイブ」というまったく新しいテクニックを覚えなければならなかった。これは、波が近づいてきたらすばやくボードから降りて下に潜り込み、レールをつかんだまま体を「錨のように沈める」。そして迫りくる波に対して、ボードを押し出すというものだ。上手くいけば、轟音を立てる波もあまり衝撃を受けずにやり過ごせる。だが失敗すれば、ボードをもぎ取られてしまうだろう。

また、これまで冬のロッカウェイで静かにサーフィンをしてきた私は、混み合ったサーフスポットの混乱に慣れていなかった。パドリングをするだけでも、やってくる波にくわえて、そのラインをくだってくるサーファーとのすれ違いにつねに気を配らなければならない。

ときにはタートル・ダイブのあと、水面に浮上して目を拭っているタイミングで、ほかのサーファーがこちらに迫っているのに気づくこともあった。要は、愚かにも誰かの進路を妨害してしまったわけだが、そういうとき起こるのはおおむね次のどちらかだ。1つは、相手がとても上手い人だった場合で、彼らは怒りをあらわにしながらも、いともたやすく衝突を避けた。2つ目のシナリオは、いま自分がどういう状況にいるのかほとんど把握できていないような人の前に出てしまったとき。この場合、〝クーク〟と罵られることはないものの（私はこの言葉に妙に敏感だった）、同時にあちらにも衝突を避ける技術はないことになる。その場合はただ、もう一度水のなかに急いで潜り、無事に済むことを祈るしかなかった。

平均的なブレイクポイントでは、1時間に数百の波がやってくるが、そのうちの1つをつかまえにいく前に、近くにいる数十にもおよぶサーファーたちのなかに、同じ波を狙っている者がいないかを確認しなければならない。ただ、誰がその波に乗るのかを事前に完璧に察知することはできないので、とりあえずいってみたとしても、ほかの誰かが乗った場合、最後は諦めて引き上げるしかない。

増えつづけるサーファーたちが波という有限のリソースをいかにシェアするかという点において、これはリスクとリターンが高く設定されたゲーム理論――いわば「サーファーのジレンマ」とでも呼ぶべき状況だった。ストラテジストから見れば、サーフィンはいわゆる「混合動機ゲーム」であり、すくなくとも波を無駄にしないために〝誰か〟がそれに乗るのがよいが、それぞれのプレイヤーはそれが自分であることを望んでいる。これにより、お互いの友好関係ははかないものとなり、自分が誰かの邪魔になる状況はまず避けられない。ダニーが言ったように、サーフィンを学ぶうえで一番いやなのは、「水のなかにいるほかの人たちが、基本的に自分がそこにいてほしくないと思っている」ことなのである。

そして2日目、アビーとジェシーとともに私はついにバックに出た。まず、波が驚くほど大きく、すくなくともロッカウェイの倍の高さはあるように思えた。ただ幸いにも、ブレイクはそれほど激しくないようだ。

それからしばらく時間をとって、ブレイクする方向の見極め方や、色の濃さから角度やスピードを測るなど、波の読み方を学んだ。私たちが海に浮かんでいるとき、ジェシーが何気なく、水のなかでときどき毒を持ったウミヘビを見かけることがあると言った。指のあいだを噛まれでもしない限り、人間には無害だと彼女はつけくわえたが、パドリングをするためにすこし開いた手を水のなかに突っ込むたびに、そのことが頭をよぎった。また、波の勢いの激しいインパクトゾーンを上下しながらおとなしくやり過ごそうとしているときに、ボードが急に驚いたガゼルの群れのように持ち上がり、ふいの大波に襲われるのを避けるため、急いで沖へと進んだこともあった。

波に乗るにあたっては、ジェシーから具体的な指示が出た。波が近づいてきたら、〝6時の方向〟――すなわち砂浜に向かって、パドリングをはじめる。搔くのはだいたい5回程度。そして、波が来たら7時（あるいは5時）の方向に向かって、〝ターボのパドリング〟を3回やる。次に、ポップアップをする直前にボードの右の（あるいは波の向きによっては左の）レールを押し下げ、波の表面張力にボードをフックする。そして巻いた波の進む方向に視線を向けたままポップアップし、3時（もしくは9時）の方向を目指して進む。

ここでのコツは意識的に視線を向けることだ。波のプールで、サーファーに防水のアイトラッキング装置をつけさせて実施した実験では、熟練者はすぐに、自分が乗る波が進む方向に目を向けるのに対して、初心者は自分自身を見ていることがあきらかになった。つまり、彼らは自分たちが向かう場所よりも、バランスを保つことに気を取られていたのだが、そうするとかえってバランスは取りづらくなる。

＊

私に与えられた指示はすべて、サーフィンというスキルを数字でとらえるもののように思えた。そして、まさにそれがポイントだったのだ。ヒルが言うには、普通のコーチは「もっと力強くターンして」などとアドバイスをしておきながら、どうすればそうなるのか基本的なやり方の説明をしないという。「それじゃあ、コメディアンになろうとしている人に、もっと面白くなりなさいと教えているようなものだ」。一方彼は、生徒に「波とリズムを合わせて」と指示するのではなく、ビデオを見ながら正しいタイミングでボードを操る練習をさせる。サーフ・シンプリーでは生徒にフィンとマスクだけをつけさせて水中に放り込み、「波に打たせる」こともあるが、ナイトいわく、これも波についてのありとあらゆる感覚をつかむためだという。

波に乗ろうとしはじめてから最初の数回、私はまったく上手くできなかった。どうやら自分は、ボードのノーズが一気に沈み込んで、体が海の底に杭のように打ち込まれるという妄想にとりつかれているようだ。だが、ノーズから海に突っ込む「ノーズ・ダイビング」への恐怖は、かえってそれが起きる危険性を高めてしまうだろう。

技術を習得するときに、心が不安を感じていると、本能的な動きと正しいスキルが相反することがある。歌の場合、高音を出そうとするときに体を上に伸ばそうとしがちだが、実際には膝を曲げて重心を落としたほうがいい。スキーだと、初心者は転ぶまいとして後ろに体を倒してしまうが、本当は前に体重をかけるべきだ。サーフィンでは、脳がブレーキを踏めと叫んでいるときに、思い切りアクセルを踏む必要がある。

「ノーズ・ダイビングを怖がる人は、パドリングのペースを落としたり、ボードの後ろに体重をかけてノーズを持ちあげたりする。だが、じつはそれはやりたいことの逆をしているんだ」とヒルは言う。高い波の上では、急な斜面をすばやく滑りおりるために、いつもよりもパドリングを速くして、体重を前にかける努力をしなければならない。

ジェシーが後ろから押してくれたおかげで、アビーと私はほどなくしてなんとか波に乗れるようになった。手で水を掻いてボードを上手く進ませるには、パドリングでしか鍛えられないそれ専用の筋力が必要なため、波をつかまえるときに誰かに押してもらうのは初心者の印と言える。そのため、私はこの状態を恥ずかしく思ったが、ナイトは、オーストラリアからきて1週間滞在した軍人たち――「いままで見たなかでもっとも筋骨隆々とした男たち」も、みな後ろから押してやらなければならなかったと話してくれた。

　私がコスタリカにきて初めてまともに乗った波は、6、7フィートほどの険しいレギュラー（陸から沖をみて右から左へと崩れること）だったが、それは本当に最高のひとときであり、10秒が10分にも感じられた。浜辺から見ていた人にとって、私は一人の観光客にすぎず、波の大きさも普通のものだっただろう。だが、自分のなかでは、海を走る馬車に乗った海神ネプチューンになったような気分で、ジャーナリストのマット・ジョージが『ザ・ヒストリー・オブ・サーフィン』から引用した1節――「私たちの魂の根源のマグマに触れる」――ことが、すぐにもできそうな気がした。

　ただ、この日、冷や汗をかいた瞬間も何度かあった。ある波に乗ったとき、私はふいに、自分が、ボードを持って水のなかに浮かんでいるウルリケのほうに突っ込んでいっているのに気づいた。彼女と目が合う。ボードはまさにそっちに向かっている。ナイトが「左！」と叫ぶ。なんとかギリギリでカービングして激突は避けられたが、私は途中でボードから振り落とされた。また、別のときには、ショートボードを使っているほかのサーファーがポップアップした瞬間に、ジェシーがアビーを波に押し込んでしまったこともあった。このマナー違反によって、彼は波から降りざるを得なくなった。ジェシーはひたすら謝りつつ、「彼女はいま、最高の時間を過ごしてるの！」と言った。男は笑顔でうなずいて、親指を立てた。

そのあと私たちは、モニターのある小屋に集まって、録画した映像をみながらコーチングを受けた。それは、その日の私たちの動きを浜辺から映したものだったが、あまりいい眺めとは言えなかった。こうして振り返ってみると、そこには盛り上がった気分を覚ますような現実が映っていたのだ。水のなかにいるときは、モンスターのようなチューブのなかを疾走していたつもりになっていたが、動画の私は、子ども用プールではしゃぐ父親といった感じだった。そしてロングボードに乗った熟練者が堂々たる立ち姿で平然とラインをくだっていくのに対して、顔はひきつり、猫背で、すべてが弱々しく曲がった私は、そのぎこちない動きからガンビー〔『空飛ぶモンティ・パイソン』に登場する妙な動きをするキャラクター〕というあだ名をちょうだいしてしまった。

ただ、こうしたフィードバックは貴重ではあるが、それほど正確なものではないという。「海が与えてくれるフィードバックは個人の技術レベルと一致するわけではない」とヒルは言う。「海は、コントロール不能の巨大な変数なんだ」。つまり、海に出てすべてを上手くやったとしても、平凡なサーフィンで終わってしまうこともあれば、コーチのサポートがよく、そこにちょっとした幸運がくわわれば、それは最高のサーフィンになるかもしれない。

「このことはぜひ頭に入れておいてほしい」とヒルは言った。「上手くいかなかった日があっても自分を責めすぎないように。逆に、本当にいいサーフィンができても自分を褒めすぎてはいけない」

これはいいスローガンだと思った。ただ、できる限りのことをすればいい。上手くいくかもしれないし、そうではないかもしれないが、とにかくあとは自分では手の届かないところにある。

夜になってベッドに横になってからも、波の上を滑る感触と、背中で受けとめて砕けた波の圧力をまだ感じることができた。目を閉じれば、ゆるやかにうねる果てしない水平線から、黒い帯のような波がこちらに向かってくる。体をひねり、痛む首を伸ばして、その命の躍動の真ん中に身を置き、どこに運ばれるのかを見ようとしている。そんな自分の姿を、私は思い出していた。

遅くはじめることのすばらしさ

伝説のプロサーファー、フィル・エドワーズはかつて「最高のサーファーとは、サーフィンを一番楽しんでいる人のことだ」と言ったことがある。多くの初心者がそうであるように、私もはじめたばかりの頃にこの言葉を耳にして感銘を受けたが、それでもこれはまず真実ではあるまいと疑っていた。プロのサーファーが私のような哀れな下手くそを慰めるために言った言葉のように思えたからだ。押し寄せてきた波の上でバタバタしたり、波をなんとかつかまえたと思ったら洗濯機に放り込まれたようにボードから落ちてしまう人間が、最高のサーファーであるはずがない。

そう思っていた私に、考える順番を逆にしてみたらどうかとナイトは言った。「上達すればするほど、楽しめる状況が広がっていくんだよ」。

われわれのグループが楽しんでいるのはたしかだった。この1週間、40数歳のメンバーたちが、喜びいっぱいに初歩的なスキルを覚え、それを磨いていく姿に、私は何度も心を打たれていた。

学習曲線の下のほうにいればいるほど、こうした効果は大きくなる。サーフィンが上手くなるだけでなく、彼らがほかの面でも成長していくのがはた目にもわかった。みな、大人としての安全地帯――仕事におけるたしかな能力、その年齢なりの合理的な分別、自分は一歩引いて成長の機会は子どもに託すという選択――を、たとえ一時的にとはいえ捨て、困難でリスクの高い、無駄になるかもしれない試みに乗り出したのだ。

ヒルは言う。「中年になると、上手くできないことはやりたくないと思う人が多くなる。でも、苦手なことをやりつづけるのは、それ自体がすばらしい人生の勉強なんだ」。ホワイトウォーターでの反復練習が終わり、ブレイクする前の波をつかまえにいったときも、もう十分にこなせるようになったラインに沿っての波乗りから、強力なカットバックの練習に移ったときも、みなの顔に変化が見えた。週のはじめの、自信を失い、恐怖すら感じていたかのような表情は薄れ、そこにはサーフィンとは何か、あるいは自分とは何者なのかについて、考えを新たにしている彼らの姿があった。

また、一部のメンバーにとって、サーフィンがどんな意味を持つのかを私は感じ取りはじめていた。同じバンガローに泊まっているウルリケには、脳腫瘍にかかって5カ月後に亡くなった親友がいたそうだ。そのため彼女は、長く先延ばしにしていた海に行くという目標に、急いで手をつけることにしたのだった。

ニューヨークからきた女性グループのうちの一人であるドリットは、離婚の痛手から立ち直るためにサーフィンをしに来たと話してくれた。彼女は、波に対する自信を得られれば、精神的な強さを取り戻せると考えていた。つまり、海が押し付けてくることに対処できれば、乗り越えられないことなどほとんどないはずだ、と。

そして、海と同じく、人生も何を押し付けてくるかはわからない。ダニーはこのコスタリカでの1週間のあと、リンパ腫の診断を受けた。彼は、それでもサーフィンを続けつつ、「自分の身をどんな状況に置くべきかについて、さらに気をつけるようになった」という。

そのカリスマ性と生き生きとしたエネルギーでみなを自分のペースに巻き込み、私が密かにグループの女ボスと思っていたキャシーは、この1週間のあいだずっと、自身のサーフィンをめぐる、数々のはちゃめちゃな出来事について語りつづけて、楽しませてくれた。サーフボードに刻み目を入れるように、彼女は、世界中から集まった得体のしれない多くのインストラクターたちとともに時間を過ごした。なかには「ハワイ・ジョー」を名乗る実際にはニュージャージー州出身の男や、パイロットをしているというサーファーで、小さな飛行機に乗ってインドネシア諸島の上を一緒に飛べば、「どんな女でも15秒でイカせてみせる」と豪語する奴もいた（ウェットスーツを脱ぐだけでももっと時間がかかろうというものだ）。

キャシーはヴァネッサと並んで、われわれのグループのなかではサーファーとして頭一つ抜けていた。三人の子を持つ母親が、中年になってからなぜこれほどサーフィンに熱中して腕前を上げたのか、私は知りたかった。

「最初は家のそばのビーチにいるサーファーたちの姿を、ただ見ていたの」と彼女は言った。その状態が何年も続いたという。私は、ジェーン・オースティンの小説の登場人物のように、不安や世間体にとらわれている彼女の姿を想像した。しかしある日、アシュリーやほかのママ友たちと一緒に、ついに海に挑むことにした。「でもボードの上で立ち上がろうとしたとき、肋骨を痛めてしまった感じがしたの。私たちはその日のサーフィンでどこを怪我したかをお互いにメールで報告しあって、その後一切サーフィンが話題に出ることはなくなったわ」

だが、それはいくら掻いてもとれないむずがゆさのように、胸にひっかかっていた。そしていまから5年ほど前、キャシーは休暇中に家族でワイキキを訪れた。そこで子どもたちがサーフィンをやりたいと言いだし（大人に学びを促すのはやはり子どもたちだ）、地元の〝サーフィンおじさん〟たちが彼女にもやってみるよう勧めた。夫もその穏やかな年配の〝先生たち〟の様子を見て、やってみたらどうかと言った。そのとき、いわく「レイアード・ハミルトンを若く、かわいくして、筋肉を落としたような感じ」のトレバーというインストラクターが現れ、レッスンをしてくれたという。「夫はただ笑ってたわ」と彼女は言う。

そしてキャシーはその日の午前中いっぱい、マウイ島の有名なサーフポイントであるジョーズにも匹敵するような波をつかまえつづけた――はずだったが、あとになって写真を見てわかったのは、そこがまるで「湖のような水面」であるという現実だった。急いで写真をめくり、「ホットなママを写した1枚」を探したが、かわりに見つかったのは「波のない湖のような水のうえで、だらしなく水着がずりさがり、ふびんな子どもたちの前で、お尻を丸出しにした自分の姿」だった。

「ゾッとしたわ」と彼女は言った。「でも、ハマったの」。そうして、長きにわたる終わりのない繰り返しと、つまずきながらの上達の道のりがはじまった。当初、キャシーにも、ポップアップのときにボードを見すぎるという初心者にありがちな悪癖があった。それがあまりにひどいのでインストラクターからはボードのノーズに「上を見ろ」と書いたらどうかと言われるほどだった。そして彼女は本当にそうした。

また、重たいソフトトップボードに鼻をぶつけて折ってしまい、20針も縫ったこともある。「顔をギブスで覆って、6週間は水に入らないように言われたわ」。だが、キャシーは5週間で復帰した。

車を砂まみれにしないよう、冬でも駐車場で震えながら着替えをした。当時を振り返って「自分はすごくイケてるサーファーだと思ってた。でもいま写真を見ると笑っちゃう。上手くなればなるほど自分のダメさ加減に気づくみたい」

メタ認知――すなわち、自分が何を知っているかを把握することは、〝無慈悲な女王〟だと言える。どのような分野でも、初心者というのは、技術が不足しているだけでなく、自分が知らないことについての大枠をつかんでいない。そのせいで、気づけば大波のなかにいて、第2章で紹介した赤ちゃんたちのように、以前通用した古いルールはすでに使えなくなっているというわけだ。キャシーは、波に飲まれてのたうち回り、窒息しそうになるのが怖くて、つねにブレーキに片足を置いているような状態だったという。「ある賢いインストラクターからは〝海と戦ってもしょうがないよ。勝つのはつねに向こうなんだから〟と言われたわ」

慣れない状況下で落ち着いて行動できるようになるまでには数年を要したが、彼女はいまでも、「波の低い日ですら」不安になることがあるという。ハワイでサメと遭遇しそうになったときには、翌日になっても海のなかで体が震えた。だが件《くだん》のインストラクターは「どんなサメだったの？」

と言ってウインクした。

ただ、それでもキャシーは、いまでは海のなかで気分が落ち着くことのほうが多いという。「ここにはコンピュータも電話もないし、駄々をこねる子どもたちもいない。やるべきことに完全に集中しなければいけないの」。彼女が一人で出かけると不安になるのは、いまや夫のほうだった。友人は冗談交じりに「彼はあなたがセクシーなサーフィンのインストラクターとトルトラ島に3日間出かけるのは気にしないのに、一人では行ってほしくないってことなの？」と言い、夫は夫で「彼女の愛人になった」のはどんなインストラクターでもなく、サーフィンそのものだとジョークを返している。

水のなかに長くいたがるせいで〝ジャスト・ワン・モア（あともう1回）〟というあだ名をつけられたキャシーは、砂でこすれてできたすり傷や、ボードがあたってできた目の周りのあざを見せびらかしたりもした。ある日、サーフィンを終えたその足で、ロングアイランドで催されたフォーマルなチャリティディナーに直行したときのこと。床に落ちたテーブルナプキンを拾おうとしたときに、鼻から海水が勢いよく飛び出し、周りの席にいた人たちから大笑いされたこともあった。

サーフィンをはじめたばかりの頃は、パイプライン（オアフ島にある有名なサーフポイント）の波に乗るといった、わかりやすい目標を掲げていたが、「自分の実力とどれだけかけ離れているかをまったくわかっていなかった」と彼女は言う。

経験を積んだいまでは、目標はより現実的なものとなった。それに、はじめるのが遅かったために、逃した波に追いつくのに「年単位の」時間がかかることや、「たとえばゴルフとかに比べて、サーフィンのほうが、体が耐えられなくなるときが来るのが早い」ことも理解している。8歳年下のヴァネッサにはいつも、学ぶ時間がたくさん残されていてうらやましいと嘆いている。

それでも、年齢を重ねてからはじめることには1つ大きなメリットがある。それは「そこにいられる1秒1秒をより大切にするようになることよ」とキャシーは言う。

＊

初夏にロッカウェイビーチを訪れれば、69番通りそばの海の浅瀬では、色とりどりのソフトトップボードに乗った子どもたちがはしゃぎまわっているはずだ。だが、よく見るとそのリリパット〔ガリヴァー旅行記に登場する小人の国。転じて小人の意味として使われるようになった〕たちのなかに、間抜けな笑顔を浮かべた背の高い男が混じっているかもしれない。だとしたら、それは私だ。

レッスンを受けだしてから、初めてめぐってきた夏、私は当時7歳だった娘をローカルズのサーフキャンプに参加させた。あの世界最大の高齢者団体であるＡＡＲＰからスパムメールが届くようになる前に、サーフィンをやってみたいかどうか試してみてほしいと思ったからだ。チェスのときと同じく、私は無意識のうちに、性別が娘の活動を邪魔することがないよう、取り計らおうとしていたのかもしれない。世の父親たちは、娘よりも息子と一緒に荒っぽい遊びをするし、危険なことをさせるのもいとわない傾向があるようだ。じつのところ父親は、子どもにとってのおもな「ジェンダー社会化の要因」〔要は、男らしさ、女らしさといった性役割を学習させる人ということ〕であると言われている。私は、娘を早くからサーフボードに乗せることで、〝自分にはこんなこともできるんだ〟と思ってほしかったのだ。

ロッカウェイでは夏になると、波は小さく、人は多くなるので、真剣なサーファーにとって、基本的にはオフシーズンだと言える。だがせっかく来たのだから、子どものサーフィンをただ浜辺に座って見ているだけではいけないと思った（ほかの親御さんの大半はそうしていたが）。そこで片方のマイクから予備のソフトトップボードを借り、私はパドリングで海へと出た。幸いなことに娘はまだ、海で自分の父親が隣に浮かんでいるのを恥ではなく、誇りに思ってくれる年齢だった。日焼けして引き締まった体をした若いインストラクターに私が褒められれば、娘も喜ぶはずだ（もちろん私も）。

そして娘をこのサーフキャンプに参加させたのにはじつは下心があった。もしサーフィンに興味を持たせることができれば、将来の相棒を手に入れることができる。休日の家族旅行先を民主的に多数決で決定する際に、行き先を偶然サーフスポットが近い場所にするよう仕向けることができるのだ（妻にもサーフィンを試してもらったが、まだピンとこないようだったので）。

そしてもくろみ通り、私たちは家族旅行でフランスのボルドーに行き、近くの海でサーフィンをしたが、そこがたまたまヌーディストビーチの真隣だったので娘は大喜びした（ちなみにヌーディストたちはサーフィンをしていなかった）。ポルトガルのリスボンに旅行したときは、元女子プロサーファーとその子どもたちと一緒に、混み合った海水浴場でサーフィンをして、終わったあとにアイスクリームを美味しく食べた。ペルーのリマにあるマカハ・ビーチでは、タフなブラジル人インストラクターが、娘の「疲れた」という訴えにあえて聞こえないふりをしてくれた。もし私とふたりきりだったら、娘はすぐに諦めていただろうし、私も機嫌をとっていただろう。だが先生から軟弱だと思われたくなかった娘は頑張りとおして、それまでで一番大きな波に乗りつづけた。コスタリカのパパガヨ半島で〝サーフオフ〟〔一人ずつ交代で波に乗りその出来栄えを比べること〕したときには、珍しく小さなビーチを選んだが、そのおかげで娘は生まれて初めて完全に自分の力だけで波に乗ることができた。

　娘の上達を横目に見ながら、私は自分がおおむねドレイファス・モデルのレベル3、「上級者」の段階に達したと実感した。

　この段階では、人はみずからの学びに感情的に関わりはじめる。一方、初心者や中級者は、ルールに固執する――要は「もしそのルールが上手く機能しなかった場合、みずからのミスを悔いるのではなく、適切なルールを与えられていなかったためであると、それを正当化する可能性がある」とされる。

　ロッカウェイでレッスンを受けていたときは、ボードから振り落とされても、それはある種の波への対処法をまだ習っていなかったからだと言い訳することができた。しかし能力がついてくると、成功や失敗はみずからの肩にかかってくる。失敗の責任は自分でとらなければならないし、成功して喜べるのも、たんに上手くいったからではなく、それにつながる行動をみずから選び取ったからだ。当初私は、波に乗ることでスリルを味わっていたが、上達するにつれ、波をつかまえるのに一番いいポジションに向かってパドリングをするのに喜びを感じるようになった。

　それと同時に、喜んでこの段階にとどまろうという気持ちにもなっていた。もちろん目標・成果重視のこの時代に、何かを極めずしてその状態に甘んじることを受けいれがたいと考える人が多いのはわかっている。

デイヴィッド・フォスター・ウォレスの『インフィニット・ジェスト』という小説の登場人物の一人は、「自己満足タイプ」のテニスプレイヤーについて吐き捨てるように語っている。彼らは「上達がとりあえずとまるところまでは急いで上手くなるが、そこまでの上達が早かったことに満足を覚えるような人間」であり、最後には負けが込んでくる。なぜなら「ゲームのすべてを、その程度のレベルでこなしているから」。「この競技への愛」を公言するが、その顔にはひきつった卑屈な笑みが張り付いている、と。

しかし、サーフィンは私にとって競争するためのものではない。マラソンやサイクリングのように目標タイムがあるわけでもなく、数値化されたパフォーマンスの指標もない。だからサーフィンで〝負ける〟という意味が私にはわからない（やっても楽しめないということを除いては）。仮にラインをくだることに退屈をおぼえるような日がきたら、新しいサーフスポットに行ったり、新しいボードを買ったりして条件を変えて再スタートすればいい。

それにじつのところ、飽きるなんてとんでもなかった。ビーチの様子を映すカメラで、ロッカウェイの海を見るだけで、波がいくら小さくても私はすこし元気が出た。たとえ友達が基準以下の波しかきていないと文句を言うような日でも、私にとっては波があるというだけでおおむね満足だった。サーフィンをしていて退屈を感じたことはない。

もっと上手くなりたくはないかって？　それはもちろん。でもサーフィンは私の仕事でも副業でもなければ、人生の情熱でもない。作家のジェイムズ・ディッキーの言葉を借りれば、「ムラはあるが息の長い興味の対象」の1つにすぎない。私はサーフィンを楽しみつづけられる程度に上手くなればよかった。

もし平凡（mediocre）なサーファーで終わる運命だったとしても、それでかまわない。mediocreという言葉は古ラテン語の「頂にいたる道の途中」という意味なのだから。何もないところからスタートしたにしては、上出来だ。もしサーフィンの上達が階段の踊り場のようにとまっても、私はそこで喜々として、長いあいだ波に乗りつづけるだろう。

第6章 私たちはいかに学び方を学ぶか

CHAPTER 6 : HOW WE LEARN TO DO THINGS

数カ月のあいだ、いろいろな分野のスキル習得に必死に取り組んでみた私は、一歩ひいて、じつのところ人間がどのようにして技術を習得するのかについて考えてみるべきだと思うようになった。ただ、書物から知識を得るだけではいやだった。実際に何かを学びながら、学習について詳しくなりたかったのだ。

物体を宙に浮かせる技術

そしてこの用途にぴったりだと思ったのが、ジャグリングだ。まず、純粋な運動技能に属するものであるうえに、たとえば歩行などとは違って、複数の物体を宙に浮かせることに、機能としての必要性はほとんどない（たんに自分にそれができることを証明する以外には）。

実際、ジャグリングは、人間のパフォーマンスを測る手頃な手段として長いあいだ利用されてきており、初期の心理学の文献にも登場している。たとえば、「学習曲線」という概念を広めるきっかけとなった研究でも、被験者たちはジャグリングをしていた。広く使われている教科書である、リチャード・A・マギルの『モーター・ラーニング：コンセプツ・アンド・アプリケーションズ（運動学習：その概念と応用）』の表紙には、ジャグリングする人の姿が映っている。

ある日の午後、私は、アムステルダム自由大学で人間運動科学を研究しているピーター・ビークの研究室を訪れた。彼いわく、ジャグリングが人間の技術習得を研究するにあたって極めて有用だとされるのには、多くの理由があるという。

まず、実験室でも簡単にできること。それに、誰でも即座にできてしまうわけではなく、スキルを学ぶ必要があること。だが同時に、すぐに諦めてしまうほど難しいわけでもない。ほとんどの人は数日あれば、3つのボールでのジャグリングをはじめることができる。[*] それに成否の判定が簡単だ。ボールが宙に浮いていれば成功だし、落とせば失敗だ。さらに、モチベーションにひっぱられて練習を進めることができる。ジョイスティックでカーソルを動かしたり、指定された順番でボタンを押したりといった、運動技能の実験でよく使われる、不自然で単調な作業とは違って、ジャグリングはそれ自体が楽しいからだ。

これまでに身につけようと頑張ってきたほかのスキルとは違って、私はジャグリングに昔から憧れていたわけではない。目的はジャグリングを通して〝学び方について学ぶ〟ことだ。それでも、パーティーで披露できればかっこいいなと想像せずにはいられなかったし、事実、数カ月後、娘が

* 3つのボールというのは、一般的に本物のジャグリングの入り口だと考えられている。ちなみにジャグリングとは広義には、手で持てる数以上の物体を操る技能と定義される。

招待されたある集まりで、ジャグリングは父親にとってとてつもない武器になることを実感した。

スキルとはそういうものなのだ。つまり、ジャグリングのような技術のもっとも初歩的な部分だけでも身につけてしまえば、それだけで大半の人とは一線を画すことになる。たとえば、あなたの個人的な友人や同僚に尋ねてみても、おそらくボール3つでジャグリングができる人はほとんど見つからないだろう。4つともなればなおさらだ。5つ？　ジャグリング愛好者のチャットルームにでも行かなければ見つかるまい。

これがスキル習得の隠れたメリットの1つだ。達人になるには何年もかかるかもしれないが、ほんのすこし時間と労力をかければ、ほかの人にはできない――そして、すこし前まではあなた自身もできなかった――ことが可能になる。ボール3つのジャグリングというささいなことでさえ、以前の私にとっては手の届かないものに思えたが、突然、魔法のように、それは手のなかにあった。

＊

最初のステップは先生探しだった。ただニューヨークでは、地域の掲示板に、即興演劇、ソーセージづくり、タロットカード占いなど、ありとあらゆる種類のレッスンの広告があふれているため、これはたいした問題ではなかった。私はすぐに、〝ジャグル・フィット〟と称するレッスン（「健康な体と脳のためにジャグリングを学びましょう」とあった）を提供している、ヘザー・ウォルフなる人物を見つけた。住所は自宅のすぐ隣の地区だ。

そして近所の緑豊かな公園で対面したウォルフは、コーヒーを飲みながら彼女自身のことを話してくれた。UCLAで社会学の学位を取得したあと、以前から大好きだったエレクトリックベースギターを追求するため、彼女はロサンゼルスにあるミュージシャンズ・インスティテュートに入学した。そしてある日、学校の掲示板にリングリング・ブラザーズ・サーカスがベーシストを募集しているという張り紙を目にする。

「あのサーカスにバンドがあることも知らなかったわ。ただ、ずっとツアーをやりたいと思ってたの」。それから6年間、ウォルフはサーカス列車で暮らした。だが、あるシーズンに発表された新しい演目では、ミュージシャンを除く全員がジャグリングを身につけておかなければならないことになっていた。どうせみんなが習うのなら、自分もやってみよう。そう思った彼女は、最終的には上級者の入り口である5つのボール使ったジャグリングまでできるようになった。

「私は街一番のジャグラーじゃない」と彼女は言いつつ、ニューヨーカーらしい大胆さで「でもジャグリングを教えるのは街で一番上手いと思ってるわ」とつけくわえ、さらに、上級者たちはたいてい「はじめたばかりの頃のことを忘れている」とも言った。私が話を聞いた運動技能の専門家たちも、口々に同じことを語っていた。マイケル・ジョーダンやリオネル・メッシが、合宿で子どもにバスケットボールやサッカーを教えるというのは、すてきなアイディアに思えるかもしれないが、あまりお勧めはできない。彼らはそもそも自分が何をしているのかを語るのが苦手だし、9歳児相手に嚙み砕いて説明するのはたぶん無理だからだ。

ニューヨークではよくあることだが、ウォルフのジャグリングは副業だった。熱心なバードウォッチャーである彼女は、ほとんどの時間をコーネル大学鳥類学研究所のウェブサイトの制作にあてていた。そしてルームメイトは、いまはなきリングリング・サーカスの元ピエロだ。「彼はもうサーカスには出ていないけど、ブリトニー・スピアーズとかと一緒にツアーをまわってるわ。実際、ニューヨークにはピエロの仕事がたくさんあるのよ」

初対面の1週間後、私はウォルフとともに自宅のリビングにいた。すると彼女は、それぞれ色の違うスカーフを3つ取り出して結んだ。ボールはどこにあるのだろう？　私がなんとなくがっかりしているのを見て取った彼女は、「スローモーションでジャグリング」すると、空中での軌跡がわかりやすいし、自信にもなると言った。ある研究によれば、はじめは習うスキルを簡単そうだと思えるようにしておくことが、学習効果を高める1つの方法だという。

右手に2つ、利き手である左に1つスカーフを持った私に、頭の上のあたりに箱があると想像して、その上の角ふたつに向かって両手で交互にスカーフを投げるよう彼女は指示した。やってみると、スカーフはためきながら飛び、床に落ちた。簡単だ。次は、そうして投げたスカーフをキャッチする。これもまあ、それなりにできた。ただ、この動作を繰り返すよう言われると、私はすぐにいっぱいいっぱいになり、つぎつぎ舞い上がるスカーフを前に、まるでメイシーズ（アメリカの百貨店）のバーゲンでワゴンの商品を必死に漁っているような状態になってしまった。

「ジャグリングを教えているとき、私はその人の考えてることがちょっとわかるの」とウォルフは言う。「あなたはいま、これを1つのパターンだと思ってやってるでしょ」

ただ、四角の角に向かって投げればいいのよ、とそのあと彼女は何度も言った。動作全体をパターンとしてとらえるのではなく、ただ投げる。スカーフをキャッチすることも考えないほうがいいという。ただ、角に向かって投げつづければ、手は勝手にスカーフを取るのに必要な場所に移動するからだ。

「ジャグリングを身につけるコツは考えないことよ」

考えることがいかに学習を妨げるか

物理学者のデイヴィッド・ジョーンズは「ほとんど誰でも自転車には乗れるが、どうやって乗っているかを理解している人はまずいない」と言っている。

普通の人に自転車で曲がる方法を尋ねれば、おそらく「行きたい方向にハンドルを切ればいい」と答えるだろう。だが、これは厳密には正しくない。自転車マニアたちはウィルバー・ライト〔ライト兄弟の兄。兄弟は自転車屋を営んでいた〕の時代から、左に行きたいならまずは右にハンドルを切らなければならないと言いつづけてきた。*

ただ、この事実に気づく人はほとんどいないため、みなこのことを知らない。そして、知らないことにすら気づいていない。なぜなら知っていたとしても――すくなくとも自転車に乗っているときにそれを意識したとしても――何の役にも立たないからだ。

* 物理学者のジョエル・ファヤンスは、この「逆ハンドル」を一人で体感するための上手いやり方を提唱している。自転車で坂をくだっているときに（ペダルを漕ぐ必要はない）、左手をハンドルから離す。そして右手を開いて、手のひらですこしだけハンドルを押す。右手はハンドルを握ってはいないのだから引くことはできず、自転車は左にしか曲がらないはずだ。だが実際には右に曲がるのである。詳しくは、"Joel Fajans, "Steering in Bicycles and Motorcycles," *American Journal of Physics* 68, no. 7 (July 2000): 654–59を参照のこと。

技術の精妙なところは、それをどうやっているのか自分でもよくわからないことだ。技術を学ぶにあたって、文字で書かれた説明があまり有用でない場合が多いのはそのためだ。心理学者のジェローム・ブルーナーは、「知識は習慣になって初めて役に立つ」と述べている。

逆に初心者の問題は、つねにそのスキルを使っていることを意識してしまう点だ。運動学習の専門家であるリッチ・マスターズが提唱する「再投資」の理論によれば、歩行のような「過剰学習した」スキルをあえて意識すると、パフォーマンスが低下する可能性が高いという。

たとえば、脳卒中を患った人は、〝左右非対称な歩行〟をしたり足を引きずったりすることが多い。そのため歩き方を学びなおす必要があるのだが、そうすると自分の歩き方を意識して、その仕組みについて考えることになり、いっそうぎこちなくなる。上手く歩けるようになるには、意識することなく学ばねばならない。マスターズの言う「コツ」は、「学んでいることを悟らせずに歩き方を学ばせること」だという。

通常、何かに習熟すると、その動きは自動的なものになる。脳が実質的に自動運転状態になってつねに予測をし、そのほとんどが当たるようになるため、あれこれ考える必要がなくなるのだ。

ある日の午後、私はジョンズ・ホプキンス大学人間脳生理学・刺激研究室のディレクターであるパブロ・セルニックのもとを訪れた。アルゼンチン出身で穏やかな性格のセルニックは、脳がこのようなことをするのは1つには効率のためだが、そこに固有のタイムラグがあるからでもあると説明してくれた。

「脳は自分のやっていることについてフィードバックを受け取りますが、それには80から100

ミリ秒程度の時間がかかります。つまり私たちは過去の時間を生きているわけです。なんであれ、いま見えているものが実際に運動領域で起きたのは、100ミリ秒ほど前のことなんです」

脳はつねに予測を立てることで、日常生活をおくるのを助けるが、それ自体が1つの型になっている。そしてこの予測が外れたとき、私たちはその原因を探す。仮に歩道を歩いていてつまずいたら、脳はそのニュースを100ミリ秒後に受け取り、元凶である道のひび割れに非難の視線を向ける。この驚きが、私たちの脳の型を乱したからだ。だが、みずから自分の体をくすぐったとしても、最初からどのような感覚になるかわかっているのでくすぐったくない。小脳が感覚入力を〝キャンセル〟して、神経細胞を抑制したのだ。だからこの場合、脳の型は維持されており、驚きはない。

たとえば、私たちは故障して動かないエスカレーターの上を歩くときも、最初の何歩かは慎重に足を踏み出すし、実際に動いている感覚さえ感じることがあるだろう。これはこれまで積み重ねた経験によって、脳がそれを学習済みだからだ。エスカレーターに乗る準備をし、その感覚を予測している。だから頭では故障しているとわかっていても、体はエレベーターが動いていると感じずにはいられないのだ。

ロボットになる、ゆっくりと動く、そして〝繰り返さない繰り返し〟：スキルを向上させるコツ

それからすぐ、ジャグリングが自分が思っていたようなスキルでないことがわかった。

多くの初心者がそうであるように、私の思い描いていたジャグリングとは、3つの物体を時計回りに半円を描くようにパスしていく、いわゆる「シャワー・パターン」と呼ばれるものだった。だが、それよりも、複数の物体を使ったジャグリングのもっとも一般的な手法である「カスケード」のほうがはるかに簡単だ。これは投げたものが空中で交差して、反対側の手に着地するやり方で、ボールが描く軌跡は8の字を横にしたような形になる。

さらに、ジャグラーは空中にある物体の軌道を追っているのだろうと私は思い込んでいたが、これはまさに初心者がやりがちな動きだった。娘が試しにジャグリングをやってみたところ、スカーフ1枚1枚を見ようとして、頭が大きく揺れていた。

だがウォルフが教えてくれたように、ジャグリングとは個々の物体を投げるというよりは、ちょっとしたアルゴリズムに従うように、1つの形に沿って空中に放ることなのだ。* そう思うと、クロード・シャノンからロナルド・グラハムにいたる有名な数学者たちがジャグリングにハマっていたのも、なんら不思議ではない。

ほかの多くのスポーツとは違い、ジャグリングでは、実際にはボールに視線を固定しないほうがいい。ジャグラーは投げる物体が描く軌道の頂点を見ており（やはり体ではなく外部に意識を向けている）、空中の物体についてはぼんやりとしか捉えていない。これは視界をほとんどさえぎった

＊ 著名な数学者で、熱心なジャグラーでもあったクロード・シャノンは、ジャグリングを数式で表したこともある。すなわち、(F+D)H＝(V+D)Nだ。Fはボールが宙に浮いている時間。Dは「滞在時間」つまり、ボールが手のなかにある時間。Nはボールの数。Hは手の数。そしてVは手が空いている時間だ。

状態でのジャグリング実験によって証明されている。物体が描く放物線のあたりがわずかに見えるだけでも、彼らは問題なくジャグリングをこなしたのだ。優れたジャグラーは、完全なる目隠し状態でもジャグリングができた。

我が家のリビングルームに話を戻すと、私はスカーフを上手く扱えるようになってきていた。3つのスカーフを何度も宙に浮かせる、ジャグラーが言うところの「ラン」ができるようになったので、ようやくボールを使うときがきた。まずは、高めの弧を描くようにボールを投げ、もう片方の手でキャッチするようウォルフに言われたが、これは簡単にできた。次に、その形のままボールを3回連続で投げ、キャッチしないで床に落とすように、という指示が出た。

これは投げ方を確認するのに役立つ。ジャグリングでは投げ方がすべてだ。上手く投げることができれば、キャッチはほとんど自動的にできる（はず）。

だが、私はこの作業の目まぐるしさに圧倒された。最初の3回はそれなりに上手くボールを宙に浮かすことができたが、4回目に投げるときにあせり、パターンのタイミングを崩すという初心者にありがちな状態にはまった。「あなたが思っているより余裕はあるわよ」とウォルフは言う。

それに、慣れてくればジャグリングはゆっくりに見えてくるから、とも言った。実際そのとおりだった。プロのスポーツ選手がときどき口にするように、私にもボールがゆっくりと動いている気がしてきたのだ。軌跡が空中にくっきりと見えてきて、ボールは空中にひっかかっているかのようだった。

人間の時間感覚について研究している神経科学者のデイヴィッド・イーグルマンが、このスローモーション現象について説得力のある説明をつけてくれた。ジャグリングのようなスキルを学びはじめたとき、初心者はまず、そのすべてに注意を払うことになる、と彼は言う。

たしかに初めてジャグリングをしたときの私はこんな感じだった。「よし、1つボールを投げるぞ。それからもう1つ。いや、待てよ。さらにもう1つ投げなきゃいけないんだっけ？　最初に投げたやつはどうなった？　もう落ちてきてるぞ！　また投げなきゃいけないなんて信じられない——あっ、もう2つ目が落ちてきた！　3つ目の投げ方を失敗したかな？　次に投げるのは左手と右手、どっちだっけ？　あれ、なんで片方に2個もボールを持ってるんだ？　なんでまたこんなことになっちゃったんだろう」

注意しなければならないことが多ければ多いほど、時間の流れは早く感じる。だが、上達するにつれて、どこに注意すればいいかわかってくる。つまり、予測が上手くなってくる。そして気づくと、ボールのことをまったく意識しなくなっている。ただ空中の軌跡をなぞっているだけなので、同時にほかのことに注意を向けることもできる。ジャグリングをしながら会話すら可能になる。時間の密度が落ち、ゆっくり流れるようになる。

ただ、新しい技を学びはじめると、すべてが元の速さに戻る。

＊

私はもうひとつ、初心者に典型的な問題に直面していた。それはボールを投げるタイミングが合わないのにくわえて、どこに飛んでいくかわからないことだ。ジャグリングでは小さなミスが大きな問題につながる。投げる角度がほんのすこし違うだけで、ボールの落下地点が大きくズレてしまう。

「ロボットになるのよ！」とウォルフは言う。足はそのままの位置で、投げるときには脇を締め、あえてゆっくり動くようにプログラムされていると想像しなさい、と。あとは私の仕事はロボットのように正確に投げることだけだ。さらに、壁に向かってジャグリングすることも勧められた。それ以上前に行けないのだから、抑えた投げ方をせざるを得ない。

著名な運動科学者であるニコライ・ベルンシュテインが言うように、技術習得における重要ポイントの1つは、人間の体は非常に〝自由度〟が高いことだ。腕だけでも肩から手首まで、26もの可動部があり、それぞれ異なる方向に動かすことができる。ただそのためには、人体に存在する千を超える筋肉と千億の神経細胞のうちの多くを、効果的に協調させる必要がある。こう考えると、ボールを投げるという単純な動作ですら、空港の管制塔がせわしなく働き、大勢の一流人形使いの動きを同調させているかのように思えてくる。

たとえば、子どもにバットの振り方を教えることを想像してみてほしい。それこそ振り方はいくらでもあるだろうが、野球に役立つのはそのうちのごく一部だけだ。そして初心者はこうした動きのすべてを統合していかなければならないことに圧倒され、ベルンシュテインの言葉を借りれば筋肉を「フリーズ」させてしまいがちだ。つまり、自分の体と戦ってしまうのである。

娘にバットの振り方を教えようとしたとき、そのスイングはまるで〝門〟のようだった。足は地面に張り付いたまま、膝は動かず、肩はガチガチで、前腕は固定されていた。バットを体の前で持ったまま、胴体をねじって、とにかくバランスを崩すまいとしているだけ。これでは体の自由度を活かすことはできない。

ただ、やがて私たちは固まった体を解放し、筋肉を協調させて動かすことができるようになる。これはコーディネーションと呼ばれている。運動技能の専門家であるリチャード・マギルは「人がスキルに習熟するにつれて学習することの1つは、自然がタダで与えてくれるものを利用することです」と話してくれた。

技術を学ぶとは、要は最小の労力で最大の効果を生み出せるようになることだと言える。達人は「楽にやっているように見える」とよく言われるが、これにはちゃんとわけがある。私はニューヨークシティマラソンに出場する前に、ニューヨーク大学のスポーツ・パフォーマンスセンターを訪れたとき、自分のランニングフォームがいかに無駄だらけかを知って驚いた。たとえば、肩が意味もなく上がっていた。これは小さなことのように思えるかもしれないが、そのまま26・1マイルを走るとなると、エネルギーが余計にかかるうえに、呼吸の邪魔にもなる。

研究では、チェロの演奏から自転車の運転まで、どのような技術を取りあげて調べても結果は同じだとされている。すなわち、上達すればするほど動作は効率的になる。これは実際には動きに必要のない筋肉を〝抑制〟し、必要な筋肉を〝刺激〟するということだ。たとえば、拳をつくってから小指だけを立てるとき、あなたは指1本だけを持ちあげながら、同時にほかの指には動かないよう指示を出していることになる。

ウォルフの「ロボットになるのよ」というアドバイスは、文字通りロボットのようにギクシャクした動きをしろということではなく（この点については言われなくても私の動きはそうなっていた）、ジャグリングを邪魔するような動きを排除せよというのが、その真意だ。

それでも、「私にはできません！」と急に叫びだす人もいるそうだ。その場合、彼女は「あなたはもうやってるわよ」と言うことになる。実際、その人の〝ロボットの部分〟はジャグリングをしている。じつのところ、ジャグリングで要求される体力はたいしたものではない。たんにボールをある場所からもうひとつの場所に投げるだけだ。難しいのは、それぞれのパターンに沿って「メンタルモデル（頭のなかにある動きのイメージ）」を実行することである。ボールが狙いどおりのところにいかないのは、パターンを崩すようなタイミングで投げてしまっているからであることが多い。

技術習得の話をするとき、よく出てくる言葉に「マッスル・メモリー」というものがある。文字通りとらえると、筋肉にある種の動きを刷り込み、そこに動作の記憶が蓄えられる、と考えたくなるが、実際にはそうではない。たとえば自分の名前をサインするとき、筋肉はペンを紙に走らせる方法を反射的に〝理解している〟ような感じがする。だがあなたは黒板に、自分のサインのいろいろなバリエーションを書くことができるはずだ。壁にスプレーで、砂の上につま先で、雪の上におしっこで書くこともできるだろう（私は子どものとき、科学の実験と言い張ってこれをやったことがある）。ペンを口にくわえても、かなりまともにサインすることが可能だ。

これらはどれも、同じ筋肉を同じように動かしているわけではない。あなたは、脳のなかにある同一の「運動パターン」を実行しているのであり、筋肉はただ脳の指示に従っているにすぎない（筋肉が脳に何をすべきかを伝えているということはあるにせよ）。

また、マッスル・メモリーという言葉は、あるスキルを実行する際に、つねに〝覚えている〟通り、同じようにやるという意味合いでも使われる。だが、極めて反復的な動きであっても、じつは毎回微妙に変化している。運動には、つねに調整と最適化が必要だからだ。そのため、ベルンシュテインは、同じスキルを練習する際も、たんに「運動上の問題を解決する手段としての動きを何度も何度も繰り返す」べきではないと述べている。要は、すでにできつつある技を、同じ条件下で、完成するまで延々と練習するのはよくないということだ。それではあまりに柔軟性に欠け、ちょっと条件が変わっただけで、技が上手くいかなくなってしまう可能性がある。

そのかわり、その都度、個別に問題を解決しようとする――場合によっては、違うテクニックを使う――ことも視野に入れなければならない。ベルンシュテインはこれを「繰り返さない繰り返し」と呼んでいる。そのため、よいジャグリングの練習とは、3つのボールのカスケードをいつも通りのやり方で、ただ長く続けようとすることではない。ここにきて私は、自分が何をすればいいか理解した。つまり、より速く、正確にこなせるようにすればよかったのだ。

それには自分に新たな課題を課してみるのが有効だった。たとえば、利き手で練習したことですでにある程度習得済みのスキルを、反対の手からはじめてみたり、投げる高さを変えてみたり。違う部屋で練習したり、ボール以外のものを投げてみたりもした。さらに、ジャグリングをしながら歩いてみたり、座ってみたり、音楽を聴きながらやったり、会話をしてみたりもした。

こうしてすこし条件を変えるたびに、私は微妙な調整を要求された。そしてじつは、これはあの幼児行動研究所のカレン・アドルフのもとで、歩く練習をしていた赤ちゃんたちと同じやり方――

つまり、いきあたりばったりのようでありながら、じつは多様性練習をやる上での優れた戦略――だったのである。

優れたジャグラーも決してミスをしないわけではない。ただ、彼らはつねに問題解決をしているので、対処法をたくさん持っている。チェスのグランドマスターであるジョナサン・ローソンは、技量とはすなわち〝見たことのないミス〟をなくすことだと言っている。熟練のジャグラーは、ボールが手から離れた瞬間にミスをしたことがわかるだけでなく、それが空中にあるあいだに体勢を立て直す方法も知っている。

「一度、悪い投げ方をしてしまっても、それを抑えなさい。〝ロボットのように〟」とウォルフは言い、さらに「大切なのはあなたがボールをコントロールすること。ボールに操られてはだめよ」と続けた。

見て学ぶ：オンラインの動画はすべてを教えてくれるか？

ここでちょっと考えてみよう。ジャグリングを学ぶのにそもそも先生は必要なのだろうか？　ユーチューブの動画だけではダメなのか？

ひとことで言えばダメではない。ユーチューブには数え切れないほどジャグリングの動画があがっているし、なかには悪くないものもあるからだ。それに、人のやっている姿を見てそれを真似るのは、学びの基本と言っていいだろう。

モントリオール大学運動学部のリュック・プロテオ教授は「人間は観察するようにできている」と言う。私たちの脳には多くの領域からなる、いわゆる「行動観察ネットワーク」があり、ほかの人が人間の「運動レパートリー」に属する動きをしているのを見ると、そのネットワークが活性化する（逆に、たとえば犬が吠えているのを見ても、活性化しない。なぜならそれは通常、人間の行動の範疇に入らないからだ）。

要は、私たちはその動きを自分でやることを思い浮かべ、実際にそれをするのに必要な神経の準備運動をするわけだ。そして行動観察ネットワークは、実際の行動のかわりになるもの――つまり、何かをすることで運動野をフルに働かせるもの――ではなく、あくまで行動の〝予行演習〟である。

ただ、これには学びたいという気持ちが必要となる。バンガー大学の心理学教授であるエミリー・クロスは、ダンスやネクタイの結び方を誰かがやっているのを見て学ぶ場合、「ただ受動的に見ているときよりも、学びたいという意識を持って見るほうが」より行動観察ネットワークの関与が強くなると話してくれた。いわく、学ぼうとすることで「脳が新しい情報を受け取る準備ができる」という。

学びたいと思えば思うほど、脳を呼び覚ますことができる。問題に対する答えを知りたければ知りたいほど、記憶に残る可能性は高くなる。あとで、学んだ運動技能を誰かに教えるつもりでやっている人のほうが、ただ習っているだけの人よりも覚えがいいとされる。さらに面白いことに、私たちはたくさん間違いを犯す初心者からのほうが、多くを学べるようだ。達人の完璧なパフォーマンスというのは結局のところ、人が何かを学んでいる姿ではない。実際に私たちの学習を助けてくれるのは、誰かが何かを学んでいる様を見ることだ。

もちろん、見ていればつねに学べるとは限らない。だが逆に、見ることなく学ぶのは極めて難しい。3つのボールのカスケードを使ったある研究では、被験者を2つのグループに分け、片方にはプロのジャグラーのビデオを見せ、もう片方にはただ口頭で「3つのボールでジャグリングする一番いい方法をなんとか見つけてみてください」と指示を出した。

そして時間をとって3回練習してもらい、その後にテストをしたところ、ビデオを見たグループは平均で7サイクルのジャグリングができたのに対し、口頭での指示を受けたグループは1サイクルもできなかった。

＊

ただ、ジャグリングに限らずどんなスキルでも、〝誰かを見る〟だけでは不十分な場合がある。〝誰かに見てもらう〟必要があるのだ。コーチングにあってユーチューブにないもの、それはフィードバックだ。話をブルックリンに戻すと、ヘザー・ウォルフはつねに私の腕の動きやボールを投げる高さ、視線の位置などをチェックしてくれた。

間違っているときは指摘してくれたし、それ以上に重要だったのは、正しいときにはそれでいいと教えてくれたことだ。フィードバックと言うと、間違いを修正するための診断ツールだと思いがちだが、最近では、人は上手くできたときにフィードバックをもらうのを好むうえに、そのほうが学習効果も高いことが多くの研究で裏付けられつつある。

ジャグリングやサーフィンのような分野では、結局のところ、自分のやっていることがあっている場合よりも間違っている場合のほうが多いのだから、いい結果が出たときに注目したほうがいいのではないか？　それに肯定的なフィードバックは学習者の自信とやる気を高めるので、間違いを繰り返し指摘して不安を煽り、自意識過剰な状態に追い込むよりも、よほど効果的かもしれない。

ただ、フィードバックのしすぎという事態も、もちろんありえる。学習者には、みずからのミスを自力で乗り越える方法を考える機会が必要だ。上手くできないからといって、それが学びにつながらないわけではないことを思い出そう。私のジャグリングは試してみるたびにすこしずつ違っていた。科学者たちはこうしたばらつきを「ノイズ」と呼んでいる。

それに全体的な出来不出来についてもバラバラだった。ある日は3つのボールで20回から30回できたのが、次の日にはせいぜい2、3回しかできなくなったと思ったら、さらにその次には急に回数がもとに戻ったりした。ただ、これはよく見られる現象だ。マサチューセッツ工科大学がおこなったジャグリングの研究では、被験者のほぼ全員に、成功率が突然劇的に向上する〝ブレイクスルー〟が何度も見られたという。またこの研究では〝バグ〟――すなわち、エラーは「かたまってやってくる」ことも観察された。たしかに私も1つ目のボールを投げるタイミングが遅すぎたと思ったら、次は早すぎ、最後の1つは投げることすらできないということがよくあった。ただ逆に言えばここで、なんとかして最初のバグを取り除ければ、そのあとは上手く投げつづけられるだろう。要は初期の段階では、運がパフォーマンスの出来不出来を分ける場合が多い（いわゆる、ビギナーズラックというやつだ）。

私は、アドルフの研究所で歩き方を学んでいた赤ちゃんたちのように、ある日は上手に歩けても、次の日にはおっかなびっくりよろめきながら歩く見習いに戻るという状態だった。それでもこうしたばらつきを経験するなかで、じょじょに問題に対する確固たる解決策をつくりあげていった。

ときにこうした解決策は、ハウツービデオを見たり、コーチの意見を聞いたりすることでは見つからない場合もある。たとえば、有名な走り高跳びのオリンピック選手、ディック・フォスベリーのケースについて考えてみよう。オレゴン州の高校で走り高跳びの選手をしていたフォスベリーは、陸上部に残るのにも苦労するありさまだった。当時の自己ベストである5フィート4インチは、大会では普通、競技をはじめるときの高さであった。

挫折のときが迫るなか、彼は「はさみ跳び」と呼ばれる古いスタイルの跳び方に戻すことを考えはじめる。これは上体をまっすぐ立てたまま、片足ずつバーを越えるというもので、その頃すでに、腹ばいの形で体を回転させながらバーを越える「ベリーロール」に取って代わられ、主流ではなくなっていた。だが、フォスベリーはベリーロールが上手くできなかったのだ。

守るべきものはほとんどなかった彼は、はさみ跳びに戻し、なんとか5フィート6インチのバーをクリアした。ただ、自己ベストは更新したものの、何か違うことをしなければこれ以上高く跳ぶのは無理だと悟った。そこで次のジャンプのときに、「体を反らせて」みようと彼は考えた。

新しくつけくわえたこのちょっとした動きは見栄えのいいものではなく、あるライターはこれを「空中発作」と呼んだが、それでも必要な力を与えてくれた。「ぼくが自分のスタイルを変えたわけじゃない。動きのほうがぼくのなかで変わったんだ」と彼は言う。

フォスベリーが即席の改良をくわえたはさみ跳びは、フォスベリー・フロップ（背面跳び）と呼ばれる新たなスタイルとなり、走り高跳びの世界に革命を起こすことになった。背面跳びはものまねから生まれたわけではない。なぜならその前には誰もやっていなかったのだから。それにコーチングの結果でもない。誰もその跳び方を彼に教えたわけではないからだ。物理学を否定しようとしている、ルール違反ではないか、などの批判を受けたこともある。だがチームに残るために必死だったフォスベリーは、必要に駆られて試行錯誤するなかで、文字通りオン・ザ・フライ（その場の判断で）で跳び方を学んだのだ。

技術習得は、脳の高強度インターバルトレーニングのようなもの

さて、1週間のジャグリング訓練を経て、私は別人になっていた。

突然自信がみなぎってきたとか、人生の見通しがすこし明るくなったとかいうことではない。私は本当に変わったのである。

実際、空中にボールを投げるという、何の変哲もないささいな行為が脳を変えてしまうという現象が、数多くの研究で観察されている。この「活性化依存の脳の構造的可塑性」と呼ばれるものは、わずか1週間で現れる。ジャグリングは脳の〝情報処理センター〟である灰白質だけでなく、白質——神経線維のネットワークが集まってすべてをとりまとめている場所——をも変化させる。

こうした変化は運動野ではなく視覚野で起きることが多く、その事実が、ジャグリングでは腕や

手を巧みに動かすことよりも、ボールの軌道を追い、その動きを予測することのほうが重要であるという考え方を裏付けている。

そして、私たちが新しく何かを学ぶとき、すでに学んだことを実行するときよりも、脳はとくに激しい反応を見せる。

ただしこれはよく言われるように、脳が〝広がっている〟わけではない。脳の大きさや重さが変わったのではなく、内部での再編成が起きたのだ。

ドイツのルール大学ボーフム校の神経学者であり、なんとジャグラーでもあるトビアス・シュミット・ヴィルケは「新しい技術を学ぶには、神経組織が新しい方法で機能する必要があります」と話してくれた。「学べば学ぶほど、ある部分に灰白質が集まってくるわけではありません。これは非常に局所的な部分をつくりかえ、そこで仕事をこなしていくという話なんです」

言い換えれば、何かを学習するのは、たんに灰白質を増やしていくのとは違うということだ（なにせ私たちはつねに何かを学んでいるのだから）。スキルが上がると、筋肉の使い方が効率的になるのと同じで、脳も上手く使えるようになる。新しい何かを学ぶことで最初に起きる脳の混乱によって、灰白質の密度はむしろ低下する。こうして、脳の必要な部分だけを使い、作業に必要十分なものだけを残すことで、スキルのパフォーマンスは安定する。

〝永遠の初心者〟であることの利点の1つがここにある。歯を食いしばりながらあることだけをマラソンのように続けるのではなく、脳にいろいろな種類の高強度のインターバルトレーニングを課すことができる。新しい技術を学びはじめるたびに、あなたは変わっていく。脳を鍛えなおして、より効率的にすることができるのだ。

私自身、3つのボールでのジャグリングを学びはじめたときに、このプロセスが動きだしたのを感じられた気がする。最初は何をすればいいのかわからず、本当に頭が痛くなりそうだったものの、最後には何も考えずにできるようになった。そのあと、新しい技である「ミルズメス」を覚える段になると、私の頭はまた疼きはじめるようだったが、そのときに灰白質や白質が急速に変化するのだろう。

そしてこの疼きが強くなったときが、いったん練習をストップするのによいタイミングのようだ。実際、数多くの研究が睡眠や、あるいはわずかな休憩をはさむことが、最高の学習ツールの1つであることを示している。脳は休憩中に、あなたがやろうとしていたことの記憶を「整理し、統合する」。結局のところ、どんな技術でもその大部分は、やり方を〝覚えておく〟ことにほかならない。脳は休憩をとることで、まるでスポーツ中継のように、ちょっと前に起きた激しいシーンの数々をスローモーションで検討することができる。

また、興味深いことに、ジャグリングを学ぶときの脳の変化の度合いは、技術をどれだけ上手く習得したかには左右されないようだ。ある研究者は「脳は、戸惑いながら新しい何かを吸収するのを好む」のではないかと述べている。つまり脳は、〝学ぶために学ぶ〟のが好きなのだ。

しかもどうやら年齢は関係なさそうだ。平均年齢60歳の高齢者グループがジャグリングを学んだある研究からは、平均年齢20歳の先行研究と同様の脳の可塑性が観察されている。

「たとえ達人になれる可能性は低かったとしても、あなたは何か新しいものを学ぼうとするべきです」とシュミット・ヴィルケは言った。

＊

このアドバイスを胸に抱いた私は、ある日、ヘザー・ウォルフとともにマンハッタンのアッパー・ウエスト・サイドへと向かった。ウォルフの話にのぼっていたある生徒と会うためである。

そして私たちは、マンションの高層階にある陽当りの良い1室で、スティーブ・シュレーダーと対面した。白髪に小柄な体で足取りも軽いスティーブは、コーヒーを出してくれたあと、私にどこからきたのかと尋ねた。「ブルックリンです」と答えると、パッと顔を輝かせて「水曜日に行ってきたよ。ぼくの誕生日だったんだ！」と大きな声で言う。彼は81歳になったばかりだった。グランドピアノの上には、色とりどりのバースデーカードがたくさん、開いたまま置かれている。

まさに古き良きニューヨーカーという雰囲気を持ち、生まれてこのかたずっとアッパー・ウエスト・サイドに住んできた彼は、「96丁目より下には行かないね」と軽口を飛ばす。彼の父親でポーランドからの移民であるエイブ・シュレーダーは、〝ウルトラスエード・キング〟の異名をとった有名な衣料品メーカーの創業者で、エド・コッチがニューヨーク市長を務めた時代には、その名にちなんだ日があったほどの人物だった。エイブは最終的に会社を売却し、90歳にしてウォール街のデイトレーダーになった。

そしてスティーブは、父以上に変化に富んだ人生をおくっており、まるで生涯学習のお手本のようだった。「これまでの人生、ずっとディレッタントだったみたいなものさ」と彼は言う。ボブ・

ディランの時代にはグリニッジ・ヴィレッジに夢中になり、ギターを弾き何枚もCDを録った。絵を描いたり、ドレスを売ったりもした。また、高校で教師をしたこともあれば、小さな出版社を経営したこともある。だが本当に好きだったのは文章を書くことだった。「ぼくがいじくり回せることなんてたかが知れてる」と言いながら、私に何冊か著書をくれた。楽しさのなかにも哀愁のある、人生やこの街をテーマにしたエッセイだ。

そしていまから1年前に、スティーブはジャグリングをレパートリーにくわえた。その頃、胆嚢を摘出したり、ペースメーカーを入れたりと、いくつか身体的な問題を抱えていた彼は「気分がとても落ち込んで」いた。担当の医師からは40歳からはじめた大好きなテニスを控えるよう言われていた。

そんなとき、地元の「高齢者自立生活センター」で、ジャグリングのクラスが開講されているのに気づく。「ものすごく難しく感じたよ。でもじつは先生があまりよくなかったんだ」。その後、自分一人ですこし練習をしてみたものの、あまり上手くいかない。しかしそこで彼は、ヘザー・ウォルフに出会う。最初はウォルフのグループレッスンに参加したが、「なじめないと思ったね。ほかのメンバーたちはぼくより40も50も歳が若いんだ」。高齢になってからはよくあることだったが、周りの人が自分を取るに足りない存在だと見なしているような気がしたのだった。だが、ウォルフのことは気に入っていた。だから週に1回、個人レッスンをしてもらうことにした。目標は世界最高齢で5つのボールでのジャグリングを習得した人としてギネス記録に載ること。スティーブは冗談交じりにそう言った。

これは簡単なことではない。ちなみに私はこの頃、3つのボールでのカスケードをおおむねマスターし、「非同期《アシンクロ》」の4つのボールでのジャグリングに移行するところだった。これは見た目にはかなり印象的な技であり、ウォルフも言うように、ここまでくると見ている人のほとんどが、実際にいくつの球でジャグリングをしているのかすら言い当てられないほどになる。

そして私の目標もスティーブと同じく、優れたジャグラーの証である、5つのボールでのジャグリングだった。ウォルフからは、練習を欠かさず続けたとしても、1年はかかるだろうと言われていた。あるいは2年かかるかもしれない。それでもスティーブと私は、MITの天才であるあのクロード・シャノンも、ボール4つから5つに移行するのに同じように悪戦苦闘していたことを知って、気分が楽になった。歴史研究家でライターのジョン・ガートナーは「彼はボール5つのジャグリングをマスターできなかったがゆえに、かえってそれに惹きつけられていた」と記している。

だが、スティーブはジャグリングを学ぶ過程で、私と同じく多くの問題に直面していた。当初コーチをつけていなかった彼は、たとえば球を投げるときに腕を高くあげすぎるなど、間違った形の練習をし、悪い癖をつけてしまっていたのだ。

そのせいで最初は苦労した。だがほどなくして、学べば学ぶほど楽しくなり、楽しくなるほど練習量が増え、それでまた上手くなるという、上達の好循環に入ることができた。

ただ彼は同時に、スキル習得のもうひとつの真実を痛感していた。「歳を取れば取るほど、努力しなきゃならんってことさ」。ジャグリングを対象としたある研究では、年配のジャグラーでも若いジャグラーと同じように灰白質が変化することがわかったが、もうひとつ目をひく結果が出ている。3カ月にわたるトレーニングによって、平均年齢20歳の若いグループは全員が1分間ジャグリングを続けることができるようになったが、平均年齢60歳の高齢グループのなかでこれを達成できたのは、たったの23パーセントだった。この研究は、「歳を取ったら、あまり動かないようにするのではなく、能力を維持するためにより多く行動をしなければならない」と結論しており、スティーブは父エイブと同じく、この言葉を胸に刻んでいる。

ただし、ここにはもう1つつけくわえるべき点がある。年配の人たちも学べば学ぶほど学習速度が速くなり――つまりは若い人のようになっていくようであることだ。学び方を学ぶのは、どうやら、生涯続く試みと言えそうだ。

第7章

おまけ付きの瞑想

絵を描くことが、いかに世界の見方を、そして私自身を変えたか

CHAPTER 7 : MEDITATION WITH BENEFITS – How Drawing Changed the Way I Saw the World, and Myself

読み書きと同じように、誰もが絵の描き方を教わるべきだ。

――ウィリアム・モリス

なぜ見えているものを描くことができないのか？

2017年、グーグルはもっとも多く検索されたハウツーに関する質問のランキングを公開した。このハウツー検索というカテゴリーの検索数は2004年から140パーセント以上増えている。このランキングには、大きなものから小さなものまで、人間の欲求や願いが端的に表れていた。

第1位は「ネクタイの結び方」。面接を間近に控えた求職者の手の汗までが伝わってくるようだ（おそらくその人は、〝お気に入り〟に登録した「カバーレターの書き方」もクリックしているはず

だ）。第2位は軽く胸がキュンとするような「キスの仕方」。そのあとには、「パンケーキのつくり方」と「フレンチトーストのつくり方」を合わせたものが続いており、土曜日の朝、指を小麦粉まみれにしてキッチンで格闘する親御さんの姿が思い浮かぶ。

そしてひとつ飛ばして第5位。そこには、「体重の落とし方」と「お金の稼ぎ方」という現代人の二大関心事にはさまれる形で、まるで昔からそこにいたかのように「絵の描き方」が鎮座している。

人生の重大な関心事の数々にくわえて、それよりは重要度は下がるものの、より直接的な欲求が並ぶこのランキングのなかに、写真の登場以来、（芸術の世界ですら）大きな意味を持たなくなった技術が紛れ込んでいるのは、不思議に思える。

絵を描くことは歌と同じく、子どものときに切り捨ててしまった幻の手足のように、ときおり私たちにその存在を思い出させる。私が小学校低学年のときの記憶で思い出せるものといえば、学校の集会で歌を歌ったことと、冬の景色を描いた絵が先生に選ばれて、黒板の上に飾られていたことぐらいだ。

ほかの子どもと同じく、私もとくに勧められもしなければ、やれとも言われなかったが、なんとなく絵を描いていた。とくに必要に駆られていたわけではない。それでも、山の上にある要塞を攻撃する敵軍や、ホホジロザメの群れに襲われる深海潜水士の姿といった動きのある壮大で複雑な絵を、青いＢｉｃペンを使って何時間もかけて描いた。そうした絵は奥行きや立体感の表現に乏しく、絵画としてとくに優れたものではなかったが、そんなことは気にならなかった。ほとんどの子どもがそうだろうが、私が絵を描いていたのはただ楽しいからであり、視覚的に表現したいストーリーなり衝動なりがあったからにすぎない。

「子どもはみな、生まれながらにして芸術家である」というパブロ・ピカソの有名な言葉があるが、そのあとにはこう続く。「問題は、大人になっても芸術家でいられるかどうかだ」。生真面目な美術教師が休憩室で使っているマグカップに書かれていそうなセリフだが、ここには何かがありそうだ。

ある研究では、幼児から青年、高齢者まで幅広い年齢層の人に、〝怒り〟などの概念を表す絵を描いてもらい、専門家が「表現力」「バランス」「構図」をはじめとした基準をもとに絵を格付けした。まずは予想どおりと言うべきか、みずからを芸術家と自認する大人たちが、もっともよい成績を残した。

ただ、こうした〝芸術家たち〟と同じくらいよい結果を出したグループがもう1つあった。それは5歳の子どもたちである。〝芸術家〟以外の大人や、5歳よりも年上の子どもたちはみな、上記2つのグループよりも成績が悪かった。この研究をおこなったジェシカ・デイヴィスは、（私がサーフィンで直面したものと同じような）U字型の学習曲線の存在を示唆している。つまり、5歳児と〝芸術家たち〟がUの両端で、それ以外が谷の部分に属しているというわけだ。

デイヴィスの理論によれば、こうした現象が起きるのは、最初は対象を見て〝感じたこと〟を描いていた子どもたちが、じょじょに〝こう見えるはず〟と考えるものを描くようになるからだという。彼らは心理学者のハワード・ガードナーが言う「直解主義《リテラリズム》の停滞期」、つまり「絵の写実的な側面に杓子定規にこだわる状態」になっていく。そしてリアリティを上手く表現しようとするが、自分たちがその技術を持っていないことに気づく。

幼児教育を専門分野とする大学教授のアンジェラ・アニングは、子どもたちは「空間、スケール、遠近法の技術の数々」を学ぶことが期待されているものの、実際にはそれが教えられていないと指摘している。そして、リアリズムを追求しようとすることで生の迫力が失われ、子どもたちの絵は、ガードナーいわく「丁寧に描かれてはいるものの、硬くて生気のないもの」になっていく、という。前述の怒りの表現に関する研究では、大人や年かさの子どもが怒りそのものを描こうとしたのに対し、小さな子どもたちは単純に怒っている自分の姿を描いているという違いがあった。

こうして大半の子どもたちは、そのうちに「自分は芸術的な人間ではない」と思うようになる（私自身もそうだった）。文章の書き方や算数を習ったからといって、ライターや数学者になることを期待されはしないのに、なぜだか絵を描くことは、もっぱら芸術家を養成するための職業訓練だと見なされるようになってしまうのだ。

それでも私はこれまで、なんとか絵を活かそうと試みてきた。大学卒業後にヨーロッパを長期間旅行したときにはまだノートパソコンやスマートフォンもなかった時代だったため、持っていったノートに文章を書き、ときおり建物や通りの街並みの簡単なスケッチをした。これこそウィーンのカフェにはぴったりだというロマンを抱いていたからだ。

私は知らず知らずのうちに、イタリアの貴族であるバルダッサーレ・カスティリオーネが1528年に発表した『宮廷人』という有名な本に記された、ルネサンスの理想に憧れていた。宮廷生活をおくるための「究極のハウツー本」として多くの言語に翻訳された同書のなかで、バルダッサーレは、絵を描くことを「非常に重要な」スキルと位置づけている。歴史学者のアン・バーミンガムも、絵を描けるという「上品で価値ある」技術は、文章を書けることと同じように、長きにわたって基本的なコミュニケーション能力の1つとされてきたと指摘している。いわく、絵を描くことは、美的なものというよりも「社会的な慣習」だという。

ただ、それがどのような慣習であるにせよ、じつのところ、私は数十年もそこから離れていた。だが娘が生まれ、キッチンのいたるところを大きな落書きやスケッチで埋め尽くしてギャラリーの壁のようにしてしまうのを見て、昔のように胸が疼くのを感じた。そこで私は娘と一緒に絵を描くことにしたのだ。

ただ、動機は必ずしも明確ではなかった。自分のことを芸術家だとは思っていないし、表現や想像力の魔法の扉が開くとも思えない。絵を描くと、脳のなかに新たな記憶の層がつくられるため、知識を得るのにいいと言われることがあるが、必ずしもそれを求めていたわけでもない。ただ、1日中コンピュータの画面上の文字を見つづけている人間にとって、絵を描くことは、違う筋肉を鍛えることにつながるのではないかと思っただけだ。

アマチュアとして熱心に絵を描いていたウィンストン・チャーチルは、かつて次のように言ったことがある。「頭脳労働者が普段のルーティンを」こなしたあと、読書のような行為をするのは、たとえそれが楽しみのためであっても、すでに疲れている脳の同じ部分を働かせることにしかならない。「精神の均衡を取り戻すには、目と手の両方を直接動かすような心の部位を使うべきである」と。

ただ、目的はどうあれ、私が学習の過程で感じたのは、何かを学ぼうとすることがどんなメリットをもたらすのか、あるいは自分をどう変えるのかを予測するのは難しいということだった。だが、ある経験から何を得られるかはっきりしないからといって、それに手を付けないというのは、あまりに凡庸な言い訳だ。

とはいえ、どこで、どのように学ぶべきだろうか?

そう思っていた頃、普段からスケッチに精を出し、ついにはレストランの様子を描いた本まで出版した古い知人から、ベティ・エドワーズの名著『脳の右側で描け』を勧められた。過去数十年にわたってエドワーズほど、芸術的センスがないと自認する人を含めた数多くの人びとに、自分でも絵を描けると思わせてきた人物はいないだろう。

本を買った私は、そこに載っている課題をいくつかやってみて面白いと思った。ただ、自分にはもっと強制力とフィードバックが必要だとも感じた。そこでこの本に関する情報をネットで調べていたところ、たまたまエドワーズの息子がニューヨークでワークショップを開催することを知った。日程は丸5日間もあり、おそらく5歳のときからいままでに描いてきた以上の量を描くことになりそうだ。それでも、申し込むことにした。

*

社会人としてある程度キャリアを積んできたとはいえ、授業に出席するというのは、どこかしら小学生に戻ったような気分になるものだ。初日は、見知らぬ教室に入っていってどこに座ればいいのか悩んだり、クラスメートたちにこっそりと視線を走らせたり、教材をちゃんと全部持ってきたか心配になったり。そんなことで頭がいっぱいになる。くわえて、何か間違ったことを言ったり、やったりするのではないかという恐怖。教室にいる誰もが、自分よりも優れているのではないかという不安。だが同時に、とにかく学びに専念すればいいんだという不思議な解放感もある。

12月初旬のある朝、トライベッカにある垢抜けた飾り付けがされた居住用ロフトに、9人の受講者がすこし緊張した面持ちで肩を寄せあっていた。前に立って話をしているのはベティ・エドワーズの息子であるブライアン・ボマイスラーだ。彼いわく、最近90歳になったベティは「すこしおとなしくなった」という。

ブライアンは歓迎の言葉を述べたあと、1学期分（つまり40時間）の内容をこの1週間で詰め込むつもりだと言った。母親と同じく彼も画家であり、「尊い仕事ではあるが、ものすごく儲かるわけではない」という。このワークショップでの指導は数十年続けている。ウェーブのかかった白髪に分厚い黒縁メガネをかけ、物憂げな雰囲気を漂わせた彼のレッスンは、ときおり、切なさと滑稽さが重なるノスタルジックな思い出話に脱線した。

ブライアンは古き日のニューヨークで、いまではありえないような自由奔放な生活をおくっていた。プラット・インスティテュートで彼に絵画を教えたのは、リトアニアからの移民であり、抽象表現主義の絵画と政治活動で知られるルドルフ・バラニックだった（バラニックの両親はユダヤ人で、第2次世界大戦でファシストに殺されている）。「バラニックは黒と白だけで絵を描いたし、着るものは黒だけだったよ」とブライアンは言う。

そして彼はまた、コネチカット州の高級住宅地であるグリニッジに住んでいたもう一人の先生についても思い返していた。「だらりとしたシフォンのガウンを着た彼女は、当時はあまり評判のよくなかったベッドフォード＝スタイベサントに流れ着いた」。彼女は学識の深さを示す「イギリス英語の入り混じったアクセントで」人の記憶に残るような話をするのが得意だったという。ある日ブライアンは、秋にワシントンD.C.からニューヨークまで列車で旅行したときのことを、彼女に話した。画家特有の熱心さで、色とりどりの紅葉について語る彼に対し、「彼女はキラキラ光る眼でぼくを見ながらこう言ったんだ〝ああ、そう。でも、葉っぱのあいだの色は見た？〟ってね」

また、ブライアンは若い頃、リチャード・ヘルやデボラ・ハリーが活躍していた頃のCBGB〔マンハッタンにある有名なライブハウス〕の向かいに住んでいた。CBGBがニューアーク・リバティー国際空港のなかに往年の姿を模したレストランとして再オープンする前のことだ。その後、彼は〝ソーホー〟のボンド・ストリートがバワリーにぶつかる交差点の角にあるロフトに移り、数十年にわたって住みつづけることになった（私たちがいまいるこのロフトは、ブライアンの友人であるジュエリーデザイナーが所有しているものだ）。「ワールドトレードセンターが建つのも、倒れるのも、ぼくはどちらも見ていたよ」。そしていまは別れた妻に生活費を払いながら、ティーンエイジャーの娘を二人抱える身だ。「やっちゃったよ」と言って彼は笑う。

彼の過去は、ゆく先々の街に投影されてきた。私たちが座っている部屋の窓からは、通りの向かいに1970年代にロバート・デ・ニーロが住んでいたマンションが見える。「ぼくは彼が屋上に庭をつくるのを手伝ったんだ」。ブライアンは当時、大工として働いていたが、これはニューヨークでは簡単なことではない。「トラックは持っていなかった。だから道具を全部キャンバス地のバッグに入れて、地下鉄であちこちまわったよ」

こうした思い出話をすこし含み笑いをしながら締めくくると、彼は真剣な顔になり、次のように言った。

「絵は運動技能とは関係ない。自分の名前を書けるなら、絵は書ける」。以前手足が麻痺した生徒がいたが、ペンを口に加えて絵を描いたという。

絵を描くことは思考の問題だ、とブライアンは言う。彼が私たちに教えようとしているのは、アーティストになる方法ではなく――「ぼくにはそんな方法はさっぱりわからない」――「身の回りの世界にあるものを描く」方法だ。そしてもうひとつ重要なのは、〝自分には描けない〟という声をいかに無視するかだという。「ぼくが教えているスキルの多くは、自分自身への語りかけ方であり、みなにつきまとう亡霊ではなく、もっとポジティブな声を頭に聞かせる方法なんだ」

いわく、これらはすべて、UCLAで博士号をとった母の教えの中核である、「不安と絵」に関することだという。これは絵を描くことで不安が和らぐという意味ではなく（当然そうした効果はあるだろうが）、いかに多くの人が鉛筆を紙の上ではしらせることに不安を感じているか、ということだ。ミリオンセラーになった『脳の右側で描け』が非常に画期的だったのは、たんに読者に絵を模写する方法を教えたり、特定の画法を押し付けるかわりに、「母の本が、絵を描くことよりも考えることについて教えた、最初の本だったところだ」とブライアンは言う。

ベティ・エドワーズは、絵を描く技術を、文字を読めるのと「同じくらい重要」だと見なしていた。文字を読むことで、ほかの多くの分野の知見に触れることができるように、絵を描くことで知覚能力が鍛えられ「視覚的・言語的な情報の意味を解釈するにあたってのガイドとなり、理解が深まる」という。

ちなみにこの『脳の右側で描け』というタイトルは、ロジャー・W・スペリーが1960年代におこない、のちにノーベル賞を獲得する理由にもなった革新的な「分離脳*」の研究にインスパイアされたものだ。この研究のなかで、スペリーは脳の左半球（左脳）は言語、分析的思考、計算により集中していることを発見した。一方、脳の右半球（右脳）は、空間内の位置的関係の把握や、人の顔の認識、2次元や3次元の図形を思い浮かべたりといった、まさに絵を描くときに使われる能力に関係しているようだった。

右脳は、言語処理の大半を担う左脳よりも劣る、〝マイナーな〟ものだと見なされてきた歴史がある、とエドワーズは指摘している。それでも彼女は、言語優位のこの世界で、劣等生である右脳と視覚リテラシーの重要性を広めようと努力してきた。

彼女いわく、絵の初心者は、実際に目に見えているものではなく、すでに知識として知っていて名前を付けられるような世界を描こうとするという。要は、カテゴライズされた原型のようなものを描くわけだ。たとえば、誰かの顔をスケッチしろと言われると、「顔とはこんなものだろう、と

＊ 現在ではほとんどおこなわれなくなったが、かつてはてんかんの治療法として、患者の脳の両半球を分離する、脳梁離断術という手術が実施されていた。

思うもの」を描く。結果としてたしかに人の顔らしき絵ができあがるが、目の前にある顔とはあまり似ていないものとなる。

『脳の右側で描け』に載っている演習の1つに、パブロ・ピカソが描いたイーゴリ・ストラヴィンスキーの肖像画を模写するというものがある。エドワーズいわく、普通こうした空間的な錯覚を起こす点がいくつもある絵は、初心者にとっては難しいそうだ。

だが、ここで彼女は読者に簡単な指示を1つ与えている。それは、絵を上下逆さまにすることだ。すると、急に模写するのが簡単になる。その秘密は、自分が何を描いているかわからなくなるからだという。そのため、たとえば手などのように、上下逆さまにしても判別しやすい箇所ほど写すのが難しい。人は上下が反転した絵のように、頭では解析不能なものに直面したとき、「左脳モード」が引っ込み、「右脳モード」が優位になる、というのがエドワーズの考えだ。

では読者が急に楽に絵を描けるようになったのは、本当にこのように一時的に脳の働き方が再編成されたからなのだろうか？　エドワーズの本は脳科学を拡大解釈している、という批判の声もある。ユニバーシティ・カレッジ・ロンドンの脳科学の教授であるクリス・マクマナスは、「脳の局在性」――つまり、「多くの人は普段、問題解決に脳の片側だけしか使っていないが、適切に訓練することでもう片方も意識的に問題解決に用いることができる」――という考え方には、「深刻な欠陥がある」としている。

人は〝左脳タイプ〟と〝右脳タイプ〟に分かれるという考え方は、一般に広く浸透してはいるものの、科学的に確たる裏付けはなく、これは右脳のほうがより〝創造的〟という考えについても同様だ。そもそも「分離脳」の概念を提唱したスペリー自身も、「右と左の2分法」を「暴走しやすい」考え方であるとして注意を促していた。

ブライアンは、右脳左脳という考え方は現在思われているよりも、より比喩的な性質のものだと言っていたが、それでも彼はその〝比喩〟を極めてよく使った。「左脳はとても強力で、隅に追いやられるのを嫌う。だから右脳での知覚がすこしでもつまずくと、左脳は〝ほらみろ、だからできないって言ったじゃないか、このマヌケ！〟となるんだ」と彼は言う。だが、たとえ比喩だとしても、右脳左脳という枠組みでものを語るのは、「脳の機能についての時代遅れの分類法を生き延びさせる」ことにつながると批判する者もいる。

ただ、だからといってエドワーズのやり方が、正確に絵を描くにあたって役に立たないとか、『脳の右側で描け』に新たな知見が詰まっていないということにはならない。

結局のところ、芸術家たちは、物事をありのままに描くためには、それを新たな方法で見ることが不可欠だと長きにわたって主張しつづけてきた。

19世紀に著作を発表していた批評家であるジョン・ラスキンは、「無垢の目」――つまり、物事の「意味を意識することなく」、「子どものように認識する」ことが、芸術の本質だと主張した。また、クロード・モネは「外に出て絵を描くときには、木、家、野原など、それがなんであれ、目の前にある物を忘れようとしてみなさい。そして、ここに青い小さな四角形が、そこにはピンクの長方形が、あそこには黄色の縞模様があると考えて、ただ自分の目に見えるとおりに描くんだ」とアドバイスしている。

それに脳に関する研究はさておいても、私たちがまずは物事を分類してから考えはじめることが、絵を描く能力に与える影響については、いろいろと興味深いエビデンスがある。

1930年代におこなわれたある有名な実験――得られた結果がその後、ほかの実験でもおおむね再現されている――は、まずは被験者たちにたとえば2つの円を線で結んだ図形を見せて、そのあと記憶を頼りにそれを描かせるというものだった。そして、事前に図形がメガネであると言われたグループと、ダンベルだと言われたグループは、それぞれ異なる絵を描いた。それにどちらの場合も、元の図形とは違っていた。

つまり結果は明白で、彼らの絵は、実際に紙に描かれていたものではなく、心のなかにある記号により強く影響されていたのである。

＊

私たちが一揃いの記号だと思い込んでいるものの1つに、人間の頭がある。「実際、この記号は見えているものを上書きするようだ。そのため、人間の頭をリアルに描ける人はほとんどいないし、人物の見分けがつく肖像画を描ける人はさらに少ない」とエドワーズは記している。

そしてこれはトライベッカにおける最初の課題でも同じだった。「5日間のクラスのなかで最悪の瞬間がきたよ」とブライアンは言う。「君たちには自画像を描いてもらう」。この自画像はその場で評価を受けるのではなく、クラスが終わるまで保管され、1週間でどれだけ上達したかを測るために最後に描く絵と比べられる。

とはいえその前に、私たちはお互いに自己紹介をすることになった。まずはカリフォルニア出身のソフトウェアエンジニアで、ヨガの先生を目指しているというエリック。『脳の右側で描け』を読んで課題をいくつかこなし、もっとやってみたいと思った彼は、1週間休みをとって絵を学ぶことにした。次に金融関係の仕事についているギリシャ人のサキは、「自分の心のなかで、長いあいだ手つかずだった部分を探求する」ため、9カ月の長期休暇の最中だ。そして、モントリオール出身で5カ国語を話すウルスラは、ペルーのアマゾン奥地で、「人生観がひっくり返るような体験」をしたことがあるそうだ。アイダホの高齢者専用居住地で給仕をしているバーバラは「コミュニティカレッジの美術のクラスをいくつも」受講した成果の仕上げとして、この1週間、集中的に練習したいと思っていた。カリフォルニアのマリン郡から来たナンシーは、「これまでの人生を脳の左側で生きてきた」という元数学教師だが、引退後は、「土と糊とインクのついた手で過ごしたい」と考え、見事な方向転換をしたところだ。

各自、簡単にこれまでの人生を紹介し終えると、いよいよスケッチに移ることになった。私たちは授業のはじめに配られた教材のなかから〝セルフ・ポートレート・ミラー〟（網目状のラインが入った鏡）を取り出し、自分の顔を映して、描きはじめた。そして部屋はそのまま、1時間近く静まり返った。

私が描きあげた自画像は一見するとマグショット〔事件の容疑者が逮捕直後に撮られる写真〕のようだが、どうやらそこに映っているのはこの星の住人ではなさそうだった。妻はその絵を見て「それって、ビーバス？　それともバットヘッド？」〔どちらもテレビアニメのキャラクターで、頭が縦に長い〕と言った。

絵を習いはじめてみるとすぐにわかることだが、人間の頭の比率には、おおむね誰にでもあてはまる法則がいくつもある。たとえば、顔の幅は眼の幅の5倍くらいである。

だが、私の絵はそのほとんどを破っていた。顔は幅が広すぎるうえに縦にも長すぎた。鼻と唇のあいだのスペースはパーク・アベニューのように広大で、唇はいまにも顎から落ちそうなくらい垂れ下がり、幼い子どもがその不器用な手で好き勝手にアレンジしたミスター・ポテトヘッドのようだった。目はラフに書かれた象形文字のようで、髪の毛は初心者がよくやるように1本1本、線として描かれていたが、それこそ世界最悪のバーコード頭でもない限り、実際の髪はそんな風には見えない。また人間の顔には多くの筋肉があり、シワや陰影がいくつもあるものだが、どれ1つとしてこの絵には描かれていなかった。

私はこの絵を記憶をもとに描いたわけではない（仮にそうだったとしたら、現実よりも頭のなかの概念に頼ってしまうのもやむを得ないと思ってくれるだろうが）。1時間のあいだちゃんと鏡に映る自分の姿を見ていたのだ。それでもこのざまだ。

ふいにエドワーズの本に書かれていたことを思い出した。「指導を受ける前の絵」は、その人が最後に絵を描いた年齢――要は、絵を描くことをやめた齢――を表すという。まさに、芸術家として〝若輩者〟の姿である。私の場合、9歳児が49歳の男を描こうとしているようなものだ。これは不思議なことに思える。大人になっても、技術が子ども時代のまま琥珀《こはく》に閉じ込められたように変わっていない分野というのは珍しい。こと、絵に関しては、私は50年にもわたって初心者のままだったのだ。

次の日、私たちは折りたたみ式の椅子を描くように言われた。ブライアンは、それを椅子だと思わないように、と強調した。「椅子として描かないことで、より複雑な絵ができあがる」と彼は言う。

私は抽象的な色彩の点になるまでズームインすることで、椅子ではない個々のパーツを見ようとした。そして有名なルネ・マグリットの絵*を思い浮かべながら「これは椅子ではない」と自分に言い聞かせた。するとふいに、心のなかで、それがたんなる形と「余白」――すなわち、その〝椅子でないもの〟のあいだや周りにあるもの――の集合体に見えはじめたのだ。

ただ、私の絵を見たブライアンは、背もたれの大きさが間違っていることに気づいたようで「背もたれとクッションのあいだの隙間と同じくらいの長さが必要だよ」と言う。

そんなことはないだろう、と私は思った。

そこで、鉛筆を垂直に立て、手をまっすぐに伸ばして片目をつぶるという芸術家にはおなじみの方法――きっとみんなバッグス・バニーのアニメで見たことがあるだろう――で長さを測ってみた。するとたしかに彼の言う通りだった。しかし椅子をどんなに眺めても、その実際の大きさを受けいれることができない。目の前にあるものをなぜこれほど間違って描いてしまったのだろう?

＊

＊　この絵には『イメージの裏切り』というまさにその通りのタイトルがついている。

私たちは、なぜ見たものをそのまま描くことができないのか？

この問題について調べた研究では、ブライアンが前に言ったように、運動技能はほとんど関係ないことがあきらかとなった。そのかわり、われわれは思い込みや「反証があるにも関わらず捨てられない、間違った信念」に邪魔されている、とその研究者たちは示唆している。

言い換えれば、私はまだ、そこにある一続きのアングルや線、影ではなく、〝椅子〟を描こうとしていたのだ。ある一連の研究では、子どもたちに角度のついた複数の線を書き写させた。すると何も指示を与えていないときは上手くできるのだが、これが傾いたテーブルの輪郭線だと伝えると（これは事実だ）、急に上手く描けなくなったのである。

私はこうした思い込みと戦うのに何日も費やしたが、それは簡単ではなかった。「ぼくは妖精の粉を撒いてるわけじゃない。君たちがミケランジェロなんだ！」と、ある朝、ブライアンは怒りの声をあげた。これに対して「休暇のつもりで来たのに、こんなに頑張らなきゃいけないなんて思わなかった」と腹を立て、このコースを途中下車した人もいた。

また、ある課題では、ベッドルームの隅に張り付いて、そこから廊下につながる眺めを描いた。開いているドアのようなモチーフを正確に描写するには、「形の恒常性」と呼ばれる知覚現象と戦う必要がある。たとえば、私たちは頭のなかでは、ドアは内側に開いたときも、元の長方形のままだと思っているはずだ。

だが視覚的には、開いているドアは台形に見える。つまり、絵を描くにはドアの開いている角度を正確に測る必要があるにもかかわらず、そのとき目には頼れないということになる。じつのところ芸術家は誰よりもこうした知覚バイアスに陥りやすいとされているが、彼らは同時にそれを紙の上で修正する方法も身につけている。

絵を描くことは「物の見方を教えてくれる」とよく言われる。これはある意味正しいが、実際はもっと複雑で面白い要素がそこにはある。

たとえばエドワーズは、人でいっぱいの部屋を見渡すと、近くにいる人も遠くにいる人も頭の大きさが同じに見えてくるという例を挙げている（この現象は「大きさの恒常性」と呼ばれている）。ここで見えたとおり同じ大きさに描くと、紙の上では妙な感じになる。だが逆に、正しく大きさを変えて描くと、紙の上で同じ大きさに見えるのだ。

また、絵を描くことは〝物の見方〟というよりも、〝私たちが物をどう見ているか〟――つまり、脳が外界をとらえるときにどのような省略や切り捨てがおこなわれているかを教えてくれる。人は網膜に映った世界を見ているわけではない。脳はまるでアーティストのように、周りの世界に自分なりの解釈を加えて描いているのだ。

さらに絵は、見るべきものがいかに多いかについても教えてくれる。観察すればするほど、見えてくるものがある。天井の隅にあった影も、よく見るといくつもの影が折り重なったものだったし、床板1枚とってもそこには繊細な世界があった。私がそうした細部をすべて捉えようとしていると、ブライアンはこだわりすぎないほうが懸命だし、精神衛生上もそのほうがいいとアドバイスしてくれた。

とくに描きづらいと思ったのは、ベッドのシーツだった。ブライアンに相談すると、「シーツ用の特別な鉛筆を持ってこようか」と言った。もちろんそれはジョークで、人間の顔のシワを描くのも、シーツのシワを描くのも何も変わりはしないと彼は言いたいようだった。どちらも輪郭と陰影の問題なのだから、と。そこで私は、シーツの素材や折り目が幾何学的についているという考え方を捨て、あくまで抽象的な、誰かがそこで寝ていた結果としてできた陰影のある地形図だと思うことにした。

とはいえ、絵はこれまでにやったなかで一番没頭できる作業であり、原稿執筆よりもはるかに深く集中できた。携帯電話は電源を切って別の部屋に置いてあるため、そこには鉛筆と紙、そして風景と自分自身だけがある。気づかないうちに数時間が経っていることもざらで、これは〝おまけ付きの瞑想〟だと私は思った。深い集中状態に入り、時間や浮世の苦労を忘れ、最後には、お土産まで手に入るのだから。

芸術家のフレデリック・フランクは、9世紀の禅の大家である大慧の「動的な状態での瞑想は、静的な状態のそれよりも千倍も深い」という言葉を引用している。いまで言う〝フロー〟だ。そうした状態に入っていたのは私だけではなかった。クラスの誰かが「こんなに集中できたのは久しぶりだ」と言うのを耳にしたし、モントリオール出身のウルスラは「子どもの頃の思い出が出てきそうなくらい深いところまでいった」と言っていた。

そしてついに最後のプロジェクトとして、この1週間で身につけた技術と経験を総動員して、もう一度自画像を描くときがきた。今回はセルフ・ポートレート・ミラーをどこかに据え付けるとのことだったので、私は数名の生徒とともに鏡を廊下に置くことにした。隣ではサキが絵を描いていたので、気が散らないようイヤホンをして、グレン・グールドの曲を流しはじめた。すると、気づけばランチの時間になっていた。

私は30分後に自画像にふたたびとりかかったが、しばらくしてもサキがランチから戻ってこないのに気づいた。それにさっき猛烈な勢いで消しゴムをかけていた彼の絵が、あまり進んでいないことにも。それを見た私は、我がことのようにストレスを感じた。ただ、自分だって絵を完成させるのに――仮に完成するとしたらだが――あと数時間はかかるだろう。場合によっては数日かもしれない。ブライアンは、絵が仕上がったとわかるのは、それ以上どう手を加えても悪くなるときさ、と教えてくれた。

自分の絵を廊下の壁から取り外し、ロフトの壁に飾ると、そこはクラスメートたちの即興のギャラリーとなった。私の自画像は暗く、生々しくて、憂うつそうだった。視線は強烈で、それは個性というよりも、たんにあまりに懸命に絵に取り組んだからだろう。ブライアンはこの絵を、ドイツの都市ヴァイマルでのストリートライフを描きつづけたマックス・ベックマンの作品にたとえた（いい意味だったと思いたい）。しかし眼が！　あまり大きかった。絵を家に持ち帰って誇らしげにリビングに飾ったところ、妻はくすくす笑いながら、「あなた、ビーニーベイビーみたいね」と言った。

作家のピーター・スタインハートは、「大半の絵は失敗作であり、ほぼすべてがただの練習である」と書いている。私はこの言葉を座右の銘にすることにした――まあ、それ以外に選択肢はなかったのだが。

それでも、このクラスはある種の天啓をもたらしてくれた。実際、一度絵を学びはじめると、脳が不可逆的に変化するとエドワーズは言っていた（そして前章で書いたとおり、たしかに私の脳は最近になって大きく変化している）。

じつのところ、絵を描くこと自体はそれほど大変ではなかったが、〝ものを見る〟のは難しかった。でも、一度見る練習をはじめると、それは身の回りの世界の新たなレイヤーを解き放つ超能力のように感じられた。気づけば、通りで立ち止まって車のボンネットに映る街並みの微妙な変化を見たり、オレンジの皮の表面のパターンに目を奪われている自分がいた。病院の診察室では、脱脂綿の入った瓶や、天井の防音タイルなどを30分もボーッとしたまま見つづけ、「どうやって描こうか」と思いをめぐらせたりもした。

それに自画像を描いたことで、自分の顔を1つのものとしてじっくりと観察できた。毎朝鏡で見るのと同じ顔のはずなのに、いざ絵に描くとなると、まるで見知らぬ土地の地図をつくっているような気分になった。たとえ自撮り写真を1000枚とったとしても、自画像を描くほどには自分の顔に親しむことはできないだろう。写真という生の情報――ただ撮影するだけのデータ――が氾濫している時代に、絵を描くことは十分身につけるに値する知恵だと思える。

このクラスを受講した人のなかには「よし、これで絵の描き方はわかったぞ」とでも言わんばかりに、元の生活に戻ってしまう人もいる、とブライアンは言った。

私はまだ、自分が原始的な壁画をすこし描いただけの旧石器時代の段階にいるとわかっていた。画家のジョン・スローンは「絵を描くことを卒業してはいけない」と忠告している。絵は私のなかの何かを解放してくれた。もともと物をつくるのは好きだったが、絵を描くことはそれとはほとんど別物だった。絵を描いていくプロセスに魅了された私は、さらに先に進むことにした。

自然と浮かび上がってくる絵：アートスクールでの私の冒険

高級ブティックやエアロバイクでいっぱいのジムが立ち並ぶ、トライベッカのにぎやかな通りから、ニューヨーク芸術アカデミーに一歩足を踏み入れると、まるで古代ギリシャのアゴラに迷い込んだような気分になる。石膏の柱、著名な彫刻家による胸像のレプリカ、筋肉質の裸像。ロビーからはソクラテス式の対話が聞こえてきそうだ。

かつては製本家や傘職人の住み家だった、19世紀建造、5階建ての建物のなかにあるこのアカデミーは、芸術の趨勢がミニマル・アートやコンセプチュアル・アートに傾いていき、アートスクールが伝統的なデッサンや絵画などの技術をほとんど持たない卒業生を世の中に送り出しはじめたことを危惧した人びとによって、1982年に設立された。皮肉なことに、このアカデミーの初期のパトロンの一人は、しばしばコンセプチュアル・アーティストに数えられるアンディ・ウォーホルだったのだが。大ざっぱに言えば、円ひとつ満足に描けないアートスクールの学生がいたという。「彼らはコンセプチュアリズムについては疲れ果てるまで語ることができます」とアカデミーの広報部長であるアンガラッド・コーツは言う。「でも、イーゼルも画法も知らないんです」

当初、このアカデミーのやり方はすこし風変わりだと思われていた。画家のエリック・フィッシユルは、「当たり前のようにトーガ（古代ローマの外衣）を身に着けている絵画の生徒たちがたくさんいた」と述べている。

人間の形状を正確に描くことは、久しく芸術の関心の中心ではなくなっていたが、ここではエコルシェ――つまり、皮膚を取り除いた状態の人体――がどのように見えるかを描く技法を学ぶことが生徒全員に求められる。ただ、コーツいわく、このアカデミーでは古典的な技法を重視してはいるものの、古典主義への回帰を目指しているわけではないという。「生徒たちはこうした本格的な訓練をすべてこなしたあとに、現代の芸術家になることを期待されています」

アカデミーは当初、財政的、組織的問題を抱えていたが、その後ニューヨークのアートシーンで、風変わりではあるが尊敬される存在となった。年に一度、資金調達のための豪華な舞踏会が開かれ、写生のクラスには、筋肉質でしなやかな体を持つことで知られる〝パンクのゴッドファーザー〟イギー・ポップが、ヌードモデルとして登場した。「どういうわけか、人前で裸になり、ただ突っ立って交流することが、自分にとって大切だと思った」と彼は言っている。また、彫刻課の学生たちは、身元不明の犯罪被害者の頭蓋骨から顔の模型をつくることで、未解決事件の捜査に協力した。そしてこのアカデミーのディレクターは、最初は絵画のクラスに生徒として来た、有能な企業幹部だった。

私は、いきなり連続形式のクラスに入るのは（たとえ初心者向きと銘打ってあっても）気がひけたため、まずはこの学校の絵画部門の部局長であるマイケル・グリマルディのプライベートレッスンを数回受けてみることにした。

そしてある夜、イーゼルが散らばり、床には絵の具とテープの跡があり、空調システムのラジエーターがガラガラと音を立てる洞窟のような部屋で私たちは対面した。長身で穏やかな話し方をするグリマルディは、大学時代は一部リーグのフェンシング選手だったらしく、その身のこなしは優雅だった。8歳の娘がフェンシングをはじめたのをきっかけに、彼も15年ぶりに再開したそうだ。「試合の声と匂い」を肌で感じて、彼も私と同じように、ただ見ているわけにはいかないと思ったのだろう。

マンハッタン育ちのグリマルディは、たとえば同じマンションにロバート・ラウシェンバーグやジュリアン・シュナーベルが住んでいるなど、昔から現代アーティストに囲まれていた。いわく「彼らは自分の目で見たものを描きたいという衝動を決して否定しなかった」という。

私が最近エドワーズのワークショップを受講したことを伝えると、彼は得心したようにうなずいた。そして彼がした説明の一部は、これまでに私が聞いてきたのと同じような内容だった。「これからの数週間、われわれは視覚的な体験を抽象化する方法を探っていく。ものに対する数々の偏見を取り除いていくことになるだろう」

たとえば人の顔を描くとき、私たちは自分にとって重要な部分を強調しすぎる傾向がある。目は大きく、額は狭くなりがちだ。なぜなら額よりも目を見る機会が多いし、そのときのほうが大きく感情が動くからだ。また、実際には目の高さは顔の真ん中くらいなのだが、それよりも上に描いてしまうことが多い（研究によれば被験者である素人のなんと95パーセントがこのミスを犯すという）。そして斜めのアングルから顔を描くときにも、目だけは正面を向いているようになりがちなのは、自分が普段そうやって人の顔を見ているからだ。意味や感情が込められているものほど、（すくなくとも初心者のうちは）描きづらいのではないかと、グリマルディは考えている。彼にとって自分の娘は、とくに手強いモチーフだったという。「冷静で客観的に見ることができれば、何かと楽なんだけどね」と彼は言った。

最初のモチーフは中身がパンパンに詰まったアンティークのソファだ。これを台の上に置き、上からは照明を当てる。初回のレッスンのテーマは、〝色価《ヴァルール》〟。すなわち、色の明度だった。色彩豊かな油絵や水彩画とは違い、鉛筆描きの絵には限界がある。「君たちはたったひとつの方法でやるしかない。色価を表現するのはとても難しいんだ」とグリマルディは言い、さらにそれを見分けるのも簡単ではないと続けた。「白い壁を背景にして白い物体を見るとき、われわれは両方とも、たんに白だと考える」。だが、その物体が壁に溶け込むことなく目に見えるのは、両者の色価に違いがあるからだ。絵を描くときに、決めつけは禁物だ。

鉛筆1本と紙1枚で、もっとも暗い影から一番明るい日差しまですべてをカバーしなければならない。そのため描きはじめる前にこの〝もっとも暗い影〟と〝一番明るい日差し〟の両方を把握しておく必要がある、とグリマルディは言う。いわく両極の色価をひとまとめにしておくことで、その中間にある色がどのようなものか見当がつくらしい。それをせずに白い紙に向かって描きはじめると、実際よりも色が暗いと思い込んでしまうそうだ。

またどのような風景であっても、含まれる色価の幅だけで圧倒されてしまうことがある。その場合は目を細めるといい、とグリマルディは言った。「そうすれば目の色覚受容体の機能を抑えて、より桿状体（色彩ではなく、光の明暗のみを区別する視細胞）を働かせることができる。暗い部屋に足を踏み入れたとき、色は見えない。見えるのは色価だけさ」

次の週のモチーフは、古代ギリシャのヴィーナス像をローマ時代に部分的に複製した鋳造像だった。私の考えでは、目の前にある輪郭を忠実になぞっていけば描けるはずだった。

そして実際、やろうと思えばそれも可能だ。しかし、今回の目的は正確な描写なので、設計図がないと家が建たないのと同じで、まずは概略をつくる必要がある。こうした絵にはどこか建築的な要素があった。「ぼくの先生は、これは絵ではなく、絵の仮枠だと言っていたよ」とグリマルディは説明した。

まずは、基本となる〝封筒〟を素描する。これは物体の一番遠いところにある点同士をつないだ図形であり、全体のバランスをとるためのもので、おおむね台形のような形になる。そこから、絵の一番高いところや低いところをはじめとする数々の〝目印〟に向かって、サッと線を引いていく。グリマルディはこれをハイキングにたとえた。もし迷子になっても目印をもとに三角測量をすれば、自分の現在地がわかるというわけだ。

また、細部にはこだわらず、おおまかな姿勢だけを描くように、とも言われた。「質量や形状についてはいつでも確認できるんだから」。そのため、1つの部位に時間をかけすぎていることに気づいたら（たいていこれは頭だった）、次に移ったほうがいい。

ここではすべてを抽象的にしておく必要があった。曲線は、曲線としてではなく、短い直線をつなげて描いていく。「そのほうがはるかに速く絵が描ける。ぼくらの目や手にとって、曲線を引くのは手間だからね」

また、グリマルディは鉛筆を、文字を書くときの持ち方ではなく、端をつかんでいることに私は気づいた。鉛筆は彼の指のなかで、地震計の針のように揺れている。これも、具体的な輪郭や形を描かないようにするためだった。こうすることで、彼の視線が衝動的に飛ぶのとほぼ同時に、その動きをリアルタイムで記録するように、鉛筆は紙のうえをいったりきたりすることになる。

芸術家は普通の人よりも、対象をよく観察する傾向がある。一説によると、芸術家はこうすることで、バイアスや誤解が非常に生じやすい作業記憶の領域に、イメージをとどめておかなくても済むようにしていると言われている。

鉛筆を走らせて像の片腕をおおまかに描いていたとき、私はふいにその位置が低すぎることに気づいた。するとグリマルディは表情を緩めて、「描いている途中で間違いを見つけるのはいいことさ。まずいのは気づかないことだ」と言った。ミスを放置したまま描けば描くほど、最後には大幅な修正が必要となる。

そして、斜線やばつ印でいっぱいになったこの台形の箱のなかに、じょじょに、ヴィーナスの姿が浮かび上がってきた。自分で絵を描いたというよりも、絵が自動的に出てきたような感じがした。つまり、像の「目」や「足」を意識しなくても、アングルや姿勢を計算しているうちに自然と見えてきたということだ。

「これは実際、すごくよくできてるね」とグリマルディが言う。それは本心からの言葉に思えたが、それでも私は真剣な学習者ならみなそうであるように、ただのお世辞ではないかと疑った。以前、私の娘はチョコチップクッキーを焼いたあとにこう言ったものだ。「ただよくできたねって言うだけじゃだめよ。本当はどうだったのか教えて」

＊

私のアマチュア画家としてのキャリアは、アカデミーの社会人教育クラスに入ることでさらに続くことになった。熱心な学生のように、私は急いで推奨リストに載った必需品を購入した。新しい道具の数々をそろえるのは間違いなく、初心者にとって大きな楽しみの1つだ。普段は電子機器のボタンを押すだけの生活している私にとって、鉛筆をカッターで削ったり、パテのような感触のネリケシを使ったり、擦筆《さっぴつ》を使って鉛筆の色をなじませたりといった、絵を描く作業の手触りは、とても好ましいものに感じられた。

また、作品を抱えて家を出るときに、近所の人たちが驚いた顔をしているのを見て、内心得意になっていた。そう。ぼくはこれから美術学校に行くんだよ。だが、この弾むような自信も、絵の具が散ったズボンに個性的な髪型、手には見事な作品を持った本物の芸術家でいっぱいのアカデミーに入っていく頃にはすっかりしぼんでいた。

それでも、秘密の世界に入れてもらったような気分にはなった。それに、修行中の若い芸術家に囲まれて、彼らがブラシを洗い、ランチの場でおしゃべりをしているのをみると、おもわず大学に入る前の自分に思いを馳せてしまう。もしこの道に進んでいたら、と。

ただ、初心者向けとされている社会人向けコースのなかにも、優秀な人はたくさんいた。ある授業で、私はブルックリンから来ている高校教師のパットと出会った。彼の絵画歴は数十年におよび、自宅には20年前にとりかかった絵があって、いつか続きを描くつもりだと言っていた（要は、この社会人向けコースを通じて）。だが、もう精神的に煮詰まってきているようで、「半インチの四角に1時間かけても、思い通りの形にならない」という。

しばらくすると、私も彼の気持ちがわかるようになった。あるクラスで、ピカソにも影響を与えたという、19世紀のフランスで生まれた有名な「シャルル・バルグのメソッド」の演習をしたのだが、そこでは数週間をかけて、目の前に置いたイーゼルに吊るした耳の石膏模型を、なるべくそっくりに見えるよう模写することになった。天井の照明器具で照らされたその〝耳〟は、渦を巻くような曲線と影の塊であり、見ていると目が回ってくるような腹立たしい代物だった。

妖しげな渦巻きを目の前にしたように、その得体の知れないもののなかに吸い込まれるような気がしてくる。講師のアルド・ベルジュは「ぼくたちは鉛筆1本で、3次元の形を表現しようとしている。触ったらどんな感じなのかわかるようにするんだ」と言った。要は、手ではなく、鉛筆を使って彫刻をしなければならないわけだ。カーブした影の深い部分に潜り、上からの光が反射して、耳の上のひだに跳ね返る流れを追わなければならなかった。ベルジュはこれを〝ローリング・フォーム〟と呼んだ。「『ローハイド』の歌を覚えてるかい？　とにかくローリングさせつづけるんだ！」

ただ、左隣に座っているクラスメートのアンドリューの絵にたまに視線を走らせると、あまりにも自分のものと違うので驚いてしまった。私の絵は全体的にゆるやかで印象派のような感じなのだが、彼の絵は恐ろしく正確で、まるで解剖図のようだったのだ。技術は学ぶことができるが、自分のスタイルというのは自然と生まれてくるもののようだ。学期の終わりに全員の作品――12個の耳――が集まったとき、それぞれがまるで自筆のサインのように個性的だった。ベルジュは私の絵を見て、うなずくように「これはちゃんと音を聞いている。脈うっているような感じがするよ」と言ってくれた。小学生の頃に戻って、自分の作品が先生に選ばれたような気分になった。なぜかはわからないが、昔からやってきたことよりも、新しくはじめたことを褒められるほうがうれしいものだ。

だんだんと自信がついてきた私は、絵を描いているときに肩越しに誰かに覗き込まれても、それほど恥ずかしいとは思わなくなってきた。自宅ではキッチンのテーブルのうえにオレンジか何かを置いて、妻と娘に絵を描かせ、即興のお絵かき教室を開いた。また、住んでいるマンションの管理人さんに贈るクリスマスカードには、彼の飼い犬であるシベリアンハスキーのローガンのラフスケッチを添えてみた。すると「これはぜったいに売れるよ!」と興奮した反応が返ってきた。とてもうれしかったが、同時にこれは、孫が初めてピアノに合わせて歌い終えたときに、これでカーネギーホール行きは確実だと思い込む、おじいちゃん、おばあちゃんと同じかもしれない、とも思った。

そして、本物のモデルを描くクラスにも初めて参加した。生き物ではない物体を何時間も見つめるのと、生きて呼吸をしている人間が短く区切った時間のあいだだけ目の前に座るのでは大きく勝手が違った。モデルが休憩から戻ってくると、座り方がすこし変わったり、服のシワや頬に当たる光が、突然それまで描いていたのとは違うものになったりするからだ。

それに人間を描いていると、どうしてもジャーナリストの本能が頭をもたげてきてしまう。いったい彼らは何者なのか？　この仕事が好きなんだろうか？　私もモデルになれるだろうか？　当然だが、こうした疑問に答えは与えられない。プライバシーの侵害であるうえに、正確なスケッチの邪魔にもなるとされていたからだ。

ある日の午後、いまのクラスでモデルを務めている、引き締まった筋肉質の体つきをしたメッシュの入った金髪の男性が、私服姿でエレベーターに乗っているのに出くわした。私が、動かないで静かに座っているときは何を考えているの、と尋ねると、彼は「今日はどの株を買おうか考えてました」と言った。まさか〝人生の意味について〟という答えを期待していたわけではなかったとはいえ、この答えには驚いた。イギー・ポップは自分の歌について考えていたと発言しているが、彼は心のなかで株式市場を追いかけていたのだ。

一方で、私自身の心は絵のなかにしみ出していた。このクラスの講師であるロバート・アーメッタには「君はそこにないものを見ている」と言われた——いや、叱られたというほうが正確だろう。私はただ暗い色を塗っておけば十分なところに、はっきりとまつげを描いてしまっていた。「目立たせちゃいけないところを強調して、逆に目立たせなきゃいけない部分を抑えて描いている」という言葉に、私はうなずいた。それだけではない。線を描き加えるという大罪も犯していた。「それでは、絵があまりに概念的で、型にはまったものになってしまう」。君の鉛筆は重すぎる、と言われたのでふと下を見てみると、たしかに私は鉛筆を、まるで鉄でできているかのように握りしめていた。「すべては軽くなければいけないよ」。簡単には消せないような筆圧の線を見て、アーメッタは言う。「ぼくたちは、とりあえずは間違った線を引いているという仮定のもとでやってるんだから」。そしてその仮定は現実であった。線の途中のどこかで、私のもくろみは崩れていた。「君はbからc、cからd、そしてdからeは確認しているのに、aからfをチェックしていないんだ。わかるかい？」そんなことはないと思いながらも、すこしボーッとしたまま、私はただうなずいた。ただ、このとき私はまだ、難しさに圧倒されている状態ではあったが、新しく何かを学ぶと、まず間違いなく〝波及効果〟が起きる。要は、さらに新しいことを学びたくなるのだ。

そのため、ドローイング〔鉛筆やペンなどを使って線で絵をかくこと〕とペインティング〔絵の具で絵をかくこと〕の両方をカバーするクラスに申し込むのにそれほど時間はかからなかった。講師のアダム・クロスによれば、このクラスは途中でドローイングからペインティングに切り替わるとのこと。「ただ、生徒の4分の3はそのままドローイングを続けたいと思うみたいだ。自分自身が解き放った力に興奮するあまりね」

ペインティングには、新しい道具と新しい技術への挑戦があり、私はまた初心者からやり直しだった。そういえばドローイングのクラスで、講師のロバート・アーメッタは私のスケッチを見ながら、描きはじめのときの最初の視線には特別な力があるという話をしていた。「君の目は今日1日のなかで、いまが一番フレッシュなんだ」。しかし絵を描く時間が長くなるにつれ、「ぼくたちは自分のやってることがそんなに悪くないんじゃないか、と錯覚しはじめる」と彼は言った。つまり、慣れが満足感を生んでしまうわけだ。

描きだしたばかりの絵は、ある意味で初心者の状態と同じだった。新しい経験が生み出すたしかな覚醒感のなか、仮の試みとしての作業が続く。間違えをすこしずつ取り除きながら、過去の経験や習慣から解放され、そこには真っ白で広大で可能性に満ちた空っぽの地平線が広がる。

絵を描くことが自分をどこに連れていってくれるのかは、想像もつかない。最初は絵の具を使って絵を描こうとは思っていなかったのに、気づけばそうなっていた。いまや彫刻のクラスまで視野に入りつつある。私はふたたび、ノーマン・ラッシュの愛についての説明を思い出していた。そこにはたくさんの部屋があり、次に移るごとに、部屋は大きく、すばらしくなっていくという。「あなたは、決して意図して次の部屋に移るのではない。ただ、そうなってしまうのだ。扉を見つけ、それをくぐると、そこには新たな喜びがある」

たしかに何かを学ぶというのはそんな感じだ。〝初心者歓迎〟という札のかかった、最初の扉を開けさえすれば。

第8章
見習い職人 あるいは私の学んだこと

CHAPTER 8 : THE APPRENTICE – or, What I Learned

どのような科学においても、ある男が初心者であることをやめ、その分野の達人になるのは、自分が生涯にわたって初心者であることを学んだときである。*

——ロビン・コリングウッド

遅すぎるということもなければ、早すぎるということもない：生涯スポーツとしての学習

ここまで私は、いろいろなことに初心者として取り組んできたが、恥をかいたり、不安になったり、上手くできなかったりしてギブアップしかけたことは何度もあった。

＊ ここでも「男」という言葉が使われているのは承知している。ただ、引用の作法を守りたかっただけだ。

とくに忘れられないのは、バハマのアバコ諸島沖の海で3キロの遠泳をしたときのことだ。当時9歳だった娘と70歳のフランス人女性——1日に1箱吸っていたタバコを止め、最近になってユーチューブの動画を見て独学で泳ぎ方を覚えた人——に置いていかれないよう、私は必死になっていた。

なぜこんなことになったのか？

これをさかのぼること1年前、娘が毎週の水泳のレッスンを受けているあいだ（それはもう1000回目くらいに感じられた）、私はベンチに座って携帯電話に目を落としていた。これはいつものことで、携帯を見なかったのは、実際に携帯をプールに落としてしまったときぐらいのものだ。*本書につきまとう、あの考えが私のなかで頭をもたげたのは、そんな日の午後のことだった。自分は傍観者として座ったまま、どれくらいの時間をつぶしてきたのだろう？　最後に泳いだのはいつだったっけ？

年に数回はホテルのプールで泳いだり、妻の両親と一緒に湖で水浴びをしたりはしていた。ただ、じつのところ、ニューヨークで泳ぐのは簡単なことではない。プールは高いうえに混んでいる。サーフィンで海には何度も入っていたが、ボードの上に戻るには何回か水を掻けば十分だった。

それでも私は、ロジャー・ディーキンの名著、『イギリスを泳ぎまくる』を読んでいた。この本では川や湖、大海原に飛び込んで泳ぐ「ワイルド・スイミング」を勧めているが、それがとても魅

* その携帯は米の袋に入れたところ（水没した携帯を米のなかにいれると復活するという説がある）1週間は動いたが、そのあと壊れてしまった。

力的だった。あらかじめ危険な場所を〝標識で区別する〟ようになりつつあるこの世の中で、ワイルド・スイミングは自由と、ある世界を出て、もうひとつの世界に移るという深い変化をもたらすものだとディーキンは主張する。そしてさらに、これを誰にでも使える〝元気の素〟として売り出したのだ。「たとえ私が、浮かない顔をして、末期のうつ病のような気分だったとしても、水に飛び込むことはできる。そして水からあがる頃には、能天気に口笛を吹いている」と彼は書いている。ページをめくるたびに、私は自分が水に引き寄せられていくのを感じた。

そして、娘が背泳ぎでいったりきたりしているのを見ていたとき、ふいに、家族で「ワイルド・スイミング・ホリデイ」をとったらどうかとひらめいた。これは最近、とくにイギリスで人気を博していて、本屋には「スイミングで人生が変わった」というエッセイが棚いっぱいに並んでいるほどだった。

私が毎年のように行っていた自転車旅行では、苦行と炭水化物とテストステロンのつらい日々が待っているが、これなら全員が楽しめそうだ。妻も私と同じく、水大好き人間というわけではないが、それでも機会があるときには楽しそうに水に浸かっていた。娘にとっては学んだことを外の世界で活かすチャンスだろう。それにみんなで自然のなかに――そう、本当の意味での自然のなかに行って、体を動かし心を鎮めることで、家族としてひとつになれるはずだ（本書の前半で述べたように、何かを一緒に学ぶことは絆を深めるのに役立つ）。

また、あまり体に負担をかけない水泳は生涯スポーツであるとも言われている。私は何度もそう聞いたし、水泳選手と話すと、開口一番この言葉を口にすることも多かった。娘が成人する頃にはほとんど引退する年齢になっているやや年配の親として、これは魅力的に響いた。ある長期にわたる研究によると、水泳をする人はあまり体を動かさない人たちに比べて長生きするという。まあこれはある意味予想どおりだとしても、理由ははっきりとはわかっていないが、よく歩いたり走ったりする人と比べても、平均寿命が長いらしい。

それにロジャー・ディーキンだけでなく、水泳をする人ならみな、泳ぐと気分が良くなると言うはずだ。水泳の抗うつ作用についての実際の臨床的証拠としては、マウスを使った実験の結果が大いに参考になるだろう（マウスは生まれつき泳ぐことで知られている）。実験ではマウスに数週間にわたって、ケージを傾けたり、しっぽをつねったり、寝床を濡らしたりと、さまざまな形で軽いストレスを与える。ちなみにこれをニューヨークの生活に置き換えれば、大家さんが暖房を入れてくれなかったり、外で車のクラクションが止まらなかったり、隣人がタバコを吸いつづけたりということになるだろう。

すると当然だが、マウスたちは元気がなくなってくる。そこで水のなかに入れてしばらく泳がせてみる。そのあとに、マウスの脳（とくに海馬のタンパク質）の変化を分析したところ、泳いだことでマウスの落ち込んだ気分が解消されたようだと研究者たちは結論した。

私自身、ある程度泳いでみて、水泳にデメリットを感じることはなかった。そこで、スイミング・ホリデイをサポートしてくれる数少ない会社の1つである「スイム・クエスト」に相談のうえで、岩場の多い小さな島、ギリシャのマトラキ島への旅行を決めた。島が浮かぶイオニア海は温暖で透明度が高く、危険なもの――サメや、もっと危険なスピードボート――がほとんどいないという。私は周り一面を青に囲まれたマトラキ島を地図で確認し、この近くの島であのオデュッセウスが海の女神カリュプソーのとりこになったとされるくだりを本で読んだ。

この海を巡る神話とロマンスにはたちまち夢中になった私だが、あとになって、自分が普段は元気なほうなのに、泳ぐとすぐに疲れてしまうのを思い出した。プールを何度か往復しただけで、休憩を入れなければならないのだ。プールですら大変なのに、なぜ軽率にも、手に負えないほど深い海に行くことを決めてしまったのだろう？

＊

急いでレッスンを詰め込む必要があると思った私は、地元のトライアスロンのコーチであるマーティ・マンソンに連絡をとった。すると彼女から、まずはプールでの練習からはじめようと言われ、それだけでハッとした。飛躍的に成長中の娘とは違って、私自身の水泳技術は１９７０年代にＹＭＣＡで泳ぎ方を習ったところで止まっていたのを思い出したからだ。

あるいはそれは泳ぎ方を習ったというよりも〝習ったつもり〟だったかもしれない。あなたが習ったのは〝溺れない方法〟にすぎないと複数の人に言われたことがあるからだ。両者には大きな違いがある。

私がプールを何往復かするのを見たマンソンはすぐに、泳ぐのがこれほどしんどい理由をつきとめた。多くの初心者——あるいは初心者の段階から抜けられない人たちと同じく、私はクロールで腕を掻く際に、水面から頭を出して息を吸い、吐こうとしていた。実際は、息を吐くのは水中でやらなければならない（これは「バブル・ブリージング」と呼ばれる）そうだ。いまのように大急ぎで吸ったり吐いたりしていると、過呼吸になりかねないという。

そんなの当たり前だと思う人もいるかもしれない。だが、私はこれまでに息継ぎのやり方について誰にも指摘されたことがなかった。フォームにもいくつか問題があったが、息継ぎの改善が最優先のようだ。有名な水泳のコーチであるテリー・ラフリンは、「水泳と陸上スポーツの大きな違いの1つは、水中で呼吸をするのは技術であり、しかもかなり高度なものだということだ」と述べている。

その後、海での経験を積むために、コニー・アイランドへと向かった。ここでは暖かい時期には海水浴が盛んだが、その日の朝はまだ寒く、われわれ以外には誰もいなかった。ウェットスーツを身に着けて水に飛び込むと、遠くには有名なジェットコースターである「サイクロン」がぼんやりと見える。

防波堤のあいだを泳いでいると、波に巻かれ、一瞬目が回った。海の上ではなく、海のなかでも船酔いするなんて思いもしなかった。息継ぎをしようと顔を出すと、波を受け、口いっぱいに海水を飲み込んだ。風に動きを妨げられ、潮の流れに進路を変えられた。「沖に出て泳ぐのは〝受けいれる〟練習よ。海がどんなものを投げかけてこようと、それを受けとめなければならないの」とマンソンは言う。

これは人生にもあてはまる教訓のように思える。波立つ海での遠泳を乗り切ることができれば、通勤地獄や予定表にぎっしり詰まったミーティングなど、ものの数ではないだろう。

それでも、家族全員でマトラキ島についたときは、不安でいっぱいだった。たしかに進化の過程において、われわれ人類が海から出てきたのは事実だが、それ以来、海とはある種の対立関係にあったと言っていい。なぜ私は自分の家族を、この巨大な未知の危険に晒しているのだろう？　サーフィンなら少なくとも、まず水の上にいられるというのに。

マトラキ島は、コルフ島の沖合に浮かぶディアポンティア諸島の1つで、岩だらけで起伏の激しい、松の香りのする小さな島だった。現地には、ヤンキースの帽子をかぶった年配のギリシャ人がたくさんいて——若い頃はニューヨークのクイーンズにでも住んでいたのだろう——、ミソスビールを片手におしゃべりをしたり、地中海の小さな庭を手入れしたりしながら、余生を過ごしている。私たちが泊まったのは家族経営の小さな宿で、宿泊客よりもにわとりのほうが多いようなところだった。

遠泳初日の朝、私たちに濃いギリシャコーヒーを淹《い》れてくれた宿の息子であるジョージが操縦するスイム・クエストのボートで、海に向かった。ほかのメンバーはすでに水に浸かっていたが、私たち家族はまだ、波に揺られながらボートの縁に座り、ためらっている。

岸ははるか遠く、海面は渦を巻いた鏡のようで、なかがどうなっているのかは見えない。私たちはみな、フリスビーを投げれば陸に届くような距離でしか泳いだ経験はない。このステュクス〔ギリシャ神話で冥府を流れているとされる河〕の深みにはいったい何がいるのだろうか。深い海に対する恐れは、海洋恐怖症《タラソフォビア》と呼ばれ、浅い海とは別の何かがある。

それでも娘を先頭に、一人ずつ海に入っていった。水は温かく、穏やかだとすら言えた。遠くにはアルバニアのゴツゴツとした岸壁が見える。私たちは安全のため、本能的に身を寄せあって泳ぎはじめた。突然、世界が下からせり上がってきて、奈落の底まで果てしなく続いているような気分になった。

まだ多感だった7歳の頃、ありとあらゆるスーパーマーケットのカウンターに置かれていた『ジョーズ』のペーパーバック。私の頭のなかはその表紙でいっぱいになっていた。不吉な予感をリアルに感じる。それでも、ボートは激しい水しぶきをあげてつねに側にいたし、ガイドである、強くて経験豊かな南アフリカの競泳選手兼サーファー兼フリーダイバーのミア・ラッセル（自称〝マーメイド〟）が船の上から、ときには一緒に水のなかに入って見守ってくれた。

最初は気後れしながら泳いでいた私たちだったが、それはじょじょに至福の時間にかわっていった。水のなかに飛び込むとそこは別世界で、下から透明な反射光で照らされた青い部屋が、いくつも連なっているようだ。海はあらゆる形をとった――うねりをあげて行く手をはばむ障害物であるとともに、塩気を含みながらも優しく体を持ちあげてくれる抱擁でもある。ボートがつねに近くにいる安心感から、海面の下に果てしなく広がる世界のように、心をどこまでも解放することができた。私たちは小さなクジラの群れのごとく、入り江を縫うように進みつつ、沐浴場のような水のなかで戯れた。

そして日が経つにつれ、みな、自分を陸地に縛り付けていた不安をすこしずつ克服しはじめ、何も考えることなく、これまでにないほど長い距離を泳ぐようになっていた。メートル単位だったものがキロ単位になり、どうしようもないほど遠く感じられた島々が、いまは手の届くところにあるような気がした。そして最後の夜、この1週間に予定されていた行程のほぼすべてを泳ぎきった娘に、その勇気と覚悟を賞して、みなの憧れであるゴールデン・スイムキャップが贈られた。

私たちは、何か大きな経験をしたという気持ちになった。人は最初は水のなかで生まれるのだ。ならば水のなかで生まれ変わっても不思議はあるまい。ある日の午後、ラッセルが「水は一種のセラピーよ」と言った。「水中は静かだから、気持ちが落ち着くし、浮いていれば気持ちがいい。子宮のなかにいるみたいにね。水のなかではこうした感覚が一気に現れるの」。彼女は、海のなかで、恐怖に打ち勝ち、人生を整理し、個人的な悩みを克服する――つまり何かを〝乗り越える〟人びとを何度も目にしてきた。そのゴーグルは涙に濡れていることすらあるという。

*

私たちは夢中になった。妻と娘も、私と同じく初心者としての熱い思いでいっぱいだった。

それから1年も経たないうちに、私たちはもう一度スイム・クエストを通じて旅行を申し込んだ。今度はバハマだ。アバコ諸島の「バリアー島（海岸線と平行に走るように浮かぶ細長い島の総称）」であるグレート・グアナ・ケイの船着き場で、今回もラッセルが待っていた。マトラキ島で彼女は、娘を見習いの〝マーメイド〟に任命していた。そしていま、その神聖なる儀式として、マーメイド・ペンをプレゼントしてくれた。

今回の滞在は1週間で、海に面した貸別荘を10人でシェアすることになった。ラッセルの同僚であるイギリス人水泳コーチのガイ・メトカーフと私を除いて、メンバーは全員女性だ。社交的で背の高いスイム・クエストの創設者、ジョン・コニンガム・ロールズいわく、こうした性別の偏りは珍しくないという。「水泳の長距離記録のほとんどは、女性が持っているんだ」と彼は言った。

イギリスから来た母と娘のペアは、スウェーデンの冷たい水のなかでワイルド・スイミングをやったあと、そのままバハマにやってきたという。小児科医をやっている中年のイギリス人女性は、数年前に夫を亡くしたそうだ。ある夜、彼女は、夫がつねに冒険のリーダーとして家族をひっぱっていたことや、今度は自分自身で道を見つけようとして、この海に来たことなどを話してくれた。

ただ、メンバーのなかでとくに私の関心を引いたのは、70歳になったばかりのパトリシアだった。フランスのシャモニー在住で、有名な映画監督であるクロード・シャブロルとともに働くなど、数々のキャリアを経て数年前に仕事を引退した彼女は、普段はスキーやテニスを楽しんだり、庭で野菜を育てたりしている。彼女は、夏用ドレスを着れば、まるでそこがサントロペだと錯覚させるようなあきらかな美貌を持ちながらも、一方であまりに率直で気難しい面もある、魅力的な女性だった。

ある晩、ディナーの席で、着ていたシャツを褒められた妻が何気なく「これはH&Mのよ」と言うと、パトリシアが急にテーブルを叩いた。そして驚いているみんなに向かって「私はあの会社のものは買わないことにしてるの!」と叫んだのだ。理由はH&Mの国際的なサプライチェーンに関することのようだった。ただ、これは彼女が不買活動をしている企業のうちの1社にすぎないようだったので、ほかのメンバーは暇なときに、彼女の厳しい基準をクリアできる企業とそうでない企業を推測してみたりした。また、海からあがってランチをとるため、海辺のシーフードレストランに集まったときのこと。色の抜けた貝殻がこれみよがしに並べてあるのを見た彼女は、「まるで、貝の墓場にいるような気分だわ」とうんざりしたように、フランス人特有の皮肉を言った（そして野菜だけのメニューを注文した）。

そんなパトリシアは、数年前にイージージェット〔スイスの格安航空会社〕の飛行機に乗っていたとき、機内誌で旅行とスポーツを組み合わせた旅の特集記事を偶然目にしたという。「世界でもっともきれいですばらしい場所で泳いでいる人たちを見て、すぐに同じことをしようと決めたわ」

だが、泳ぎはそれほど得意ではなく、息を整えるために途中休憩をいれながら、ゆっくりと平泳ぎで100メートル泳げる程度だった。一方、これからやろうとしているのは、クロールで3キロほど、ノンストップで泳ぎつづけるような旅だ。彼女は地元のプールに行ってみたが、大人向けの指導ができるコーチはいないと言われた。やはりここでも、〝学びは子どものもの〟という考えが前提になっているようだ。

そんなとき、彼女はユーチューブにたくさんの解説動画があるのに気づく。とくにショー・メソッドと呼ばれる方法に惹かれ、熱心に動画に見入った。マンションの周りを正しいフォームで腕を曲げながら歩き、プールに行くたびに、水への手の入れ方など細かい部分に気を配る。コーチはいないので、泳いでいるところを兄弟に撮影してもらい、ユーチューブの動画と自分の泳ぎを比べた。週に2回の練習を続けた彼女は、じょじょに上達していき、半年が経つ頃には1キロをノンストップで泳げるようになった。

そして1年後、初めての海の旅に出た。「どうしてこれまでの人生で泳いでこなかったんだろう。そう思ったわ」と彼女は言う。しかし大切なのは、何をしてこなかったかよりも、これから何をするかだ。私は哲学者のセネカが、病を患ったときに死を恐れる「弱った老人」について書いた文章を思い出した。「彼らは、本当の人生を生きてこなかった自分たちは愚かだったと叫ぶ。そして、この病気さえ治れば悠々自適な日々が待っていると大声を張り上げる」。だが、パトリシアはそうした日々を待つことはない。

＊

この1週間の早いうちに、私は周りの人たちの力量を見定めようと思っていた。スイム・クエストには、英仏海峡横断などにチャレンジする人向けの数週間の特別トレーニングコースもある。だが、私たちが参加したコースは「ホリデイ」と銘打ったもので、できる限り頑張ってもいいが、設定された距離やペースは過酷ではない（と謳っている）。いざというときはいつでも、地元でダイビングショップを経営するトロイという男――彼は波に揉まれて角の取れたシーグラスのように、相手を傷つけずにジョークでからかう術を身に付けていた――が運転するボートに乗せてもらうことができた。ただ、私もある程度体力には自信があるので、自分がどんな力量の相手と相対しているのか知りたかったのである。年齢や見た目というおおまかな基準からメンバーを見たところ、何も心配することはないように思えた。

だが、すぐにその判断は間違っているとわかった。この礼儀正しい年配女性たちは、いったん水に入ると、流体力学にかなった、強力なエンジンに変身したのだ。

とくにパトリシアのストロークはとても滑らかで、最小限の力で空色の水の上を滑るように泳いだ。私は集団から後れをとりはじめた——もちろん手を抜いているわけではない。驚いたのは、ついてこられないのではないかと心配していた娘が、私よりも先を行っていたことだ。「テクニックで、テクニックで、テクニックで！」——コニンガム・ロールズが私に声をかける。水のなかで力任せでは限度があるからだ。

その後、宿に戻り、ノートパソコンの周りにキャンプファイヤーのように集まって、自分たちの泳ぎの映像を見ていると、そこには私の欠点がはっきりと映っていた。腕の動かし方は悪くない、とコーチたちは言ってくれた。肘はきれいに高く上がっていたし、ちゃんと腕も伸びている。だが、問題なのは脚だった。私は、これまでずっとサッカーで鍛えてきたこの脚で水面を叩けば、多少の欠点など帳消しにできると思っていたのだが、実際には、脚の付け根からではなく、膝から下だけで蹴っていたのだった。これはギリシャの時点でラッセルから指摘されていたことだったが、癖が抜けていなかった。膝が曲がると脚が水中に沈み、大きな抵抗を生む。それに蹴り方があまりにせわしないため、ラッセルは一瞬、ビデオを早送りしているのかと思ったそうだ。

メトカーフいわく、そのように膝を曲げて脚をバタバタさせても「ほとんど意味はない」という。驚いたのは、この指摘に対して、私の娘まで、ゴールデン・スイムキャップを被った頭を上下させて同意していたことだ。私のように「脚を上下に動かしても、水を後ろに押すことにはならなくて」、ただ、押し下げるだけだとラッセルは言う。「いまみたいな膝を曲げる蹴り方をすごく速くやると、むしろ後ろに下がることもあるわよ」

ああ、どうりで泳いでいるときにそう思ったわけだ。

そのあとも同じような日々が続いた。コーチから「キックがパワフル」「足首が柔らかい」と褒められる娘は、たいていは速い人たちと一緒に前のほうを泳いでいた。私はしばらくはついていくものの、気づくと後れをとっている。そして、自分の能力不足をジェントルマンシップに見せかけるため、ゆっくりと確実に平泳ぎで進む、妻の近くで泳いだ。

1日の泳ぎが終わり、みなが椅子に座り込んで読書するなか、私は威厳を取り戻そうと、蒸し暑い過酷な気候のなかランニングを敢行した。だが4日目になって、この行動が裏目に出た。ホープタウンの海辺でランチをとったあと、頭がクラクラしはじめたのだ。はじめは食中毒かと思ったが、実際は日射病だった。がっくりとボートに横たわり、コーラを飲む私に、トロイはバハマの伝統音楽である「レークン・スクラップ」の名曲集を聞かせてくれた。海のなかではみなが泳いでいる姿が見える。ほどなくしてパトリシアもボートに上がってきたが、それはただ、彼女はこれからさらに1週間のスイミングを控えているので、ペースを調整しているだけだった。

この状態はすこし恥ずかしかったが、不思議と爽快でもあった。水に苦しめられてこそ、オープンウォータースイミングだろう、という思いがあったからだ。海が、大いなる未知の空間であることがうれしかった。自転車に乗っているときは、自分のパフォーマンスの指標を正確に把握したうえで、ある数値を満たすか超えるかしなければという強迫観念にとりつかれていた。〝スポーツ・ソーシャル・ネットワーク〟の「ストラヴァ」で自分の走りを記録、分析し、これならどんなトロフィーを獲得できるかと妄想したり、知り合いの人たちとどれくらい張り合えるかに思いをめぐらせたりもした。だが、泳ぎに関しては、何が良いタイムなのかわからないだけでなく、そもそも自分がそんなことは気にしていないのに気づいたのだ。なんとすばらしい！

上手くなりたくないのかと訊かれれば、もちろんなりたい。だが、すぐには上達しないこともわかっていた。テリー・ラフリンに言わせれば「正しい効率的な水泳のストロークは、理想的なゴルフのスイングや、絵に描いたようなテニスのサーブよりもはるかに難しい、人が身につけるなかでも極めて複雑なスキルの1つ」だからだ。

また、正直に言えば、妻や娘とともに自分たちの力で、小さな冒険の数々をくぐり抜けながらある場所からある場所へと移動し、あとで労をねぎらいあえればそれでよかった。ある日の午後、私たちのあとを泳いでついてきた光り輝く細身のバラクーダの群れ。そんな海の美しさを、まだそこにあるうちに、家族みんなで見ておきたかった。そして娘は、ラッセルというパワフルなロールモデルを得た。しかも彼女は、1つの情熱のもとに団結した、国際的かつ世代を超えた女性グループ――そう、父である私を圧倒した、あの女性たちだ――の一員として、時間を過ごしたのだ。

また、最終的にこのツアーのゴールデン・スイムキャップを勝ち取ったパトリシアは、海の外にいるときに、久しく忘れていた天文学への情熱を復活させていた。それ以外にも、量子論を理解するべく勉強をしたり、ピックルボールというバトミントンのコートでやる卓球を大きくしたようなスポーツをはじめたりもした。これはまだ誰も知らないような〝急成長中の〟新しいスポーツで、コーチもいないため、彼女はユーチューブの「ピックルボール・チャンネル」を見て練習中だ。

水泳を通じて、私はいくつか悟ったことがある。

まず1つ目は、これまでの人生で、ある分野について基本的なことは理解していると思っていたのに、じつはまったくそうではなかったと判明する場合があること。要は、一口に初心者と言っても、いろいろなパターンがあるのだ。2つ目は、学びはいろいろなところから得られるということ。私はおもに、良い先生に自分の動きを分析してもらうという方法で水泳を学んだが、同時に、自分よりも年上、年下の人たちと一緒にいることで得たものも多かった。くわえて、いったん何かを学びはじめ、何歩か足を踏み出してみると、自分の視野が一気に広がることも再認識した。最初は、海のなかを何度か行ったり来たりするだけで精一杯だった。だが気づけば、妻や娘とともに参加できる、より長い距離のオープンウォータースイミングのイベントを探している自分がいる。「走れるようになるには、まず歩き方を学ばなければならない」とは昔から言われるが、一度、歩き方を学びはじめれば、走ることの先に何があるかも見えてくる。

そして最後の、もっとも重要な教訓は「何かを学びはじめるのに遅すぎることはない」ということだ。パトリシアは普通なら、これまでの経験や知識もあり、過去を振り返りがちになる年齢だった。だが、彼女の目は未来に向けられていた。次はどこに泳ぎに行こうか、次は何を研究しようか、そして次は夢中になれるどんな新しいことをはじめようか、と。

もう一度セネカの言葉を引用しよう。「どのように生きるべきかは、一生かけて学ぶものだ」

愛の仕事：幸せはあなたの手のなかに

凍えるような冬のマリブのサーフィンで、2つ目の結婚指輪をなくして以来、私はいつか代わりを手に入れようと心に決めていた。指輪の意味するものもその重さも、どちらも恋しかったからだ。三度《みたび》同じものを買うという手もあったが、なんだかそれは負けのような気がする。何人かの友人は、どうせまたなくすのだから、インターネットで安物を買えばいいと言った。だが傘でもあるまいし、それではあまりに合理的すぎるだろう。

そこで、またも本書を貫くモットーに突き動かされた私は、別のアイディアを思いついた。自分で指輪をつくればいい。あるいは、指輪づくりを助けてくれるプロの宝石職人を探すというのがより現実的なところかもしれない。インターネットで探してみると、ニューヨークではそうしたことはよくおこなわれているようだった。

俗に「イケア効果」と呼ばれるように、人は自分の手でつくったものにより高い価値を感じる傾向があるという。要は、苦労して組み立てた本棚には愛着がわくわけだ。なら、この価値を付加するにあたって、見た目に美しく、思い入れも深い結婚指輪以上のものはあるまい。イケアについての研究でも言われているように、「手をかけることが愛につながる」のならば、それを一通り味わうのに、結婚指輪の手作りはいいアイディアのはずだ。

ただ私は結局、インターネットではなく、昔ながらの人のつながりに頼ることになった。近所に住むデイヴィッド・アランが、マンハッタンのミッドタウン、ダイヤモンド・ディストリクトのすぐそばにアトリエを構える、有名な宝石細工師だったのだ。彼と奥さんのヘレナとは数年来、マンションのエレベーターやロビーで会話を交わす仲であり、お互いの娘の成長をともに見守ってきた。以前、合成ダイヤモンドの記事を書くために彼にインタビューをしたときには、素人には知りようのない宝石業界に関する膨大な知識に感心させられた。ふさふさとした髪を後ろになでつけたデイヴィッドは、いつもカジュアルな服をスタイリッシュに着こなしていて、いかにも話が上手で口がまわりそうな雰囲気を漂わせていた。

チャレンジ精神旺盛な彼は、有名人の顧客をたくさん抱えているにも関わらず、驚いたことにある日の午後のワークショップに私を招待してくれた。アトリエではまず〝マントラップ〟と呼ばれる、2枚の扉が連動するセキュリティゲートに面食らったが——とはいえ、ここには何十万ドルもの貴金属や宝石があるのだ——その後、彼のデスクに案内してもらった。その後ろでは、ヘッドルーペをつけた宝石職人が作業台のうえで身をかがめ、金属にやすりをかけたり、ペンチでひねったりしている。

熟練の職人がストリートを見下ろすようにしてせっせと仕事に打ち込んでいるこの眺めは、まるで古き日のニューヨークから切り取ってきたかのようだ。「ハイエンドの宝石職人という職業は、いまや死にかけているんだ」とデイヴィッドは言う。「誰も時間をかけて人を育てようとしないし、ちゃんと時間をとって修行したいという人もいない」。その言葉を裏付けるように、デイヴィッドのもとで働いている——そして私もすぐにともに時間を過ごすことになる——マックスと呼ばれる気さくな性格のパラグアイ人は、私が生まれる前から宝石職人をしているという。

たぶんデイヴィッドは、私が本書でやっていることに興味を持ってくれたのだと思う。なぜなら、彼自身のキャリアも、初心者でいっぱいのコミュニティカレッジの夜間コースからはじまったからだ。

ただ、じつのところ、彼は宝石自体には幼い頃から親しんでいた。母親がジュエリー業界にいたため、子どもの頃はダイニングテーブルで、母とそのパートナーが宝石のサンプルを選り分けるのを手伝っていた。だが、ジュエリーを仕事にしようと考えたことはなく、建築の道に進もうと、高校時代にはインターンに行ったりもした。大学では哲学を学ぶことにしたが、父親から「これからも俺たちの世話になるつもりなら」実学のクラスをとりなさい、と言われ、彼は経済学を専攻し、とくに天然資源経済学を詳しく学んだ。そして両親はすこし残念がったが、最終的にはオレゴン州の森林警備隊の職に応募することになる。

それでもまだ、頭の隅っこではジュエリーの光がちらついていた。大学卒業後初めての夏休みに、「ロストワックス鋳造法」という古来から伝わるジュエリーづくりを教えてくれるクラスを受講した。今日でもまだ使われているこの鋳造法は、基本的にはワックスで原型をつくり、それをもとに金属製の鋳物をつくるというものだ。「自分が偶然巡り合ったのがこれだなんて、信じられなかったよ」と彼は語る。

何度かクラスを受けてみると、この方法を身につけるには、熟練の宝石職人に弟子入りするしかないと感じた。そして家族のコネを使って、フランス人のジャンという職人との面談にこぎつけた。「ぼくは48番通りにある小さなホコリっぽい店に入っていった。なかはあまりに汚くて、窓の外が見えないくらいだった」。その真ん中には、「口ひげと髪の生え際だけをのぞかせた怒りっぽい小男」がいた。それがジャンだった。「イディッシュ語の〝verbissen〟っていう単語を知ってる？イライラしてる、って意味さ。ジャンはまさにその体現者だったよ」。デイヴィッドはジャンに夏休みのクラスでつくった作品をいくつか見せた。「彼の作業場でのとても繊細な作業を目の当たりにして、ぼくを雇ってくれることはないだろうと思った。でも、じっとぼくの作品を見つづけたあと、彼はこう言ったんだ。〝月曜から来い。週に50ドル払うんだ〟と」

グーグルなどの企業であればインターンで、普通の会社員以上のお金がもらえる時代に、仕事をさせてもらうためにお金を払うのはおかしいと思う人もいるかもしれないが、これは宝石職人の徒弟制度のなかではさほど珍しいことではなかった。「90年代当時、職もない若造にとって、週に50ドルは大金だった」とデイヴィッドは言う。夜はバーテンダーをしながら、昼はジャンのいいつけることをなんでもこなす日々がはじまった。「３年間１日も休みはなかったよ」。最初はほとんど床掃除と道具の手入ればかりだった。

だがついにデイヴィッドは最初のテスト——いまでは彼自身が弟子にやらせているテスト——を受けることになる。「ジャンはぼくに洋銀《ようぎん》の板を１枚くれた。これは本物の銀とは違って、硬くて扱いづらいやっかいな素材を組み合わせた合金で、加工するときに道具や刃を傷めやすい」

まず、厚さ１ミリのシートから、１辺３センチの正方形を正確に切り出すよう指示された。それが終わると、一辺１センチの正方形の穴を真ん中に開け、さらにそれとは別に洋銀で１辺１センチの正方形をつくって、どの向きで置いても穴を塞げるようにしろと言われた。そしてジャンから、やすりと１００分の１ミリ単位まで測れるデジタルゲージを手渡された。駆け出しであるデイヴィッドはまだ理解していなかったかもしれないが、仕事にはこのレベルでの正確さが要求されるのだ。彼はせっせと穴を開け、正方形を切り出し、完璧だと思えるところまで仕上げた。

「誇らしい気持ちだったよ。でも、ジャンはそれをライトにかざしてゲージをあてると、〝クソだ！〟と言ったんだ」。そこにはほとんど見分けがつかないくらいのズレがあった。「ジャンの教えは、最初の一手がくるうと、そこからすべてがダメになるってことだった」

ジャンは厳しい師匠だった。デイヴィッドがのこぎりの刃を壊しても、フレームを人間の髪の毛ほどの厚みのものしか切れなくなるくらいまで短く調整して、ほとんどギザギザのない状態のまま使いつづけさせた。「なぜこんなことをさせるんですか？　いったい、いくらするっていうんですか？」とデイヴィッドが抗議しても、「俺は昔、自分でのこぎりの刃をつくっていたぞ。もっと短くしろ！」と雷を落とした。気が短く、すぐに怒鳴り散らす癖のあるジャンだったが、それでも彼はすばらしい職人であり、たとえば金メッキのクモの細工など、ほかの職人では手に負えない仕事を引き受けることもあった。「ジャンの仕事はとても繊細だった」とデイヴィッドは語る。

ある日、ジャンのいいつけで金庫から何かを取り出そうとしていたとき、デイヴィッドは、宝石をちりばめ、道化師や架空の人物をあしらった、極めて精巧なエナメル細工の作品が並んでいるのに気づいた。

「そりゃあ、すくなくとも10万ドルはするぞ」とジャンが言った。「だからぼくは〝ジャン、ではどうして売らないんですか？〟と聞いたんだ」

するとジャンは「これを売るつもりはない。売ったら真似されるからな」と答えた。

デイヴィッドはこの駆け出しの時代に、ルーキー特有の失敗を何度もした。宝石の世界ではこれは高くつきがちだ。まずいときには、2万5000ドルも損失を出してしまったこともあった。あるとき、元軍人らしき強面《こわもて》の客が、退役記念の指輪を持ち込み、サイズアップを希望した。デイヴィッドは、指輪の底の部分を切ってからマンドレルという指輪のサイズを広げるための鉄製工具に差し込んだ。そして開いた隙間を接合する金属片をつくって〝慎重に押し込んでいった〟。「つなぎ目も完璧だった」という。

しかし彼は、この指輪を〝焼きなます〟――いわく「指輪全体を低温で均一に熱して、分子を適度に分散させることで、金属にかかっている張力を取り除く」――必要があるのを忘れていた。かわりに強い熱を加えたため、分子同士が急速に離れていき、金属の表面に張力がかかりすぎてしまった。つんざくような恐ろしい音とともに指輪は2つに割れた。「ぼくは紙のように真っ白になったと思う」とデイヴィッドは語る。彼のボスは、「お前は死んだ。殺すのは俺じゃない。あいつにやられるんだ」と言った。それでもこの若き宝石職人は、手間と時間をかけてなんとかこの指輪を修理した。そして、またひとつ学んだのだ。

デイヴィッドが3年間の修業のうち、1年経つまで本物の宝石には触らせてもらえなかったことを考えると、私がここに来て最初からジュエリーをつくれると考えるのはあまりにおこがましいような気がした。彼のコレクションは、鳥かごのような精巧な構造の細工のまわりに、きらめく宝石の星座が組み合わせてあるアクセサリーなど、驚くほど繊細な作品ばかりだった。とはいえ、男性用のシンプルな結婚指輪なら、すくなくとも一部には自分の手が入っていると思えるような工程でつくり方を教えられると、デイヴィッドは約束してくれた。

それを聞いた私は、頭のなかで、ワーグナーの音楽が高らかに鳴り響くなか、黒ずんだ炉から、鮮やかな火の玉が激しく飛び散る、まるで『ロード・オブ・ザ・リング』の1シーンのような場面を想像した。

だがデイヴィッドが宝石職人として学び、そして長年にわたって取り組んできた方法――金属を溶かし、インゴット用の鋳型に流し込んで、ハンマーで叩いて形をつくるという方法は、すくなくとも単純な部分については、いまはほとんどコンピュータを使ったデザイン・製造工程に取って代わられている。現在ではこうした鋳物は、CADというデザイン支援アプリケーションの画面上で設計図を起こし、そのデータを鋳造所に送って、3Dプリンターがモデリングされたパーツを100分の1ミリ単位の精度で製造するのが一般的だ。その後、そうしてできた鋳物を作業場で仕上げるという流れとなる。この新しい技術のおかげで、デイヴィッドは、これまで駆け出しの宝石職人がやっていた最初のいくつかの工程を飛ばして、いきなり細かい作業にとりかかれるようになった。ただ、マックスのような昔ながらの職人はときおり不満を口にする。「これじゃあ、宝石職人という仕事は死んでしまう」と、ある日の午後、彼は私にこぼしていた。

気持ちはわかる。だが、伝統的な方法だと時間もコストもかかる。それにデイヴィッドいわく、最終的な指輪の仕上がりはどちらでやっても変わらないだろう、とのこと。それはもちろん、私がしくじらなければの話だが、手作業で鋳造するとなるとその可能性が増える。指輪をつくりたいという気持ちはあったが、いかにも失敗作という代物を私は身につけたくはなかった。

それと、指輪はプラチナでつくろうと決めていたのだが、これは初心者が伝統的な方法で簡単に扱える素材ではなかった。「プラチナをインゴットの型に流し込むなんてもう何年もやってないよ」とデイヴィッドは言った。プラチナは溶解温度が高く、適切な保護具をつけないと目の網膜をやけどしてしまう可能性があるので、鋳造所に任せたほうがいいらしい。それに安全性はさておいても、私は昔ながらの方法にこだわっているわけではない。2020年現在にデイヴィッドがやっている方法で指輪づくりを学びたかったのだ。

ただ、どんな指輪にしようか？　ときに金属工学にまで話がおよんだデイヴィッドとのデザイン会議で、おおまかなサイズ、形、素材については決めていた。だが、彼いわく、指輪づくりにはそれ以上のものがあるという。「これは物理的なもののつくり方以上の話になりうるし、そうでなきゃいけない」と彼は言った。結婚指輪は「めったに見返すことのない写真を除けば、結婚に関して形として残る唯一のものなんだから」。要は、指輪は大切なものだし、そうあるべきだという。「ぼくは幾千の人たちに、残りの生涯、そうした気持ちを毎日刻みつけるものをつくる男になろうとしてるんだ。安っぽく聞こえるかもしれないけど、それでいい！」と彼は言った。

デイヴィッド自身の指輪も見せてくれたが、ダイヤモンドと彼と家族の誕生石がなかに埋め込んであり、それは肌身離さず身につける秘密のシンボルのようだった。

私も、よくあるシンプルな金属製のものではなく、どこか暗示的でありながら主張しすぎない指輪をつくれるのではないかと思った。そして、この長きにわたるプロジェクトのきっかけとなったチェスのことを思い出し、指輪の中程にチェスの駒から切り出した木を浮き上がらせることは可能だろうかと提案した。それなら、妻はおそらくクイーンだろう。そして私はキングだ。だが、娘は？　この件について話してみると、ある意味当然というべきか、娘は自分がクイーンだと言った。

これにはデイヴィッドもピンとくるものがあったようで、「君たち夫婦が結婚した年のチェスの駒を手に入れられないかな？　それをカットして、指輪にはめ込むんだ。もしそれが君に難しそうなら、うちの細工職人がすぐにやってくれるよ」と言った。

だが、お互いに話しているうちに、デイヴィッドがどうやら、チェスの駒からつくった木製の板を輪になるように指輪の上に被せようとしているのがわかった。「仕上がりは指輪の周りを象嵌細工が1周したみたいになるだろう。永遠に続く轍《わだち》のようにね」と彼は言う。

私は、それぞれの駒の形が指輪の中程から浮き上がるようにすることを考えているというと、デイヴィッドは目を細めた。「それは小さすぎて見えないよ。仮にチェスの駒の細かい部分を再現できたとしても、見た目にはまずわからない」

技術的に極めて難しいことを差し引いても、私の案はデイヴィッドの目には、すこし凝りすぎで悪趣味とすら映っているようだった。たしかにそうかもしれないと自分でも思う。だが、木製の駒を再利用した〝轍〟があるだけでは、あまりに抽象的すぎる。それに、チェスの駒の持つ彫刻的な美しさに、私は惹かれていたのだ。

ただ、話せば話すほど、デイヴィッドも乗り気になってきているようだ。そこで私たちはRhino（ライノ）という名前のCADのプログラムをいじりはじめた。最近の宝石職人はRhinoに大きく頼っているが、そうやってできるジュエリーは、いかにもコンピュータでつくった感じのものが多いとデイヴィッドは思っているようだ。彼自身は、作業台の前で長い時間を過ごしたことで、立体の扱い方をより深く理解しており、自分のジュエリーは昔ながらの手作りの雰囲気を保っていると自負していた。

私の提案で、デイヴィッドはオーソドックスなスタントン式チェスセットのクイーンの画像をとりこみ、その輪郭を、骨組みを構成する連続した点でトレースして、データをコピーした。そしてこの2次元の画像を3次元方向に立てた軸に沿って回す「レール・リボルブ」という方法で、立体イメージをつくった。いわく、これは子どもがシャボン液を含ませた棒で円を描き、空中に大きなシャボン玉の輪っかをつくるようなものだそうだ。

次に3Dになったクイーンを、指輪のカーブの上に寝かせるように配置した。そこで彼はキーボードのうえで指を踊らせながら、ダイヤモンドの石留めをするような慎重な手つきでマウスを操作しつつ、Rhinoに備わっている物理学ベースのツールの数々を使って、クイーンを曲げたりねじったりして、指輪のカーブに沿わせていった。それにはいつ終わるともしれない調整が必要だった。目で見てクイーンとわかるようにするためには、その王冠の特徴をただコピーするだけでは足りず、特別な調整をしなければならない。それに駒を入れるくぼみは、見てわかるくらい深くなければならないが、構造的なバランスを崩すほど深くてはいけない。

これはどれも簡単ではなかった。ただ、デイヴィッドはいままでにやったことのないアイディアに挑戦するのが好きなのではないかと私は思った。以前、妻であり、ビジネスパートナーでもあるヘレナから、「あなたが知っている最高の宝石職人はだれ？」と尋ねられたとき、デイヴィッドは「ジャン」と答えた。ただ、「あなたはジャンを超えたの？」という問いに対しては、おそらくそうだろうと感じていた。それでも、彼にはまだ学ぶべきことはあったし、学びたいと思っていた。新しい技術、新しい道具、そして新しい要望を持った、新しい顧客がいたからだ。

いつになったら自分が宝石づくりの達人になったとわかるのかと私が尋ねると、彼は「たとえ過去に経験がないことでも、自分なら何でもできるだろうと思えるようになったときかな」と答えた。要は、達人であれば、ポイントを把握するのに多少の手間はかかっても、十分な時間とやる気があれば、何でもできるということだ。

ほどなくして、指輪の中程にキング、クイーン、ビショップの形のくぼみが並んだ（この駒の組み合わせは娘が熟考のうえで選んだ）。このくぼみはネガティブスペースとも呼ばれる。

「これはすごくかっこいいと思う」と勇気を出して私は言ってみた。

「たしかにかっこいいね」とデイヴィッドも認めた。

「このくぼみに、駒からとった木を埋め込むことはできないかな？」と迫ってみる。

「それだとものすごく細かい作業になるよ」と彼は応じる。

「もっと簡単な方法はない？」

「ホーローだね。釉薬を流し込んで、表面に残るよう処理する。するとガラスになるんだ」

デイヴィッドが何度かキーを叩くと、スクリーンにその姿が映し出される。チェスの駒を2つに割った形のくぼみがふいに半透明の光沢に包まれ、まるで精巧なカーブを持つ水たまりのようになった。「これだ！」と彼は叫んだ。「すごくかっこいい」

「乗り気になってくれてうれしいよ」

「だって、これは気に入ったよ！」と彼は大きな声で言い「ＣＡＤがなかったら、ぜったいこんなことはできなかった」と続けた。

そして私も、自分の素朴な問いかけがすべてのきっかけになったことが、ある意味で誇らしかった。このデザインは、初心者の好奇心と専門家の力の融合だ。私は何が可能で何が不可能なのかわからなかった。一方、私のアイディアを聞いたデイヴィッドは、すぐに方法を思いつかなくても、自分ならそれが実現可能なことを知っていた。

彼が送信ボタンを押すと、いまはまだ実体のないピクセルの塊である私の指輪は、鋳造所に送られた。

＊

そして戻ってきたのは、くすんで表面がザラザラの研がれていない金属の塊だった。片側からは短いが尖った金属片が突き出ている。これは高級ジュエリーというより、ガレージに置かれた古いコーヒー缶のなかにあるナットやボルトという感じだった。それでも、キングとクイーンとビショップの姿は、小さいながらもはっきりと確認できた。

この指輪には〝仕上げ〟が必要だ。これまで以上に細かく、何度もやすりをかけ、バフ加工をし、研磨したうえで艶出しをしなければならない。ここでついに私は見習いの職人として、普段はデイヴィッドが使う作業台に座った。隣にはマックスがいる。作業台は昔ながらの机のような感じで、その上には、使い方のよくわからない道具がたくさん並んでいる。なかには、そもそも宝石づくりの道具ではないものを転用したり、再利用している場合もあった。たとえばバフ加工に使う研磨機は、歯医者のドリル用の容器に入れられている。たんに道具の使い方に精通しているだけではなく、普通の道具では足りないときに革新的な解決案を見つけるのが、優れた職人のやり方だ。

さて、まずは手始めに指輪を「遠心磁気仕上げ機」に入れる。これは電動のコーヒーミルのような見た目だが、容器の部分にはコーヒー豆ではなく濁った液体が入っている。そしてその底には小さな鉄製の針と玉が隠れている。スイッチを入れると中身が回転して、この鉄の破片が、デイヴィッドいわく「手作業ではとても無理なところまで」指輪を優しく叩いていく。ここで、鋳造の際に生じた「ポロシティ」と呼ばれる気泡によってできた表面のザラザラを取り除く。

そして、作業台での工程に移る。デイヴィッドの席に座ると、まるで彼の頭のなかに入っていくような気がした。細い目のやすりを使いたいときに間違えて粗い目のものを手にとったりしないよう、きっちりと色分けしてあるそうだ。作業台の隅には、道具の滑りをよくするために使うワックスの塊がある。「このワックスはこの机で20年ちかく使いまわしてるね」と彼は言う〔ワックスは一度使ったあと、溶かして再利用する〕。パンを焼くときの酵母の元種のように、使うたびによくなっていくそうだ。「これはダイヤモンドの石留め職人の机に置いてあるなかでも、ぜったい触っちゃいけないものの1つだよ」

作業台の前には、その職人独自の道具がもうひとつある。それは、ドアストッパーのような形の小さなボロボロの木製のくさびで、作業台の縁から突き出ている。ベンチピンと呼ばれるこの道具は、おそらく宝石職人にとってもっとも重要なツールだ。これは仕事をする際に手をおいたり、支えたりするのに使われ、ほとんどの作業がこの上でおこなわれると言っていい。デイヴィッドのベンチピンには、独特の切れ目が入っていて、さらに長年の手作業によって微妙に角度がついていた。

これは私には上手く使えなかったので、彼は標準的なものをもうひとつ用意してくれた。

それから数日、私の手はこのベンチピンの形状をよく理解していった。最初の作業は、鋳造時に指輪の側面に残った、「湯口」と呼ばれる膨らみを取り除くことだった。緊張しながら指輪をつまみ、簡単に指を切り落としそうなほど鋭い、焼き入れ鋼の薄刃のこぎりで、厚みのある湯口を切り落としていく。難しいのは、指輪自体を傷つけないように、カーブにあわせて切らなければならないことだ。そして最後に残った金属片をやすりで削るのだが、そこを平らな面として残してしまったり、あるいは文字通り、指輪を削ったりしないようにする必要がある。「気をつけないと台無しになっちゃうからね」とデイヴィッドが注意する。私は指を傷つけることなくなんとか湯口を切り離すことに成功したが、のこぎりを何本か壊してしまった。幸いにもデイヴィッドはジャンよりも寛大で、壊れるたびに刃を全部交換してくれた。

ただ、彼は指輪にいくつか細かい傷があるのを見つけていた——ここに刻み目が、そしてここには小さなくぼみが、と。これらはすべて鋳造にはつきものの副産物だが、私からすれば宝石職人用のルーペを使ってようやく見えるようなものだった。こうした傷は、作業台の横に置いてある大きなレーザー装置で溶接する。「遮蔽エンクロージャー」と呼ばれる囲いのなかで、片手で指輪を持ち、もう片方の手でプラチナワイヤーをくぼみに沿わせる。そしてフットペダルを踏むと、「ジッ！」という音がして、もう穴はなくなっていた。

＊

偶然にも、私は1年前の夏、「メタル・ショップ・ファンタジー・キャンプ」というプログラムで溶接をすこしやってみたことがあった。このプログラムは、ブルックリンで高級小売市場向けのカスタムメイドの金物を扱うトータル・メタル・リソース社の代表であるスコット・ベーアが運営しているものだった。

ベーアがこの講座を開設したのはちょっとした思いつきからだった。というのも、彼は、自分がどのように生計を立てているのかに強い関心を持つ人に何度も出会ったのだ。この街では手を使う仕事はほとんどなくなってしまったが、それでもそうした仕事をしたいというニーズがあるのを、ベーアは感じた。そこで思いついたのは、受講生たちにシンプルなスチール製のキューブ（立方体）をつくらせることだった。「基本の形だからね。これができれば、フレームでも窓でも椅子でもなんでもつくれるんだ」と彼は言う。ただ、ガールフレンドにこの計画を話したところ、上手くいくわけがないと言われた。「誰もキューブなんてつくりたがらないわよ」。それでも、彼がキューブのつくり方を教えた受講生は、私を含めすでに数千人を数えている。

いまやこのファンタジー・キャンプは、彼の事業全体のかなりの部分を占めるにいたったが、彼自身その成功に驚いている。「ぼくはお客さんに店に来てもらって、頑張って働いてもらったうえで、お金まで払ってもらうことを納得させたんだ」とジョークを飛ばす。納期が迫っていて人手が足りないとき――腕のある鋳造工を見つけるのはなかなか難しいのだ――には、ときどき出来の良い受講生に賃金を払って、手伝いを頼むこともあるそうだ（私もその話には惹かれたが、私のキューブはとても出来がいいとは言えなかった）。ファンタジー・キャンプはただ面白いだけでなく、深い欲求を刺激するものだと彼は言う。「われわれには道具をつくって使う感覚が生まれつき備わっていると思う」。これはベンジャミン・フランクリンの「人間は道具をつくる動物である」という言葉と同じだろう。人間は道具を使うことで、脳が大きくなり、現在のような形の手を獲得したと言われている。

「みんな、体を通じた体験が欲しいんだよ。1日中すわって、こうしてるんじゃなくてね」とベーアは言いながら、スマートフォンをいじる仕草をした。店での溶接作業は、まるで五感を刺激する没入型の劇場のようで、強烈な煙が鼻をつき、弾け飛ぶまばゆい光は翌日になっても私の目に焼き付いていた。炎と金属――これはまさに根源的なものに思える。「ぼくたちはベース・メタル〔埋蔵量が多く、精錬が簡単な金属〕を分子レベルまで分解しているんだよ」とクラスで話したのは、背が高くて陽気な性格の講師、アレックスだ。正しく溶接できれば、はじめに分子が結合した状態よりも強い金属をつくることができると彼は言った。

また、こうした作業をするとき、私たちの脳のなかでも、ある種の錬金術がおこなわれているのかもしれない。リッチモンド大学で神経科学研究室を主催するケリー・ランバートは、手を使った肉体労働は、気分を高め、彼女が「努力駆動報酬」と呼ぶものを強烈に呼び起こすと主張している。ランバートいわく、「肉体的な努力の成果が、実際に何か実体のあるものを生み出すと、深い満足感と喜びを得る」ように、私たちは「プログラムされている」という。そしてスチール製のキューブ以上に実体のあるものはまず存在しない。「本当にすぐに満足感が得られるんだ」とベーアは語る。「終わったあと、みんな笑顔になっているからね」。スマートフォンの画面を数回タップしてランチを注文するのは、材料を買ってきて、包丁で切って、かき混ぜるという料理の手間に比べれば、すばらしく楽だろう。だがこれは、〝努力と報酬〟という昔からの結びつきを省いてしまっているようにも思える。

デイヴィッドの作業台に話を戻そう。私は3Dプリントと鋳造の工程で指輪の表面に残った、指紋のようなデコボコをやすりで削る作業にとりかかろうとしていた。デイヴィッドはその動きを何度かやって見せてくれた。片手で指輪をベンチピンにしっかりと押し付け、もう片方の手で、指輪の表面を斜めに、スムーズかつ長いストロークで丁寧にやすりをかけていく。それにあわせて、押さえているほうの手ですこしずつ指輪を回していく。また、角度をつけることで、指輪の曲線にムラなくあたるようにする。そして1回ごとに、やすりで規則正しくベンチピンを軽く叩く。これがメトロノームのように、リズムを刻むのだ。「動きを均一にできれば、表面も均一になる」とデイヴィッドは言った。

私は練習用として、安価な真鍮製のリングをもらった。「この工程では100分の1ミリ単位で気を配っているんだ。たった1回のやすりがけで、繊細な作品が台無しになることもあるからね」と彼は言う。そして指輪とやすりをいじりはじめてからしばらくすると、私は脳が指先に何をすべきか指示しているだけでなく、逆に指が脳にやるべきことを教えているような気がしてきた。

やすりがけは数時間におよんだ。指が痛くなり、やりはじめの目に見えて上手くなっていく段階はすでに終わっていた。作業をしながら、私はデイヴィッドから聞いた、最後の弟子の話を思い出していた。いわく、彼は熱心に仕事を学びたがる「いい子」だったらしい。デイヴィッドのようなデザイナーになりたがっていたそうだ。しかし、映画『ベスト・キッド』で、空手の師範であるミスター・ミヤギが、主人公のダニエルにいきなり空手の動きをさせなかったように、デイヴィッドも自分の弟子にはまずやすりを、外科医の手さばきのように正確に、コンサートのバイオリン奏者のようになめらかに、完璧に使いこなすことを求めた。そして弟子入りから数カ月が経ったある日、その子はトイレに行ったきり、「二度と戻ってこなかった」という。「5時間後に1通のメールがきた。〝もうこれ以上やすりがけするのは耐えられません〟ってね」

それでもまだデイヴィッドは新しい弟子を探している。ただ、業界では技能職のポジションが減っているうえに、見習いとして修行したいという若者が極めて少ないこの国では、そう簡単には見つかるものではない。

ジュエリーづくりや溶接を実際にやってみて、これもサーフィンと同じく運動技能であると、私は認識を改めた。いや、あるいはサーフィン以上に、と言えるかもしれない。両脚や背中といった大きなパーツを動かすときより、両手を動かすときのほうが、脳の運動野の広い部分を使うことになるからだ。デイヴィッドの道具はまるで彼の手の一部のようだったが、私はこの新しい手の延長物になじむのに苦労した。「そんなに強く握っちゃダメだ」と宝石職人のマックスから注意が飛ぶ。「手が疲れるし、道具が跳ね返ってくるぞ」。だが、動きを覚えるのに苦労しているうちに、指よりも脳のほうが疲れつつあった。

やすりやサンドペーパーを数え切れないほどかけ、ときおりルーペを使って具合を確かめたりしつつ、すでに作業台の前で数時間が経過していた。一方向にやすりをかけすぎて跡が残ってしまうなどの失敗もしていた。作業をしながら、マックスと共通の音楽の趣味について話したり、彼の人生や宝石業界のことなどを聞いたりした。サンドペーパーのせいで指には血がにじみ、背中は痛み、夜になっても手からは金属の匂いがとれなかった。「君はもう宝石職人だな」とデイヴィッドが冗談めかして言う。

途中で指にリングをはめてみて、このままでも十分つけられるなと思ったりもした。だが、そうするとデイヴィッドがやってきて、ルーペで指輪を見て、「ここの線が見えるかい？　もっとやすりがけしないと」と指摘する。粗くてくすんだところから光り輝く美しい状態に変わってきたのを見ているからこそ、君はまだ粗があるのに目をつぶれるんだ、と言うのだった。彼が指輪を商品として出すときには、客はそうは思ってくれない。完璧でなければならないのだ。ただ、皮肉なことに、私がいくら苦労して完璧になるまで指輪を仕上げようとも、「君が一度でも地下鉄のポールをつかんだら、傷がついいちゃうけどね」、だそうだ。

デイヴィッドのフィードバックを受けながら何度も繰り返すことで、だんだん動きが滑らかになってきた。やすりをかけ、サンドペーパーで磨き、モーターで動くバフをかけるたびに、指輪はすこしずつ形になっていく。表面に光沢が出て、自分の顔が映りはじめると「よし、自分がやったんだ」という気持ちがわいてきた。自分がデザインの発案を手伝ったこの指輪が、いま、デイヴィッドたちのコレクションに加わる。私はそれを誇らしく思った。

努力と結果。このつながりは決して忘れてはならないものだ。

自分が何をしているかわかっているのなら、それはやるべきではない：再生への道

本書は、一夜にして成功を手にする物語を描いたものではない。

私はチェスの大きな大会で優勝したわけでもなければ、ケリー・スレーターと一緒にパイプラインでサーフィンをしたわけでもない（念のため言っておくと、応募もしていないが）。「アメリカン・アイドル」に出演したわけでもない。長年、惹かれてはいたが、外から見ているだけだった多くの分野で、そこそこの力を身につけただけだ。でも、その過程で、とても大きな、あやうく忘れかけていたような幸せを感じることができた。

ただ、はじめから幸せそのものを求めていたわけではなかった。私は、哲学者ジョン・スチュアート・ミルの、幸せとはそれ自体を目的にすると見つけられないものである、という主張に賛成だ。ミルは、幸せを達成するには、心を「自分の幸せ以外の目標に向ける」必要があると考えた。そして、そうした目標の1つが、「芸術や、何かを追求すること」であるとも述べている。自分が幸せかどうか問うてはならない。自分を幸せにすることをしなさい。幸せを追求するのではなく、何かを追求するなかで幸せを見つけなさい、と彼は言った。私がここにひとことつけくわえるとすれば、そのとき自分がどれいくらい上手くできるかは気にすることなかれ、といったところだろうか。

本書で紹介した私自身の学びは、これからも終わりなく続いていく。とはいえ正直に言えば、私はすべてのことに同じように熱中しているわけではない。絵のクラスは大好きだったが、授業以外

では何が何でも絵を描きたいという衝動にとりつかれたわけではなかった。あなたが公園のベンチでスケッチに没頭している人を見かけたとしてもそれは私ではないだろう。もし自分にそこまでの気持ちがあったとしたら、とっくの昔に表に現れていたはずだ。ただ、だからといって学びに意味がなかったということにはならない。私にとって絵を描くことは、教室が与えてくれる整った環境と時間を必要とするものの、とても楽しい（そしてときに畏れ多い）行為でありつづけている。

絵を描くことは、〝情熱〟なのだろうか？　それはよくわからない。長く続ければそうなるのかもしれない。ただ、情熱だけがそこにあるとか、自分のなかに潜む情熱が、いつか表面にあらわれて魔法のように人生を変えるチャンスを待っているという考え方は疑わしい。

心理学者のキャロル・ドウェックらが言っているように、情熱がそこにあって「発見される」のを待っているという固定観念を持つと、人は「モチベーションが無限にわいてきて、その道を追求するのが困難ではなくなる」ことを期待してしまう。まるで何かをしたいという情熱自体が仕事をしてくれるかのように。だが、技術を学ぶのはそう簡単ではないため、これでは困難に直面したときに、そもそも自分はこの分野に情熱がなかったのではないかと思ってしまいかねない。

一方、努力によって情熱が育っていくと考える、いわゆる〝成長マインドセット〟を持っている人は、何かをはじめたばかりのときは（あるいはそのあとも）物事が簡単には進まないことを知っている。彼らは困難に直面しても、モチベーションを高く保ったまま追求を続けていける可能性が高い。

読者のなかにはおそらく、私がたった数カ月でさまざまな分野における困難をどのようにして乗り越えたのか、あるいは自分も同じことをするための〝秘訣〟を知りたいと思っている人もいるのではないだろうか。たしかに、われわれは、結果だけに着目して過程が見逃されがちな〝ひっかかりのない時代〟に生きている。スマートフォンを数回タップするだけで、車も迎えにくればディナーも届く。地図アプリの上で動く青いドットが、人間のあらゆる努力を覆い隠しているのだ。では瞑想のような古来から伝わるスキルについてはどうかと言えば、なんとそれにも専用のアプリが用意されている！　検索エンジンに「歌を歌う方法」と打ち込めば、「5分で」あるいは「1カ月で」という文字がサジェスト機能で出てくる。学習を早める薬や、あるいは電気で脳を活性化させる「経頭蓋直流電気刺激法」などのテクノロジーに関する、驚くべきレポートも存在する。正直に言えば私だって、声が震えて音程を外したり、チェックメイトされたりしたときに、『マトリックス』のキアヌ・リーブスのように眠りからさめた瞬間に目を見開いて、「カンフーをマスターした」と言えたらどんなにいいかと思ったこともある。

だがそれ以上に、私は努力を求めた。苦労したかった。小さな進歩と挫折をこの身で感じたかった。これは飛行機ではなく、徒歩の旅だ。作家のダニエル・ブーアスティンは、旅人たるもの、ある程度のtravail（フランス語で「苦しくて骨の折れる努力」を意味する）が必要だと言ったことがある。さもなければ、面倒なことは誰かにやってもらうただの旅行客であり、自分の手を汚さずハウツービデオを見ているにすぎない。

これは学習でも同じだ。「もし何かが簡単だったら、それは学びにはならない」という言葉がある。それどころか、個人的には、何かを難しく感じたとしても、学べていないと思うことが何度もあった。サーファーのレイアード・ハミルトンは、体を使う新しい技術をおぼえているときには、「どこもかしこも痛くなる」と言っている。だが本当に上手くなってくると、ほとんど痛みは感じなくなる。さらにハミルトンは、こうした痛みを嫌って「自分の得意分野に引きこもりたくなる」のはある意味当然だと認めながらも、それでも得意なことにはいつでも戻れるのだとつけくわえている。要は、新しいことを学ぶのは、深さもわからない海に――しかし、いざとなったら助けてくれるボートの上から――飛び込むようなものなのだ。

10年前にロードサイクリングをはじめたばかりの頃、私は初心者にありがちなミスを数多く犯した。サイクリングなんて自転車に乗れればいいんだろうと思う人もいるかもしれないが、集団のなかにいたり、山をくだっているときにスピードを出すには本物の技術が必要だ。それはまさにキリがないほどの失敗のオンパレードだった。信号待ちのときに「クリップ・イン〔シューズをペダルに装着して漕ぎ出すこと〕」をしくじって観客の前で何度も転んだ。初めて大きなレースに出たときには、ほかの選手に近づきすぎてタイヤをこすり、側溝に落ちた――しかも、開始1マイルの地点でだ。また、春先の雨が降る寒い時期に、州をまたぐ長距離のチャリティライドに出場したときのこと。運営側に手渡された袋を開けてみると、なかには「エンブロケーション」というなじみのないラベルの瓶が入っていた。「それは足が温かくなるやつだよ」とホテルのルームメイトが、濡れた靴に丸めた新聞紙を詰めながら言う。「いいね」と答えた私は使ってみることにした。ところがこれはむき出しの脚に塗って刺激を与えるための「毒性のボーダーラインぎりぎり」の軟膏だったのだ。私は愚かにも、その上からライクラ素材でできた厚手でフルレングスの冬用レギンスを履いてしまった。すると〝温かくなる〃以上のことが起きた。6時間のサイクリングのあと、燃えるように熱くなった皮がひどく剥け、あやうく股間にまで達するところだった。

こうしたエピソードの数々は私に恥と、ときには痛みをもたらした。では、正しい道を示してくれる賢明な先生がいて、こうしたミスを未然に防いでくれたら良かったのだろうか？　もしかしたらそうかもしれない。だが、その場合、いまほど上達したことがうれしいとは思えなかったのではないか。

それに不思議なのは、より重要に思える、目に見えて上達した瞬間よりも、こうした失敗のほうがはるかに鮮明に頭に残っていることだ。これは自分の知識や能力の限界に直面した、いわば〝変曲点〃だったのだ。第2章で紹介した、カレン・アドルフの研究室の幼児たちと同じく、私は現在進行形の実験をおこなっていて、そこでの失敗は生の洞察を与えてくれた。そして、そうした失敗を乗り越えたことで、その後の問題を解決しやすくなっただけでなく、同じようなミスを犯している初心者に共感できるようになった。なにせ、私も通ってきた道なのだから。

本書はまた、隠された才能を引きだすためのものでもない。すくなくとも、本プロジェクトによって私の人生の軌道が大きく変わることはなかった。ただ、それでも自分のやっていることが好きだし、できる限り続けたいと思っている。じつは私が、その身に手つかずの才能を秘めた、隠れた歌手やアーティストだなんて、私自身も含め誰も思いはしなかった。ただ、何かに挑戦してみて、その結果がどうなるか、見てみたかった。親として子どもには遊びが必要だと常々思っているように、自分自身にも遊び回ることを許してあげたかった。娘に、自分が苦労して成長する姿を見せたかった。

ただ上達だけを求めるのではなく、学びたいという気持ちを取り戻したかった。そしてやってみてすぐにわかったのは、新しいことに挑戦するという試みは、すぐに周りの人に伝染することだ。

じつはここまでに紹介したメインとなる分野にくわえて、私はほかにもいろいろと珍しいことを初体験した。初めてマラソンを走ったし、スノーボードもやった。ヨットにも片足を突っ込んでみたが、膨大な数の専門用語と、必要な装備の多さには面食らった。娘が乗り気だったのもあって、しばらくは毎週のように変わったことに新しく挑戦しているような状態だった（たとえば、室内スカイダイビングやロッククライミングなど）。また、数十年ぶりにアイススケートやスケートボードを再開した。娘が外で陸上競技をする季節には、私も走り幅跳びをして午後の時間を過ごした。幅跳びをしようなんて、学校で計算問題の筆算をしていたとき以来（この技術もまた、簡単に〝錆落とし〟をする必要があった）ほとんど考えもしなかったことだ。

数学者のリチャード・ハミングは、科学者とエンジニアのあいだに興味深い線引きをしたことがある。「科学の世界では、自分が何をしているかわかっているのなら、それはやるべきではない」と彼は記している。つまり、科学とはすでに知られていることの枠を超える探求であるということだ。それは実験と失敗の繰り返しであり、すでに証明済みの仮説に手を出す必要はない。

一方、エンジニアリングについてハミングはこう述べている。「もし自分が何をしているかわからないのであれば、それはやるべきではない」。エンジニアの仕事は、失敗が起きないよう、定量可能な一定レベルのパフォーマンスを保つことだ。まだ実験中の橋の上を車で走りたいと思う人はいないのだから。

そして私たちの仕事の大半は、エンジニアのものに近い。つまり、安定した能力を提供しなければならないわけだ。私はライターだが、出版社から何かを書くよう依頼された場合、多かれ少なかれその出版社独自のスタイルに沿った、適切な長さの記事を期待される。基本的には、過激な実験や、自分勝手な発想の飛躍は求められていない。

ただ、思うに私たちはみな、科学者のようになりたいのではないだろうか。いろいろなことに手を出し、いじりまわしてメチャクチャにして、これまでの枠を押し広げて、何が起きるか見てみたい。結果なんて気にせず、何かに没頭してみたい。毎朝、バスルームの鏡に映るこの自分に、じつはどんな知られざる側面があるのか見てみたい。年齢を重ね、周りの状況や、あるいは自分自身によって、これまで以上に役割を規定されていくにつれて、こうした隠された自己は間違いなく、ますます重要になっていくだろう。作家のジョン・ケイシーは「私の古い師であるカート・ヴォネガットは、誰かをおだてるには、その人の大きな業績よりも密かにうぬぼれている小さな点を褒めるほうが、よっぽど効果的だと言っていた」と書いている。人は、自分が世に知られていることを周囲に知られるのを、つねに望んでいるとは限らないのである。

本書で私が手を出した分野や試み――どうしてもと言うなら趣味と呼んでもいい――は、自分にとっての科学だった。絵を描くときに目に入るものを解釈するのに苦労したり、E5の音程を出そうと体を精一杯使ったり、すこし大きすぎると感じる波がきている日に海に出かけたりしたとき、私は〝自分が何をしているのかわかっていなかった〟からだ。それでも、とにかくやった。

脳が私の邪魔をすることもしばしばだった。人は歌を歌うとき、普段の会話なら簡単に出せる音を出すのに苦労することがある。この場合、問題は技術面ではない。これから歌を歌うのだという考え自体がハードルになるのだ。

たしかに、こうしたある種の〝自己探求〟には、生ぬるい自己満足の気配が漂っているのは認めざるを得ない。だが、たとえその視点が内面に向いていたとしても、こうした活動は実際には私を外の世界に導いてくれた。やってみて初めてわかったが、初心者であることの最大の喜びの1つは、ほかの初心者に出会えることだ。私は普段の生活では会えなかっただろう、さまざまな人と巡り会った。みな、技術は足りないが、どんな失敗が起きてもそれを隠すことなくさらけだそうという気持ちは共通していた。

そのなかには、いまでは友人だと思える関係になった人たちもいる。これは大切なことだ。というのも友情は多くの恩恵をもたらしてくれるにも関わらず、歳を重ねるごとにその範囲が狭くなっていくように見えるからだ（男性同士のあいだではとくに）。友情とは、歌や絵と同じく、若いときは大事にしていたのに、じょじょに隅っこに追いやられて、気づけばどうやって取り戻せばいいのかわからなくなってしまうもののように思える。

オクシデンタル大学の社会学者リサ・ウェイドは、競争的で、自尊心が強く、不安を表に出さないという、男らしさの典型とされる特徴が、しばしば友情を築くうえで邪魔になるのではないかと述べている。だが、初心者であるということは、普段の地位を捨て、ほかの人の意見に耳を傾け、そこから学び、不安をさらけだすことにほかならない。

水泳のときもそうだったが、何かをしようと思ってグループに入ると、女性が多数派であることが多かったのは、おそらく偶然ではない。彼女たちは新しいことに挑戦したり、自分の殻を破るのに前向きで、初心者をサポートするのもいとわないように見えた。『ジャーナル・オブ・ポジティブ・サイコロジー』によれば、「学習には、自分には学ぶべきことがある、ということを自覚する謙虚さが必要」だという。

私自身の場合、キャリアもなかばまできて安心していたところを、親になったことで、その居心地のいい場所から叩き出されることになった。人は親になると、教える側であるとともに学ぶ側でもあるという不思議な立場に置かれる。私はほとんど毎日のように、娘に何かを教えているような感じがした。バスケットボールのドリブル、マッチの点け方、ラグビーのボールの投げ方（これは直感的にはとてもわかりづらい）などなど。おそらく誰でもそうだろうが、こうしたことを学んだのは遠い昔の話であり、いまではほとんど意識にない。そしてある日、娘が代数の宿題を持って帰ってくると、私は急に昔の記憶をひっぱりだしつつ、自分が簡単にできると勘違いしていたことを学びなおすはめになる。

親はこうしたことのすべてを、子どもの視点から体験するのだが、同時に自分自身の目で見ることも多い。うちの地元のアイススケートリンクでは、子どもたちだけでなく、同じようなおぼつかない足さばきで滑る親でいっぱいだ（おそらくみな、滑るのが子どものとき以来だからだろう）。それでもあなたもきっと、自分が大昔に覚えたことがまだできるという事実に驚くだろう。技術とは体に残る記憶のようなものなのだ。

親子で一緒に何か新しいことを学ぶのは——たとえば、クライミングジムで降下練習をしたり、クッキーをつくったり、新しいゲームで遊んだり——さらにすばらしい。そのときあなたは気づくだろう。子どもの成長と自分の存在はお互いに並び立たない二者択一の選択ではないことを。子どもの学びは直接的にコントロールすべきものではないことを。そして、あなたが自分の子どもに関してはそれほどに気にしている学習というプロセスが、じつは子ども時代だけで終わるものではないことを。

私自身のささやかな実験によって、海に漕ぎ出した小さなボートの数々は、これからも進んでいく。私はどの技術も学び終えてはいない。いままさに学んでいる途中だ。

それでは、私たちの話は終わりにしよう。次はあなたが何かをはじめる番だ。

謝辞

Acknowledgments

このプロジェクトの途中で、研究や技術指導を通じて私を助けてくれたり、あるいは温かく見守ってくれたほとんどの方々については、すでに本文で紹介している。そのため、そうした人たちへの心からの感謝については、ここでは繰り返さない。だが、本書への貢献に対して、お礼を言い切れなかった人たちも何人かいる。

ジョンズ・ホプキンス大学医学研究所人間脳生理学・刺激研究室のガブリエラ・カンタレロ、フィラース・マワセ、マニュエル・アナヤ、ならびに、ジョンズ・ホプキンス大学の提携機関であるケネディ・クリーガー研究所運動研究センターのライアン・ルーミッヒには大変お世話になった。アラバマではデスティン・サンドリンとバーニー・ダルトンが、ハンドルとは逆向きに曲がるようセッティングした自転車の乗り方を教えようとしてくれたが、私は驚くほど（そして笑えるほど）不器用な姿を披露することになった。コロラドのクレステッドビュートでは、ダスティ・ダイアーが時間をとって、スキーに関する細かい相談に乗ってくれた。ダラスでは、テキサス大学脳寿命研究所のサラ・フェスティーニとシー・チェンが、脳の老化について教えてくれた。ニューヨーク大学ランゴーン医療センターのルーシー・ノークリフ＝カウフマンは迷走神経の複雑な仕組みについて一通り解説してくれた。アリゾナ大学のロブ・グレイは私の質問に答えてくれたし、彼の「知覚――行動ポッドキャスト」は運動技能について学ぶうえで非常に貴重な情報源となった。ニューヨーク芸術アカデミーのアダム・クロスは根気よく絵を教えてくれ、ヘザー・ペトルゼリも同じように熱心な歌の指導をしてくれた。

本書の出版社であるアルフレッド・A・クノップからはこれまでに3冊の本を、一流の、しかもほとんどメンバーのかわらないチームのサポートを得て出版することができた。担当編集者であるアンドリュー・ミラーはいつものように賢明なアドバイスをくれたし、マリス・ダイアーはプロジェクトをつつがなく軌道に乗せてくれた。ガブリエル・ブルックスは初日から宣伝を手伝ってくれた。サラ・ニスベット、イングリット・スターナー、マリア・マッセイ、タイラー・コムリー、スニョン・クォンにも感謝する。また、伝説の編集者であり、出版業界の真の勇士であったサニー・メータに敬意を表したい。本書が彼の仕事の一部に数えられることは光栄でもあり、畏れ多くもある。長年私のエージェントを務め、友人でもあるゾーイ・パグナメンタと、ゾーイ・パグナメンタ・エージェンシーの社員であるジェス・ホーアとアリソン・ルイスにも感謝したい。イギリスでは、フェリシティ・ブライアン社のサリー・ホロウェイとアトランティック・ブックスのマイク・ハープレイにお世話になった。また本書のプロジェクトの合間に一緒に楽しく仕事をさせてもらった編集者の方々にもお礼を言いたい。なかでも『アウトサイド』のマイケル・ロバーツ、『トラベル＋レジャー』のフローラ・スタッブスとマウラ・イーガン、『エコノミスト』のサイモン・ウィリスにはとくに感謝する。

最後に、私のプロジェクトに喜んで付き合ってくれ、みずから研究対象となり、インスピレーションを与えてくれた娘のシルヴィに。そして、人生と同じく執筆においても、つねに別の原稿を検討する準備ができているわが妻、ジャンシー・ダンに感謝を捧げる。

を参照のこと。〔『幻影（イメジ）の時代』D. J. ブーアスティン著、星野郁美、後藤和彦訳、東京創元社、1964年〕

339 **「自分の得意分野に引きこもりたくなる」**: "Laird Hamilton on Being a Beginner and Mixing Things Up," The Mullet, Oct. 5, 2015, www.distressedmullet.com.

339 **「毒性のボーダーラインぎりぎり」**: この便利な表現は、Jeff Stewart, "The Dos and Don'ts of Embrocation," Competitive Cyclist, April 21, 2014, www.competitivecyclist.comから許可を得たうえで借用した。

341 **「科学の世界では、自分が何をしているかわかっているのなら、それはやるべきではない」と彼は記している**: Richard Hamming, *The Art of Doing Science and Engineering* (Amsterdam: Gordon and Breach, 2005), 5を参照のこと。

342 **「私の古い師であるカート・ヴォネガットは、誰かをおだてるには、その人の大きな業績よりも密かにうぬぼれている小さな点を褒めるほうが、よっぽど効果的だと言っていた」**: John Casey, *Room for Improvement: A Life in Sport* (New York: Vintage, 2012), 177.

344 **『ジャーナル・オブ・ポジティブ・サイコロジー』によれば、「学習には、自分には学ぶべきことがある、ということを自覚する謙虚さが必要」**: Elizabeth J. Krumrei-Mancuso et al., "Links Between Intellectual Humility and Acquiring Knowledge," *Journal of Positive Psychology*, Feb. 14, 2019を参照のこと。

Differences in Swimming: Relative Contributions of Strength and Technique," in *Biomechanics in Swimming XI*, ed. Per-Ludvik Kjendiie, Robert Keig Stallman, and Jan Cabri (Oslo: Norwegian School of Sport Science, 2010) を参照のこと。

315 **「正しい効率的な水泳のストロークは、理想的なゴルフのスイングや、絵に描いたようなテニスのサーブよりもはるかに難しい、人が身につけるなかでも極めて複雑なスキルの1つ」**: Laughlin, *Total Immersion*, 17.

317 **「イケア効果」**: Michael Norton et al., "The IKEA Effect: When Labor Leads to Love," *Journal of Consumer Psychology* 22, no. 3 (2012): 453–60を参照のこと。

332 **人間は道具を使うことで、脳が大きくなり**: ジョン・ネイピアは『ハンズ』という優れた著書のなかで次のように述べている。「（カリフォルニア大学）バークレー校のシャーウッド・ウォッシュバーン（S. L. Washburn）は、脳の大きさの増加（運動機能、感覚機能、スキル、記憶力、予見能力など、脳の容量を必要とするすべての機能に関する、脳の全体的なキャパシティを見積もるにあたって、やや大ざっぱではあるものの有用な指標）は、道具をつくりはじめる前ではなく、あとに起きた可能性が高く、そこで正のフィードバックが確立されたのだろうと強く主張している」。詳しくはJohn Napier, *Hands* (Princeton, N.J.: Princeton University Press, 1980), 101を参照のこと。

332 **現在のような形の手を獲得したと言われている**: 人類学者のメアリー・マルケはとくにこうした説に深く関わっている。たとえばMary W. Marzke, "Tool Making, Hand Morphology, and Fossil Hominins," *Philosophical Transactions of the Royal Society B: Biological Sciences* 368, no. 1630 (2013): 1–8を参照。あわせて、Sara Reardon, "Stone Tools Helped Shape Human Hands," *New Scientist*, April 10, 2013も参照のこと。

332 **「肉体的な努力の成果が、実際に何か実体のあるものを生み出すと、深い満足感と喜びを得る」**: Kelly Lambert, *Lifting Depression* (New York: Basic Books, 2010), 28を参照〔『うつは手仕事で治る!』ケリー・ランバート著、木村博江訳、飛鳥新社、2011年〕。あわせて、Kelly G. Lambert, "Rising Rates of Depression in Today's Society: Consideration of the Roles of Effort-Based Rewards and Enhanced Resilience in Day-to-Day Functioning," *Neuroscience and Biobehavioral Reviews* 30, no. 4 (2006): 497–510も参照のこと。

334 **見習いとして修行したいという若者が極めて少ないこの国では**: ある調査によると、技能職の見習いとして訓練を受けるアメリカの若者は、全体の5パーセント以下であるという。詳しくはTamar Jacoby, "Why Germany Is So Much Better at Training Its Workers," *Atlantic*, Oct. 16, 2014を参照のこと。

334 **両脚や背中といった大きなパーツを動かすときより、両手を動かすときのほうが、脳の運動野の広い部分を使うことになるからだ**: Kelly Lambert, "Depressingly Easy," *Scientific American Mind*, Aug. 2009を参照のこと。

337 **「モチベーションが無限にわいてきて、その道を追求するのが困難ではなくなる」**: Paul A. O'Keefe et al., "Implicit Theories of Interest: Finding Your Passion or Developing It?," *Association for Psychological Science* 29, no. 10 (2018): 1653–64を参照のこと。

338 **旅人たるもの**: Daniel J. Boorstin, *The Image* (New York: Vintage Books, 1992), 85

290 **「当たり前のようにトーガを身に着けている絵画の生徒たちがたくさんいた」**: Jacob Bernstein, "Downtown Art School That Warhol Started Raises Its Celebrity Profile," *New York Times*, April 26, 2017.

290 **「どういうわけか、人前で裸になり、ただ突っ立って交流することが、自分にとって大切だと思った」**: Jeremy Deller, *Iggy Pop Life Class* (London: Heni, 2016), 12.

291 **被験者である素人のなんと95パーセントがこのミスを犯すという**: この点については、Justin Ostrofsky et al., "Why Do Non-artists Draw Eyes too Far up the Head? How Vertical Eye Drawing Errors Relate to Schematic Knowledge, Pseudoneglect, and Context-Based Perceptual Biases," *Psychology of Aesthetics, Creativity, and the Arts* 10, no. 3 (2016): 332–43を参照。この論文の著者たちは、「これほどよく見られるにも関わらず、このバイアスが生じる原因についてはいまのところよくわかっていない」と述べている。ただ、原因の1つとして挙げられているのは、人物画に髪の毛の部分が含まれている場合、無意識のうちに生え際を頭の一番上の部分と見なす傾向があることだ。被験者が髪の毛のない人を描いた場合にも前述のミスは見られたが、それでもその割合はこれほど高くならなかった。

294 **芸術家は普通の人よりも、対象をよく観察する傾向がある**: Dale J. Cohen, "Look Little, Look Often: The Influence of Gaze Frequency on Drawing Accuracy," *Perception and Psychophysics* 67, no. 6 (2005): 997–1009を参照のこと。

第8章　見習い職人

304 **ある長期にわたる研究によると、水泳をする人はあまり体を動かさない人たちに比べて長生きするという**: Nancy L. Chase, Xuemei Sui, and Steven N. Blair, "Swimming and All-Cause Mortality Risk Compared with Running, Walking, and Sedentary Habits in Men," *International Journal of Aquatic Research and Education* 2, no. 3 (2008): 213–23を参照のこと。

304 **水泳の抗うつ作用についての実際の臨床的証拠としては**: Weina Liu et al., "Swimming Exercise Reverses CUMS-Induced Changes in Depression-Like Behaviors and Hippocampal Plasticity-Related Proteins," *Journal of Affective Disorders* 227 (Feb. 2018): 126–35を参照のこと。

305 **〝溺れない方法〟**: この考え方はテリー・ラクリンの、のちに大きな影響力を持つことになった著書『カンタン・スイミング ── 効率的に泳ぐトータル・イマージョン(TI)スイム・メソッド』〔竹内慎司訳、ダイヤモンド社、2008年〕Terry Laughlin, *Total Immersion: The Revolutionary Way to Swim Better, Faster, and Easier* (New York: Simon & Schuster, 2004), 2によって広まった。

306 **「水泳と陸上スポーツの大きな違いの1つは、水中で呼吸をするのは技術であり、しかもかなり高度なものだということだ」**: Terry McLaughlin, "Inside-Out Breathing," *CrossFit Journal*, Dec. 1, 2005, journal.crossfit.com.

312 **「弱った老人」**: Seneca, *On the Shortness of Life* (New York: Penguin Books, 2005), 16.〔『人生の短さについて』セネカ著、浦谷計子訳、PHP研究所、2009年〕

313 **水のなかで力任せでは限度があるからだ**: 泳ぐスピードについては、概して体力よりも技術のほうが重要であることが研究によって示されている。R. Havriluk, "Performance Level

視覚よりも「世界とはこのようなものだ、という心のなかの概念」に頼っていることを示唆している（のちにベティ・エドワーズも同様のことを述べた）。Harold Speed, *The Practice and Science of Drawing* (New York: Dover, 1972), 47.

279 **「無垢の目」**：この「無垢の目」——言い換えれば「初心者の心」——を持つことは本当に可能なのか、あるいはつねになんらかの概念が頭に入り込んでしまうのかについては、これまでも議論がなされてきた。詳しくはErik Forrest, "The 'Innocent Eye' and Recent Changes in Art Education," *Journal of Aesthetic Education* 19, no. 4 (1985): 103–14を参照のこと。

279 **「子どものように認識する」**：John Ruskin, *The Elements of Drawing* (New York: Dover, 1971), 27.〔『ラスキンの芸術教育 — 描画への招待』ジョン・ラスキン著、内藤史朗訳、明治図書出版、2000年〕

279 **「外に出て絵を描くときには」**：この発言はNational Gallery of Art, www.nga.govから引用した。

280 **1930年代におこなわれたある有名な実験**：L. Carmichael et al., "An Experimental Study of the Effect of Language on the Reproduction of Visually Perceived Form," *Journal of Experimental Psychology* 15, no. 1 (1932): 73–86を参照のこと。

280 **得られた結果がその後、ほかの実験でもおおむね再現されている**：一例としてJustin Ostrofsky, Heather Nehl, and Kelly Mannion, "The Effect of Object Interpretation on the Appearance of Drawings of Ambiguous Figures," *Psychology of Aesthetics, Creativity, and the Arts* 11, no. 1 (2017): 99–108を参照のこと。

280 **「実際、この記号は見えているものを上書きするようだ。そのため、人間の頭をリアルに描ける人はほとんどいないし、人物の見分けがつく肖像画を描ける人はさらに少ない」**：Edwards, *Drawing on the Right Side of the Brain*, 169.

284 **「反証があるにも関わらず捨てられない、間違った信念」**：Dale J. Cohen and Susan Bennett, "Why Can't Most People Draw What They See?," *Journal of Experimental Psychology: Human Perception and Performance* 23, no. 3 (1997): 609–21.

284 **子どもたちに角度のついた複数の線を書き写させた**：Monica Lee, "When Is an Object Not an Object? The Effect of 'Meaning' upon the Copying of Line Drawings," *British Journal of Psychology* 80, no. 1 (1989): 15–37.

286 **「動的な状態での瞑想は、静的な状態のそれよりも千倍も深い」**：この言葉は、Frederick Frank, *Zen Seeing, Zen Drawing* (New York: Bantam Books, 1993), 114に引用されている。

287 **「大半の絵は失敗作であり、ほぼすべてがただの練習である」**：Peter Steinhart, *The Undressed Art* (New York: Vintage Books, 2004), 55.

288 **「絵を描くことを卒業してはいけない」**：John Sloan, *John Sloan on Drawing and Painting: The Gist of Art* (New York: Dover, 2010), 110.

289 **アートスクールが伝統的なデッサンや絵画などの技術をほとんど持たない卒業生を世の中に送り出しはじめた**：画家のデイヴィッド・ホックニー（David Hockney）が、現代の美術学校における「描画の破壊」と呼んだこの現象については、Jacob Will, "What Happened to Art Schools?," *Politeia* (2018), www.politeia.co.ukに優れた解説がある。

2000), ix.

272 **絵を描くと、脳のなかに新たな記憶の層がつくられるため**: Myra A. Fernandes et al., "The Surprisingly Powerful Influence of Drawing on Memory," *Current Directions in Psychological Science* 27, no. 5 (2018): 302–8を参照のこと。

272 **「頭脳労働者が普段のルーティンを」**: Churchill, *Painting as a Pastime*, 25.

277 **「視覚的・言語的な情報の意味を解釈するにあたってのガイドとなり、理解が深まる」**: Betty Edwards, *Drawing on the Right Side of the Brain* (New York: TarcherPerigree, 2012), xiv.〔『決定版 脳の右側で描け（新装版）』ベティ・エドワーズ著、野中邦子訳、河出書房新社、2021年〕

277 **一方、脳の右半球（右脳）は**: M. S. Gazzaniga, J. E. Bogen, and R. W. Sperry, "Observations on Visual Perception After Disconnexion of the Cerebral Hemispheres in Man," *Brain* 88, pt. 2 (June 1965): 221–36を参照のこと。

278 **脳科学を拡大解釈している**: サリー・スプリンガーとゲオルク・ドイチュは著書『左の脳と右の脳』のなかで、片方の脳半球だけしか使わない認知作業などなく、「絵を描くときに左半球が右半球を妨害している」と信じるに足る理由は、ほとんどないと述べている。さらに、上下を反転させた絵を描く作業では右半球よりもむしろ、細部の認識などに関わることの多い左半球のほうが深く関与しているのではないかとも示唆している。Sally P. Springer and Georg Deutsch, *Left Brain, Right Brain: Perspectives from Cognitive Neuroscience* (New York: W. H. Freeman, 1997), 301.〔『左の脳と右の脳（第2版）』福井圀彦、河内十郎監訳、宮森孝史ほか訳、医学書院、1997年〕

278 **「多くの人は普段、問題解決に脳の片側だけしか使っていないが、適切に訓練することでもう片方も意識的に問題解決に用いることができる」**: Chris McManus, *Right Hand, Left Hand: The Origins of Asymmetry in Brains, Bodies, Atoms, and Cultures* (Cambridge, Mass.: Harvard University Press, 2004), 298.

278 **人は〝左脳タイプ〟と〝右脳タイプ〟に分かれるという考え方は、一般に広く浸透してはいるものの**: この点については、たとえばJared Nielsen et al., "An Evaluation of the Left-Brain vs. Right-Brain Hypothesis with Resting State Functional Connectivity Magnetic Resource Imaging," *PLOS One* 8, no. 8 (2013), doi.org/10.1371/journal.pone.0071275を参照。また、左脳タイプ右脳タイプ別の学習スタイルという考え方については、Paul A. Kirschner, "Stop Propagating the Learning Styles Myth," *Computers and Education* 106 (March 2017): 166–71を参照のこと。

278 **右脳のほうがより〝創造的〟**: この点については、Dahlia W. Zaidel, "Split-Brain, the Right Hemisphere, and Art: Fact and Fiction," *Progress in Brain Research* 204 (2013): 3–17によいレビューがある。

279 **「暴走しやすい」**: R. W. Sperry, "Some Effects of Disconnecting the Cerebral Hemispheres," *Science* 217 (Sept. 1982): 1223–26.

279 **「脳の機能についての時代遅れの分類法を生き延びさせる」**: E. I. Schiferl, "Both Sides Now: Visualizing and Drawing with the Right and Left Hemispheres of the Brain," *Studies in Art Education* 50, no. 1 (2008): 67–82.

279 **物事をありのままに描くためには**: たとえば、ハロルド・スピードは1917年に発表した名著『ザ・プラクティス・アンド・サイエンス・オブ・ドローイング』のなかで、人は絵を描くときに、

で引用されていたジョン・ガートナー（Jon Gertner）の言葉。〔『クロード・シャノン ── 情報時代を発明した男』ジミー・ソニ、ロブ・グッドマン著、小坂恵理訳、筑摩書房、2019年〕

267 **「歳を取ったら、あまり動かないようにするのではなく、能力を維持するためにより多く行動をしなければならない」**: Janina Boyke et al., "Training-Induced Brain Structure Changes in the Elderly," *Journal of Neuroscience* 28, no. 28 (2008): 7031–35.

267 **年配の人たちも学べば学ぶほど学習速度が速くなり**: この点についてはたとえば、Rachael D. Seidler, "Older Adults Can Learn to Learn New Motor Skills," *Behavioral Brain Research* 183, no. 1 (2007): 118–22を参照のこと。

第７章　おまけ付きの瞑想

268 **読み書きと同じように、誰もが絵の描き方を教わるべきだ**: この言葉はAymer Vallance, *William Morris, His Art, His Writings, and His Public Life: A Record* (London: George Bell & Sons, 1897), 251で取りあげられている。

268 **2017年、グーグルはもっとも多く検索されたハウツーに関する質問のランキングを公開した**: Annalisa Merelli, "Google's Most-Searched 'How-To' Questions Capture All the Magic and Struggle of Being Human," *Quartz*, Sept. 2, 2017, qz.comを参照のこと。

270 **ある研究では、幼児から青年、高齢者まで幅広い年齢層の人に、〝怒り〟などの概念を表す絵を描いてもらい**: Jessica Davis, "Drawing's Demise: U-Shaped Development in Graphic Symbolization," Harvard Project Zero, Harvard Graduate School of Education (paper presented at SRCD Biennial Meeting, New Orleans, March 1993).

270 **「直解主義の停滞期」**: Howard Gardner, *Artful Scribbles: The Significance of Children's Drawings* (New York: Basic Books, 1980), 148.〔『子どもの描画 ── なぐり描きから芸術まで』H. ガードナー著、星三和子訳、誠信書房、1996年〕

271 **「空間、スケール、遠近法の技術の数々」**: Angela Anning, "Learning to Draw and Drawing to Learn," *International Journal of Art and Design Education* 18, no. 2 (1999): 163–72.

271 **「丁寧に描かれてはいるものの、硬くて生気のないもの」**: Gardner, *Artful Scribbles*, 143.

271 **もっぱら芸術家を養成するための職業訓練だと見なされるようになってしまうのだ**: モーリーン・コックスによれば、20世紀初頭には絵を描くことは「学校の教育課程の時間割の1つとして登場したものの、実際にはおもに男子を対象とした科目であり、女子はその間、裁縫をしていた」という。男子のほうが絵を描くのが上手だと言われることが多かったのは、ある意味当然だろう。詳しくはMaureen V. Cox, *Children's Drawings of the Human Figure* (New York: Psychology Press, 1993), 3を参照のこと。

272 **「非常に重要な」スキル**: Baldassare Castiglione, *The Book of the Courtier* (London: Penguin Books, 2004), 97.〔『カスティリオーネ 宮廷人』カスティリオーネ著、清水純一、天野恵、岩倉具忠訳、東海大学出版会、1987年〕

272 **「社会的な慣習」**: Ann Bermingham, *Learning to Draw: Studies in the Cultural History of a Polite and Useful Art* (London: Paul Mellon Centre for British Art,

261 **白質**: Jan Scholz et al., "Training Induces Changes in White Matter Architecture," *Nature Neuroscience* 12, no. 11 (2009): 1370–71を参照。この論文の研究者たちは「トレーニングに関連して変化を見せる灰白質と白質の領域は近接しているにも関わらず、被験者における両者の変化の度合いには、なんら相関を見つけることができなかった」と述べている。これは、白質と灰白質の変化の背後にあるプロセスがどのようなものであったとしても、それぞれが独立していることを示唆しているのではないか、と彼らは推測している。あわせてBimal Lakhani et al., "Motor Skill Acquisition Promotes Human Brain Myelin Plasticity," *Neural Plasticity*, April 2016, 1–7も参照のこと。

261 **すべてをとりまとめている場所**: この比喩的な表現は、"Intelligence in Men and Women Is a Gray and White Matter," *ScienceDaily*, Jan. 22, 2005, www.sciencedaily.comから許可を得たうえで借用した。

262 **私たちが新しく何かを学ぶとき**: 動物実験では、学習によって、新しく神経が結合する「シナプス形成」が起きる一方で、すでに十分習得済みの動きを繰り返すだけでも、脳内に新しい血管をつくる「血管形成」が促進され、「代謝負荷」を処理する助けになることがわかっている。詳しくはJames E. Black et al., "Learning Causes Synaptogenesis, Whereas Motor Activity Causes Angiogenesis, in Cerebellar Cortex of Adult Rats," *Proceedings of the National Academy of Sciences* 87, no. 14 (1990): 5568–72を参照のこと。

262 **脳の大きさや重さが変わったのではなく**: この点についてはDriemeyer et al., "Changes in Gray Matter Induced by Learning—Revisited" で述べられている。

262 **内部での再編成が起きたのだ**: このような再編成が〝どのように〟、あるいは〝どの程度〟起きるのかについて、正確なところはあきらかになっていない。トレーニングによる脳の可塑性に関する包括的なレビューについては、Cibu Thomas and Chris Baker, "Teaching an Adult Brain New Tricks: A Critical Review of Evidence for Training-Dependent Plasticity in Humans," *NeuroImage* 73 (June 2013): 225–36を参照のこと。

262 **なにせ私たちはつねに何かを学んでいるのだから**: 技術習得に伴う脳の可塑性についての優れた議論についてはElisabeth Wenger et al., "Expansion and Renormalization of Human Brain Structure During Skill Acquisition," *Trends in Cognitive Sciences* 21, no. 12 (2017): 930–39を参照のこと。

263 **実際、数多くの研究が睡眠や**: Yuko Morita et al., "Napping After Complex Motor Learning Enhances Juggling Performance," *Sleep Science* 9, no. 2 (2016): 112–16を参照のこと。

263 **あるいはわずかな休憩をはさむことが**: たとえばMarlene Bönstrup et al., "A Rapid Form of Offline Consolidation in Skill Learning," *Current Biology* 29, no. 8 (2019): 1346–51を参照のこと。

263 **「脳は、戸惑いながら新しい何かを吸収するのを好む」**: Jessica Hamzelou, "Learning to Juggle Grows Brain Networks for Good," *New Scientist*, Oct. 11, 2009を参照のこと。

266 **「彼はボール5つのジャグリングをマスターできなかったがゆえに、かえってそれに惹きつけられていた」**: Jimmy Soni and Rob Goodman, *A Mind at Play: How Claude Shannon Invented the Information Age* (New York: Simon & Schuster, 2017), 249

Timing Task," *Experimental Brain Research* 209, no. 2 (2011): 181–92.

257 **問題に対する答えを知りたければ知りたいほど、記憶に残る可能性は高くなる**：これについてはMatthias J. Gruber et al., "States of Curiosity Modulate Hippocampus-Dependent Learning via the Dopaminergic Circuit," *Neuron* 84, no. 2 (2014), doi:doi.org/10.1016/j.neuron.2014.08.060を参照。さらにこの研究では、問題の答えに強い関心を持っている人たちについて面白いことがわかっている。彼らは、答えそのものだけでなく付随的に提示された情報についても、〝関心が高まった状態〟にあるときのほうが関心が低い状態のときよりも、より記憶しやすいことがあきらかになったのだ。

257 **あとで、学んだ運動技能を誰かに教えるつもりでやっている人のほうが**：これについてはMarcos Daou, Keith R. Lohse, and Matthew W. Miller, "Expecting to Teach Enhances Motor Learning and Information Processing During Practice," *Human Movement Science* 49 (Oct. 2016): 336–45を参照。ただしこの著者たちが別の論文で述べているように、この現象が起きる正確なメカニズムはまだわかっていない。たとえば、何かをほかの人に教えることを期待されている被験者とそうでない被験者を比べても、脳波には違いが見られなかった。そのため、教えることへの期待は、脳波には表れない形で脳を活性化するのではないかと彼らは推測している。「そのあと誰かに教えると思うことで、学習者は技術習得への意欲が高まり、中脳と海馬領域のつながりが強まるのではないか」。詳しくはMarcos Daou, Keith R. Lohse, and Matthew W. Miller, "Does Practicing a Skill with the Expectation of Teaching Alter Motor Preparatory Cortical Dynamics?" *International Journal of Psychophysiology* 127 (Feb. 2018): 1–19を参照のこと。

257 **面白いことに、私たちはたくさん間違いを犯す初心者からのほうが、多くを学べるようだ**：Hassan Rohbanfard and Luc Proteau, "Learning Through Observation: A Combination of Expert and Novice Models Favor Learning," *Experimental Brain Research* 215, no. 3–4 (2011): 183–97.

257 **達人の完璧なパフォーマンスというのは結局のところ、人が何かを学んでいる姿ではない**：Daniel R. Lametti and Kate E. Watkins, "Cognitive Neuroscience: The Neural Basis of Motor Learning by Observing," *Current Biology* 26, no. 7 (2016): R288–R290.

258 **3つのボールのカスケードを使ったある研究では**：Spencer J. Hayes, Derek Ashford, and Simon J. Bennett, "Goal-Directed Imitation: The Means to an End," *Acta Psychologica* 127, no. 2 (2008): 407–15を参照のこと。

259 **肯定的なフィードバックは学習者の自信とやる気を高めるので**：Rokhsareh Badami et al., "Feedback About More Accurate Versus Less Accurate Trials: Differential Effects on Self-Confidence and Activation," *Research Quarterly for Exercise and Sport* 83, no. 2 (2012): 196–203を参照のこと。

260 **「空中発作」**：Richard Hoffer, *Something in the Air: American Passion and Defiance in the 1968 Mexico City Olympics* (New York: Free Press, 2009), 74.

261 **「活性化依存の脳の構造的可塑性」**：Joenna Driemeyer et al., "Changes in Gray Matter Induced by Learning—Revisited," *PLOS One* 3, no. 7 (2008), journals.plos.orgを参照のこと。

Beek and Arthur Lewbel, "The Science of Juggling," *Scientific American*, Nov. 1995, 94を参照のこと。

252 **26もの可動部があり、それぞれ異なる方向に動かすことができる**: William H. Edwards, *Motor Learning and Control* (New York: Cengage Learning, 2010), 48を参照のこと。

252 **千億の神経細胞**: この数字はクラークの"On Becoming Skillful"から引用した。

253 **研究では、チェロの演奏から自転車の運転まで、どのような技術を取りあげて調べても結果は同じだとされている**: Cláudia Tarragô Candotti et al., "Cocontraction and Economy of Triathletes and Cyclists at Different Cadences During Cycling Motion," *Journal of Electromyography and Kinesiology* 19, no. 5 (2009): 915–21を参照のこと。

253 **これは実際には動きに必要のない筋肉を〝抑制〟し、必要な筋肉を〝刺激〟するということだ**: この点についての議論はJulie Duque et al., "Physiological Markers of Motor Inhibition During Human Behavior," *Trends in Neuroscience* 40, no. 4 (2017): 219–36を参照のこと。

254 **ジャグリングで要求される体力はたいしたものではない**: MITのハワード・オースティンは、ジャグリングは「筋肉や通常の意味での神経回路、フィードバックとは何の関係もない」と主張している。詳しくはHoward Austin, "A Computational View of the Skill of Juggling," *Artificial Intelligence Memo No. 330*, LOGO Memo No. 17, 1974, 8を参照のこと。

254 **自分のサインのいろいろなバリエーションを書くことができるはずだ**: この例のアイディアは、UCLAの心理学教授であるジェシー・リスマン（Jesse Rissman）が提供してくれた。

256 **技量とはすなわち〝見たことのないミス〟をなくすことだと言っている**: Jonathan Rowson, *The Moves That Matter: A Chess Grandmaster on the Game of Life* (New York: Bloomsbury, 2019), 109を参照のこと。

257 **「行動観察ネットワーク」**: これについてはDaniel M. Smith, "Neurophysiology of Action Anticipation in Athletes: A Systematic Review," *Neuroscience and Biobehavioral Reviews* 60 (Jan. 2016): 115–20にまとまっている。

257 **「運動レパートリー」**: ある研究によると、行動観察ネットワークを刺激するには、観察した行為の「視覚表現」だけでなく「運動表現」が必要だという。その論文の著者たちは「ある行為を観察したときの脳の反応は、過去に同様の行為を見たときの視覚的知識や経験だけでなく、過去に自分でその行為をしたときの運動的な経験にも左右されることをわれわれは示した」と書いている。詳しくは Beatriz Calvo-Merino et al., "Seeing or Doing? Influence of Visual Motor Familiarity in Action Observation," *Current Biology* 16, no. 19 (2006), doi.org/10.1016/j.cub.2006.07.065を参照のこと。

257 **犬が吠えているのを見ても**: この例はグレゴリー・ヒコックの著書『ザ・ミス・オブ・ミラー・ニューロンズ』Gregory Hickock, *The Myth of Mirror Neurons: The Real Neuroscience of Communication and Cognition*のレビュー論文であるGiacomo Rizzolatti and Corrado Sinigaglia, "Curious Book on Mirror Neurons and Their Myth" *American Journal of Psychology* 128, no. 4 (2015) から引用した。

257 **運動野をフルに働かせるもの**: Maxime Trempe et al., "Observation Learning Versus Physical Practice Leads to Different Consolidation Outcomes in a Movement

す。つまり、トレッドミルを降りても効果が続くんです」とルーミッヒは言った。

248 **この予測が外れたとき、私たちはその原因を探す**：研究者たちはこれを「起因の特定」と呼ぶ。つまり、その失敗は自分のせいなのか、あるいはその場にある何かのせいなのかを決めるということだ。

248 **小脳が感覚入力を〝キャンセル〟して、神経細胞を抑制したのだ**：Sarah-Jayne Blakemore, Daniel Wolpert, and Chris Firth, "Central Cancellation of Self-Produced Tickle Sensation," *Nature Neuroscience* 1 (Nov. 1998): 635–40を参照のこと。

249 **ジャグラーは投げる物体が描く軌道の頂点を見ており**：A. A. M. Van Santvoord and Peter J. Beek, "Phasing and the Pickup of Optical Information in Cascade Juggling," *Ecological Psychology* 6, no. 4 (1994): 239–63を参照のこと。

250 **4回目に投げるときにあせり**：これも初心者にはよくあることだ。ある研究では「初心者は、パターンの構造を維持するのに十分な時間を自分自身に与えていない」としている。詳しくはPamela S. Haibach et al., "Coordination Changes in the Early Stages of Learning to Cascade Juggle," *Human Movement Science* 23, no. 2 (2004): 185–206を参照のこと。

250 **慣れてくればジャグリングはゆっくりに見えてくるから**：だが、なぜこうしたことが起きるのだろうか？　一説によると、ゴルフのパットやサッカーのシュートを決めたあとに、ホールやゴールが小さく見えるのと同じように、いいパフォーマンスをすると時間的な感覚も変化するのではないかと言われている。ある研究では、『ポン』〔画面上に表示された〝ボール〟を〝パドル〟を使って打ち合う卓球ゲーム〕の一種をプレイする際に、一部の被験者にはほかの人よりも大きなパドルを使えるようにした。予想通り、彼らはゲームでいい結果を残した。だが、それだけではなく、彼らはボールが遅く見えたと申告したのである。私の場合、ジャグリングを成功させたために、あとから振り返るとそのときはボールが遅く見えた気がしたのだろう。Jessica K. Witt and Mila Sugovic, "Performance and Goal Influence Perceived Speed," *Perception* 39, no. 10 (2010): 1341–53.

251 **初心者はまず、そのすべてに注意を払うことになる**：たとえば、射撃の初心者と達人を比較した研究では、前者が照準を合わせるあいだずっとターゲットに注意を向けていたのに対して、達人は実際に引き金を引く瞬間が近づいてからターゲットへの集中力を高めていた。この論文の著者たちは「達人たちは、脳の皮質のリソースを特定のタイミングに割り当てるのが上手い」と述べている。詳しくは、M. Doppelmayr et al., "Frontal Midline Theta in the Pre-shot Phase of Rifle Shooting: Differences Between Experts and Novices," *Neuropsychologia* 46, no. 5 (2008): 1463–67を参照のこと。

251 **予測が上手くなってくる**：1つの考え方は、特定の動きに備えることで、脳は本質的に「実際にその動きをする前の、感覚上の情報取得能力を最大化」するようになるというものだ。これによって、外部の環境に何か変化があっても、動きを調節して対応することが容易になり、さらに時間的にも余裕があるという感覚も生まれてくるのではないかとされる。詳しくはNobuhiro Hagura et al., "Ready Steady Slow: Action Preparation Slows the Subjective Passage of Time," *Proceedings of the Royal Society B* 279, no. 1746 (2012): 4399–406を参照のこと。

252 **投げる角度がほんのすこし違うだけで、ボールの落下地点が大きくズレてしまう**：Peter J.

そのものに関する知識を積み重ねても構築できない」と述べている。この言葉は彼の重要な講義（1945年11月、ロンドン大学クラブで開催されたアリストテレス協会の研究会）であるGilbert Ryle, "Knowing How and Knowing That" www.jstor.orgから引用した。ただ、ライルのこの有名な理論に対して、ジェイソン・スタンリーとジョン・クラカウアーが、Jason Stanley and John W. Krakauer, "Motor Skill Depends on Knowledge of Facts," *Frontiers in Human Neuroscience*, Aug. 29, 2013で興味深い反論を提示している。彼らは、ライルの宣言的記憶と潜在（暗黙）記憶という分類は一部で言われているほど絶対的なものではないと主張する。とても単純な例をあげれば、人は釘の打ち方を暗黙のうちに学ぶことができるが、事前にハンマーのどちら側を使うかを教えられていれば、より効率的に作業できるだろうということだ。また、ダニエル・ウォルパート（Daniel Wolpert）らの研究でも、人は新しいツール（たとえばハンマー）を使うとき、それがどのように機能するのかを、ただ〝感じとる〟のではなく〝確認〟したほうが、より効果的に使い方を習得できることが示されている。詳しくはMohsen Sadeghi et al., "The Visual Geometry of a Tool Modulates Generalization During Adaptation," *Nature Scientific Reports*, Feb. 25, 2019を参照のこと。

247 **「知識は習慣になって初めて役に立つ」**: Jerome Bruner, *The Culture of Education* (Cambridge, Mass.: Harvard University Press, 1996), 152.〔『教育という文化』J. S. ブルーナー著、岡本夏木、池上貴美子、岡村佳子訳、岩波書店、2004年〕

247 **「再投資」の理論によれば**: リッチ・マスターズ本人によるこの理論の説明については、たとえばR. S. W. Masters et al., " 'Reinvestment': A Dimension of Personality Implicated in Skill Breakdown Under Pressure," *Personality and Individual Differences* 14, no. 5 (1993): 655–66などを参照のこと。

247 **マスターズの言う「コツ」は、「学んでいることを悟らせずに歩き方を学ばせること」だという**: この発言はリッチ・マスターズの講演Rich Masters, "The Epic Story of Implicit Motor Learning," Sept. 24, 2015, www.youtube.comからの引用。脳卒中の患者に歩き方を再学習させるための方法の1つに、「スプリットベルト・トレッドミル」という片方の足を乗せるベルトが、もう片方よりも速く動く特殊な装置に乗せるというものがある。この変わった方法で歩くと、患者たちは知らず知らずのうちに、トレッドミルから降りたときに足をあまり引きずらなくなっている。私はある朝、ボルチモアのケネディ・クリーガー研究所にあるジョンズ・ホプキンス大学人間脳生理学・刺激研究室でこの現象を目の当たりにした。同大学の運動研究センターに務める人間運動科学者のライアン・ルーミッヒ（Ryan Roemmich）によれば、スプリットベルト・トレッドミルに乗せられた患者たちはただ歩くよう指示されるだけだという。私もこれを体験させてもらった。片方の足がもう片方よりも3倍の速さで動こうとしている状態で歩くのは容易ではないが、しばらくすると慣れはじめ、足を引きずりながらではあるが歩けるようになった。「患者さんたちがトレッドミルから降りたとき、トレッドミルがつくりだした足の引きずりが、もともとの引きずりを打ち消すので、前よりもバランス良く歩けるようになるんです」とルーミッヒは言う。つまり、トレッドミルが再学習のペースを早めたのだ。ルーミッヒいわく、患者が歩いているとき、その脳は「意識の一部と、さらにはるかに大きな潜在意識のレベルにおいて、トレッドミルの上で何が起きるかを予測しはじめる」という。そしてそこから降りたあとも、「すでにトレッドミルに乗っていないことはわかっていても、脳はその変わった歩き方をしなければならないという目算を立てます。これがこのリハビリの真価で

"Using Eye Tracking to Analyze Surfers' Gaze Patterns," Tobii Pro, www.tobiipro.comを参照のこと。

228 **「私たちの魂の根源のマグマに触れる」**: Warshaw, *History of Surfing*, 13.

236 **「ジェンダー社会化の要因」**: Lisa Kindelberg Hagan et al., "Mothers' and Fathers' Socialization of Preschoolers' Physical Risk Taking," *Journal of Applied Developmental Psychology* 28, no. 1 (2007): 2–14を参照のこと。

239 **「自己満足タイプ」のテニスプレイヤーについて吐き捨てるように語っている**: David Foster Wallace, *Infinite Jest* (New York: Back Bay Books, 2006), 116.

239 **「ムラはあるが息の長い興味の対象」**: James Dickey, *Deliverance* (New York: Delta Books, 2004), 5.〔『救い出される』ジェイムズ・ディッキー著、酒本雅之訳、新潮文庫、2016年〕

第6章　私たちはいかに学び方を学ぶか

241 **「学習曲線」**: Edgar James Swift, "Studies in the Psychology and Physiology of Learning," *American Journal of Psychology* 14, no. 2 (1903): 201–51を参照。スウィフト自身も、電信術を例にとった学習に関する同様の先行研究を参照している。詳しくは、William Bryan and Noble Harter, "Studies in the Physiology and Psychology of the Telegraphic Language," *Psychological Review* 4, no. 1 (1897): 27–53を参照のこと。

245 **ある研究によれば、はじめは習うスキルを簡単そうだと思えるようにしておくことが、学習効果を高める1つの方法だという**: ある研究では、ゴルファーたちに、大きな円模様に囲まれたホールと、小さな円模様に囲まれたホールのどちらかを選んでボールをパットしてもらった（相対的に、前者はホールが小さく、後者は大きく見える）。すると予想通りと言うべきか、大きく見えるホールを選んだ人たちのほうが結果が良かった。しかもそのあとでゴルファー全員に、円模様のない普通のホールに向かってパットしてもらったところ、前に大きく見えるホールを使った人たちのほうが優れた成績を残した。要するに彼らは簡単に見えるホールのおかげで、より効果的に学習したのだ。詳しくはGuillaume Chauvel et al., "Visual Illusions Can Facilitate Sport Skill Learning," *Psychonomic Bulletin and Review* 22, no. 3 (2015): 717–21を参照のこと。さらに、パットを成功させたとき、人はホールのサイズを実際よりも大きく感じていることもあきらかになっている。つまり、大きく見えるターゲットが自信を高める一方で、自信がつくような成果をあげることで、ターゲットがさらに大きく見えてくる、ということだ。

246 **「ほとんど誰でも自転車には乗れるが、どうやって乗っているかを理解している人はまずいない」**: David Jones, "The Stability of the Bicycle," *Physics Today*, Sept. 2006, 51–56.

246 **自転車マニアたちはウィルバー・ライトの時代から**: ライトは「何十人もの自転車乗りにどうやって左に曲がるのか尋ねてみたが、最初の1回で事実をすべて正しく答えた人は一人もいなかった」と記している。この1文は、Kark J. Åström et al., "Bicycle Dynamics and Control," *IEEE Control Systems Magazine*, Aug. 2005から引用した。

247 **技術を学ぶにあたって、文字で書かれた説明があまり有用でない場合が多いのはそのためだ**: 哲学者のギルバート・ライルは「何かを実行する方法についての理解は、その対象

201 **多すぎるフィードバックは、学習の妨げになりかねないからだ**: Chak Fu Lam et al., “The Impact of Feedback Frequency on Learning and Task Performance: Challenging the ‘More Is Better’ Assumption,” *Organizational Behavior and Human Decision Processes* 116, no. 2 (2011): 217–28を参照。フィードバックが学習やパフォーマンスにおよぼす影響についてはRichard A. Schmidt, “Frequent Augmented Feedback Can Degrade Learning: Evidence and Intrepretations,” in *Tutorials in Motor Neuroscience*, ed. J. Requin and G. E. Stelmach, NATO ASI Series (Series D: Behavioral and Social Sciences), Vol. 62 (Dordrecht: Springer, 1991) で優れた議論がされている。

202 **「一定の歳を越えて――要は14歳よりあとにはじめようとした人は、私の知る限り、熟練の見込みはない。それにおそらく、やめる前に苦痛と悲しみを味わうことになる」**: William Finnegan, *Barbarian Days: A Surfing Life* (New York: Penguin Press, 2015), 123.〔『バーバリアンデイズ』ウィリアム・フィネガン著、児島修訳、A & F、2018年〕

208 **すくなくとも1回以上、急性損傷を経験していて**: Andrew Nathanson et al., “Surfing Injuries,” *American Journal of Emergency Medicine* 20, no. 3 (2002): 155–60を参照のこと。

224 **平均的なブレイクポイントでは、1時間に数百の波がやってくるが**: この数字はMatt Warshaw, *The History of Surfing* (New York: Chronicle Books, 2011), 477から引用した。

225 **「サーファーのジレンマ」**: ロバート・ライダーはサーフィンを「共有資源問題」として扱った論文のなかでこの点を指摘し、さらに、シンプルなマナーによってここで起きる問題を軽減しうると提案している。詳しくは、Robert Rider, “Hangin’ Ten: The Common-Pool Resource Problem of Surfing,” *Public Choice* 97, no. 1–2 (1998): 49–64を参照のこと。

225 **「混合動機ゲーム」**: これについての議論はDaniel Nazer, “The Tragedy of the Surfers’ Commons,” *Deakin Law Review* 9, no. 2 (2004): 655–713を参照のこと。

226 **ここでのコツは意識的に視線を向けることだ**: 「クワイエット・アイ（視線固定）」と呼ばれる理論によると、どこをどれだけの時間見るべきかを把握しておくことが、トップレベルのスポーツでは非常に重要なようだ。これはいまから数十年前に運動科学者のジョーン・ヴィッカースが提唱したものであり、理屈としてはシンプルで、パフォーマンスの高い選手は、動きの途中ですぐに重要なターゲットに視線を固定し、長く見つづけるというものだ。バスケットボールでは、フリースローが得意な選手は、そうでない選手に比べて、ネットに視線が向くのが早く、見ている時間も長い。ウェイン・グレツキー（Wayne Gretzky）やリオネル・メッシ（Lionel Messi）といった、体格やスピードでは説明がつかないようなタイプのスーパースターの活躍は、視覚がその理由になりうるとヴィッカースは示唆している。クワイエット・アイという現象については、まだわかっていないことが多いが、どうやら、「体の動きを制御する視覚運動ネットワークをトップダウンでコントロールする」脳の活動を活性化させるようだ。言い換えれば、目が体の動きを統率しているということになる。詳しくは、Joan N. Vickers et al., “Quiet Eye Training Improves Accuracy in Basketball Field Goal Shooting,” *Progress in Brain Research* 234 (Jan. 2017): 1–12を参照のこと。

226 **波のプールで、サーファーに防水のアイトラッキング装置をつけさせて実施した実験では**:

177 **「合唱団の指揮者は火星人で、ボイスコーチは金星人だ」**: Sharon Hansen et al., "On the Voice: Choral Directors Are from Mars and Voice Teachers Are from Venus," *Choral Journal* 52, no. 9 (2012): 51–58を参照のこと。

177 **合唱団で歌うことはソロの歌声には悪影響ですらある**: たとえば、Dallas Draper, "The Solo Voice as Applied to Choral Singing," *Choral Journal* 12, no. 9 (1972) を参照のこと。

178 **私のような初心者は、同じ場所、同じ人の隣で、しかも近い距離で歌うことを好むということだった**: Michael J. Bonshor, "Confidence and Choral Configuration: The Affective Impact of Situational and Acoustic Factors in Amateur Choirs," *Psychology of Music* 45, no. 5 (2017), doi.org/10.1177/0305735616669996を参照のこと。

第5章　U字型の波に乗る

186 **「この世界のどのような集団と比べても、もっとも自信過剰で独善的な奴ら」**: リンチのこの発言はJamal Yogis, *Saltwater Buddha: A Surfer's Quest to Find Zen on the Sea* (New York: Simon & Schuster, 2009), 128から引用した。

193 **「初心者」の段階では、学習者は「状況に依存しない」ルールに厳密に従う**: Hubert Dreyfus and Stuart Dreyfus, *Mind over Machine* (New York: Free Press, 1988), 21.〔『純粋人工知能批判 ── コンピュータは思考を獲得できるか』ヒューバート・L.ドレイファス、スチュアート・E.ドレイファス著、椋田直子訳、アスキー、1987年〕

194 **「一生の道」**: Peter Heller, *Kook* (New York: Free Press, 2010), 268.

196 **作家でありサーファーでもあるアラン・ワイズベッカーは、この現象を「シー・ハブ」と呼んでいる**: Allan Weisbecker, *In Search of Captain Zero* (New York: TarcherPerigree, 2002), 3.

196 **サーフィンで気分がよくなることを科学的に証明する必要があるのかはわからないが**: たとえば、Ryan Pittsinger et al., "The Effect of a Single Bout of Surfing on Exercise-Induced Affect," *International Journal of Exercise Science* 10, no. 7 (2017): 989–99を参照。あわせて、Jamie Marshall et al., " 'When I Go There, I Feel Like I Can Be Myself': Exploring Programme Theory Within the Wave Project Surf Therapy Intervention," *International Journal of Environmental Research in Public Health* 16, no. 12 (2019)も参照のこと。

197 **治療手段として使われている**: Amitha Kalaichandran, "Catching Waves for Well-Being," *New York Times*, Aug. 8, 2019を参照のこと。

197 **サーフィンの大会についてのある分析によると**: A. Mendez-Villanueva et al., "Activity Profile of World-Class Professional Surfers During Competition: A Case Study," *Journal of Strength Conditioning Research* 20, no. 3 (2006) を参照のこと。

200 **「成果物よりもプロセスに焦点をあてよう」**: Barbara Oakley, *A Mind for Numbers: How to Excel at Math and Science* (New York: Penguin, 2014), 101を参照のこと。〔『直感力を高める　数学脳のつくりかた』バーバラ・オークリー著、沼尻由起子訳、河出書房新社、2016年〕

et al., "Choir Singing and Fibrinogen: VEGF, Cholecystokinin, and Motilin in IBS Patients," *Medical Hypotheses* 72, no. 2 (2009): 223–55 を参照のこと。

159 **壊滅的な被害をもたらしたハリケーン・カトリーナのために避難を余儀なくされた人のケアと回復のために結成された「ハリケーン合唱団」もある**：カトリーナのあと、「ハリケーン合唱団」のプロジェクトを担当したある心理学者は「あれは私のなかで、もっとも真摯にコミュニティに向き合った仕事でした」と私に語った。

160 **人間のより強烈な衝動**：たとえば、ピアースたちの研究によると、歌をはじめとするレッスンを受講した人たちは、7カ月後に幸福感が増したと自己申告した。どうやらその活動が社会的なものでありさえすれば、内容は問題ではないようだ。さらに、社会的なつながりを感じれば感じるほど、より幸福感が増すという結果となった。詳しくはEiluned Pearce et al., "Is Group Singing Special? Health, Well-Being, and Social Bonds in Community-Based Adult Education Classes," *Journal of Community Applied Psychology* 26, no. 6 (2016): 518–33を参照のこと。

160 **言語の前段階として、ともに歌ったり音を出したりといった、別の手段が必要になった**：このアイディアについては、ダニエル・ワインスタインらの研究論文、Daniel Weinstein et al., "Singing and Social Bonding: Changes in Connectivity and Pain Threshold as a Function of Group Size," *Evolution and Human Behavior* 37, no. 2 (2016): 152–58から借用した。

160 **「はるかに早く社会的な絆が強くなる」**：Eiluned Pearce et al., "The Ice-Breaker Effect: Singing Mediates Fast Social Bonding," *Royal Society Open Science*, Sept. 29, 2015を参照のこと。ただ、注意しなければならないのは、この研究では、新たにつくられた別の対照群（工作と文芸創作のグループ）は個人のプロジェクトに取り組んでいたという点だ。著者たち自身も指摘しているように「つまりこの研究では、歌うという身体活動そのものが生み出す絆を深める効果と、一緒に音楽をつくりあげるというグループ共通のモチベーションという要因を区別していない」ことを意味する。

160 **合唱団の歌い手たちは心臓の鼓動すら同調しはじめる**：Björn Vickhoff et al., "Music Structure Determines Heart Rate Variability of Singers," *Frontiers in Psychology* 4, no. 334 (2013) を参照のこと。

172 **話す力を失ったとしても〝保存〟されることが多い**：たとえばある研究では、ブローカ失語症の患者24名のうち、21名に「ある程度の歌唱能力」があることがわかった。詳しくは、A. Yamadori et al., "Preservation of Singing in Broca's Aphasia," *Journal of Neurology, Neurosurgery, and Psychiatry* 40, no. 3 (1977): 221–24を参照のこと。

172 **神経学者のオリバー・サックスが『音楽嗜好症（ミュージコフィリア）――脳神経科医と音楽に憑かれた人々』で示したように**：Oliver Sacks, *Musicophilia* (New York: Vintage Books, 2007), 240.〔『音楽嗜好症（ミュージコフィリア）――脳神経科医と音楽に憑かれた人々』大田直子訳、早川書房、2010年（2014年に文庫化）〕

174 **言葉の流れに弾みをつけるのによさそうだとのこと**：Benjamin Stahl, "Facing the Music: Three Issues in Current Research on Singing and Aphasia," *Frontiers in Psychology*, Sept. 23, 2014を参照のこと。

177 **「ロンバード効果」**：Steven Tonkinson, "The Lombard Effect in Choral Singing," *Journal of Voice* 8, no. 1 (1994): 24–29を参照のこと。

146 「**認知的な観点から言えば、コーラス効果はその音を音源から魔法のように切り離し、独立した、ほとんどエーテルのような存在にすることができる**」：合唱団の音響特性については、ステン・テルンストロムの論文Sten Ternström, "Physical and Acoustic Factors That Interact with the Singer to Produce the Choral Sound," *Journal of Voice* 5, no. 2 (1991): 128–43に優れた調査結果がある。

148 **調査では、合唱団の歌い手のほうがソロの歌手よりもストレスが少ないという結果が出ている**: Charlene Ryan, "An Investigation into the Choral Singer's Experience of Music Performance Anxiety," *Journal of Research in Music Education* 57, no. 2 (2009): 108–26.

154 **高校の合唱団の7割が女子で3割が男子という分析結果がある**: この分析ではさらに「この問題についての研究文献では、合唱団から〝男子が消えた〟原因について、一般に広く受けいれられている説を採用していない」と述べている。詳しくはK. Elpus, "National Estimates of Male and Female Enrolment in American High School Choirs, Bands, and Orchestras," *Music Education Research* 17, no. 1 (2015): 88–102を参照のこと。

157 「**社会的促進**」：この概念についてはCharles F. Bond et al., "Social Facilitation: A Meta-analysis of 241 Studies," *Psychological Bulletin* 94, no. 2 (1983): 265–92に優れたまとめがある。

157 「**社会的手抜き**」：S. J. Karau, "Social Loafing (and Facilitation)," in *Encyclopedia of Human Behavior* (Amsterdam: Elsevier, 2012), 486–92を参照のこと。

158 「**公の場のパフォーマンスとして合唱に参加するアメリカ人の数は、ほかのどの芸術よりも多い。じつのところ公の場での芸術表現として、合唱は他の追随を許さない**」：Cindy Bell, "Update on Community Choirs and Singing in the United States," *International Journal of Research in Choral Singing* 2, no. 1 (2004) を参照のこと。

158 「**史上最高**」："Number of UK Choirs at All-Time High," *M*, July 13, 2017, www.m-magazine.co.ukを参照のこと。

158 **イギリスの大聖堂に集まる人が増加したのは**: "Sing and They Will Come," *Economist*, March 4, 2014を参照のこと。

158 **オーストラリアでは合唱団への順番待ちの参加希望者が長蛇の列をつくっているという**: Ali Colvin, "Community Choirs Growing as Members Reap Health Benefits," ABC News, June 17, 2016, www.abc.net.auを参照のこと。

159 「**国民的娯楽**」：www.skane.com/en/choirs-a- national- pastimeを参照のこと。

159 **誰かと一緒に歌うと、一人で歌ったときよりも脳の活動が幅広く活性化される**: 2009年1月に開催された北米神経科学学会（Society for Neuroscience）の年次大会で発表された論文、L. M. Parsons et al., "Simultaneous Dual-fMRI, Sparse Temporal Scanning of Human Duetters at 1.5 and 3 Tesla" を参照のこと。

159 **ある研究では、グループでの〝会話〟ではなく、グループでの〝合唱〟がストレスホルモンであるコルチゾールのレベルを下げるという結果が出ている**: Gunter Kreutz, "Does Singing Facilitate Social Bonding?," *Music and Medicine* 6, no. 2 (2014) を参照のこと。

159 **ストレス性の胃腸障害に苦しむ人たちに合唱団に参加してもらい**: R. N. Christina Grape

131 **歌は会話よりも、脳の感情と関連する領域をより広く活性化することがわかっている**: Daniel E. Callan et al., "Song and Speech: Brain Regions Involved with Perception and Covert Production," *NeuroImage* 31, no. 3 (2006): 1327–42を参照のこと。

134 **人間の顎はとてもパワフルだが**: 初期のある研究では、測定器を噛むよう言われた人が、歯が痛くなってギブアップしたということもあった。詳しくは"The Power of the Human Jaw," *Scientific American*, Dec. 2, 1911を参照のこと。

134 **とくに閉じる筋肉には開ける筋肉の約4倍もの力がある**: T. M. G. J. Van Eijden, J. A. M. Korfage, and P. Brugman, "Architecture of the Human Jaw-Closing and Jaw-Opening Muscles," *Anatomical Record* 248, no. 3 (1997): 464–74を参照のこと。

135 **「頭を後ろにひいて、喉頭を下げ、あえぐような声を出すために口で息をする癖がある」**: Michael Bloch, *F.M.: The Life of Frederick Matthias Alexander* (New York: Little, Brown, 2004), 34を参照のこと。

135 **「人は何かをやめるよう言われると、はじめからそれをしないようにするのではなく、それをしようとする自分を止めようとする」**: F. Matthias Alexander, *The Alexander Technique: The Essential Writings of F. Matthias Alexander* (New York: Lyle Stuart, 1980), 4を参照のこと。

135 **「アクション・スリップ」**: 運動技能において〝テクニックが変わってしまうこと〟についてはロブ・グレイ（Rob Gray）のポッドキャストに見事な考察がある。The Perception & Action Podcast, episode 14, 2015, perceptionaction.com/14-2.

137 **野球で昔からおこなわれている試合前の打撃練習が、じつは有害なのではないかという説と同じだ**: こうした有害論にはいろいろなものがあるが、Jeff Sullivan, "Batting Practice Is Probably a Waste of Everyone's Time," *The Hardball Times*, tht.fangraphs.comでよく説明されている。

137 **いわゆる〝ストロー発声法〟**: ストロー発声法の詳細についてはIngo Titze, "Voice Training and Therapy with a Semi-occluded Vocal Tract: Rationale and Scientific Underpinnings," *Journal of Speech, Language, and Hearing Research* 49, no. 2 (2006): 448–59を参照のこと。

139 **たとえ途中で息を止めて発音しているところがあったとしても**: 私はアン・カープの『「声」の秘密』〔梶山あゆみ訳:草思社、2008年〕Anne Kapf, *The Human Voice* (New York: Simon & Schuster, 2006) というすばらしい本を読んでいたときに、このことを知った。

140 **「楽器演奏者が1つの言語しか持たないのに対して、歌手は音楽と言葉という2つの言語をマスターしなければならない」**: Hollis Dann, "Some Essentials of Choral Singing," *Music Educators Journal* 24, no. 1 (1937): 27.

140 **「人生は痰に支配されている」**: Ian Bostridge, *A Singer's Notebook* (London: Faber and Faber, 2012).

第4章　自分が何をしているのかわからなくても、とにかくやる

145 **「まるで私たちの体内のすべてのイオンが、あらかじめ同じタイミングで同じ方向に動くことが決まっているかのよう」**: クリスタ・ティペットによるインタビューからの引用。Alice Parker, interview by Krista Tippett, "Singing Is the Most Companionable of Arts," *On Being*, Dec. 6, 2016, onbeing.org.

A Restricted Use of the Mammalian Larynx," *Journal of Voice* 31, no. 2 (2017): 135–41.

121 **声帯の振動は1秒間に1400回ちかくに達する**：これについてはM. Echternach et al., "Vocal Fold Vibrations at High Soprano Fundamental Frequencies," *Journal of the Acoustical Society of America* 133, no. 2 (2013): 82–87を参照した。

121 **不思議なことに、普通にしゃべるよりもささやき声のほうが声帯にかかる負担は大きい**：Adam Rubin et al., "Laryngeal Hyperfunction During Whispering: Reality or Myth?," *Journal of Voice* 20, no. 1 (2006): 121–27を参照のこと。

122 **その空気の大半は唇まで届かない**：インゴ・ティッツェへのインタビューから抜粋した。

122 **普通は口笛のほうが**: Michael Belyk et al., "Poor Neuro-motor Tuning of the Human Larynx: A Comparison of Sung and Whistled Pitch Imitation," *Royal Society Open Science*, April 1, 2018を参照のこと。

122 **歌よりも正確に音を出すことができる**: プロの歌手でも楽器ほど正確に音程をとって歌うことはできない。これについてはP. Q. Pfordresher and S. Brown, "Vocal Mistuning Reveals the Origin of Musical Scales," *Journal of Cognitive Psychology* 29, no. 1 (2017): 35–52を参照。興味深いことに、じつはわれわれはこの事実を織り込み済みだ。歌の音がすこし外れている場合と、同じく楽器の音がすこし外れている場合では、前者のほうが気づきづらいことをハッチンズはあきらかにした。彼はこれを「ボーカル・ジェネロシティ（声に寛大）効果」と呼んでいる。詳しくはSean Hutchins, Catherine Roquet, and Isabelle Peretz, "The Vocal Generosity Effect: How Bad Can Your Singing Be?," *Music Perception* 20, no. 2 (2012): 147–59を参照のこと。

123 **「新しい癖をつける」**：W. Timothy Gallwey, *The Inner Game of Tennis* (New York: Random House, 1997), 74.

124 **「歌い手にとって最大の敵」**: Dena Murry, *Vocal Technique: A Guide to Finding Your Real Voice* (New York: Musicians Institute Press, 2002), 20を参照のこと。

124 **研究によれば、こうした音を好む人はいないようだ**: これについてはMartin S. Remland, *Nonverbal Communication in Everyday Life* (New York: Sage Books, 2016) によくまとまっている。

125 **この話し声を歌にしようとするのは**：最終的な目標は、できる限り多くの空気を、妨げられることなく、無意識のうちにもっとも効率よく操れるようになることだった。イタリアの伝統的な歌唱法「ベルカント」の指導者であるジョヴァンニ・バティスタ・ランペルティは「話すときには音の勢いはしょっちゅう止まるが、歌では決して止まらない」と述べている。Giovanni Battista Lamperti, *Vocal Wisdom* (New York: Taplinger, 1931), 47.

125 **「母音は声であり、子音は声をさえぎることだ」**: William D. Leyerle, *Vocal Development Through Organic Imagery* (Geneseo, N.Y.: Leyerle, 1986), 75.

125 **英語の話し言葉では、母音を発音するのに子音の5倍の時間を使っているが**: "Whisper, Talk, Sing: How the Voice Works," Kindermusik, April 28, 2016, www.kindermusik.comを参照のこと。

126 **私たちはとくに話し方を意識することなく、1日に約1万6000語を発語している**: Matthias R. Mehl et al., "Are Women Really More Talkative Than Men?," *Science*, July 6, 2007, 82を参照のこと。

113 **「人体の機能系統のなかで、筋繊維に対する神経線維の割合がもっとも高い」**: Ibid., 85.

113 **結婚相手としてふさわしいかどうかにいたるまで**: この点については、Susan M. Hughes and Marissa A. Harrison, "I Like My Voice Better: Self-Enhancement Bias in Perceptions of Voice Attractiveness," *Perception* 42, no. 9 (2013): 941–49に簡潔にまとまっている。

114 **誰かがただ、「ハロー」という短い言葉を発しただけで、聞き手はその人の性格についてある種の一貫した印象を抱いたという**: P. McAleer, A. Todorov, and P. Belin, "How Do You Say 'Hello'? Personality Impressions from Brief Novel Voices," *PLOS One* 9, no. 3 (2014), journals.plos.orgを参照のこと。

117 **声楽専攻の生徒はピアノ専攻の生徒よりもIQの平均値が高いという結果が出ている**: E. Glenn Schellenberg, "Music Lessons Enhance IQ," *Psychological Science* 15, no. 8 (2004), doi.org/10.1111/j.0956-7976.2004.00711. xを参照のこと。

117 **ここでのポイントは、これはあくまで「意識」にすぎないことだ**: Steven M. Demorest et al., "Singing Ability, Musical Self-Concept, and Future Music Participation," *Journal of Research in Music Education* 64, no. 4 (2017): 405–20を参照のこと。

118 **「自分に能力がないと思い込むことは、それ自体が行動として認識される」**: Albert Bandura, "Self-Efficacy," in *Encyclopedia of Human Behavior*, ed. V. S. Ramachandran (San Diego: Academic Press, 1998), 71–81を参照のこと。

119 **生まれつきの才能によるものだと考えるようになる**: S. O'Neill, "The Self-Identity of Young Musicians," in *Musical Identities*, ed. R. MacDonald, D. Hargreaves, and D. Miell (New York: Oxford University Press, 2002) を参照のこと。

119 **世の中には音楽的な人とそうでないそうでない人がいる**: この点についてグラハム・ウェルチが役に立つ形でまとめている。Graham Welch, "We Are Musical," *International Journal of Music Education* 23, no. 117 (2005): 117–20.

119 **先天性失音楽症という名で知られるこの症状は、実際には極めてまれで**: Julie Ayotte, Isabelle Peretz, and Krista Hyde, "Congenital Amusia: A Group Study of Adults Afflicted with a Music-Specific Disorder," *Brain* 125 (Feb. 2002): 238–51を参照のこと。

119 **問題は正しく音を聞き取ることではなく**: ウィリアム・ハン（William Hung）についてはVance Lehmkuhl, "The William Hung Challenge," *Philadelphia Inquirer*, May 4, 2011, www.philly.comで詳しく議論されている。

120 **そうして、われわれは自分が本来出せたはずの声を失うのだ**: 元航空宇宙エンジニアであり、人間の喉のなかで起きている複雑な空気の流れにも同じように関心を向け、いまはアメリカ国立音声会話センターの所長を務めているインゴ・ティッツェは、高い音や大きな音を出さずにいると人間の発声器官は衰えはじめると指摘する。また、この〝使わなければだめになる〟という現象は、より大きな規模で起きているのではないかとも述べている。現代人は低い周波数の声で、かつ近い距離で会話することが多くなった。さらに、電子機器で声を増幅していることもあり、私たちは発声器官の持つ力をほとんど使っていない。「哺乳類の喉頭は、増幅装置なしの遠距離コミュニケーションに適応してきたが、これが最終的にはひっくり返る可能性がある」とティッツェは述べている。Ingo R. Titze, "Human Speech:

vii.

108 **「不正確な歌唱法の蔓延」というタイトルの論文があるという事実だけで**：くだんの研究では、実際には〝不正確な〟歌唱法（「狙った音と実際の歌の、音高（ピッチ）のズレの平均値」に関するもの）と、〝不安定な〟歌唱法（「音高を出そうと試みるときの一貫性」に関するもの）を区別している。著者たちは「調子外れの歌は、不正確な歌い方と不安定な歌い方の両方と関係している場合が多い」と述べている。詳しくはPeter Q. Pfordresher et al., "Imprecise Singing Is Widespread," *Journal of the Acoustical Society of America* 128, no. 4 (2010)を参照のこと。

109 **「人びとが集まって『ハッピー・バースデー』を歌っているのを聴くと、そもそもこの歌をちゃんと習ったことがあるのか疑問に思う」**：Karen J. Wise and John A. Sloboda, "Establishing an Empirical Profile of Self-Defined 'Tone Deafness': Perception, Singing Performance, and Self-Assessment," *Musicae Scientiae* 12, no. 1 (2008): 3–26.

109 **この歌を速く歌いすぎる傾向にある**：グラハム・ウェルチ（Graham Welch）がこの意見を述べたのは、2015年7月8日にグレシャム大学でおこなった"The Benefits of Singing in a Choir"という魅力的な講演でのことだ。

109 **19世紀の後半にケンタッキー州に住む二人の学校教師がこの曲をつくった当時**：興味深いことに、最近になって発見された原曲版では、使われている音の幅がいまのものより狭かった。詳しくはTara Anderson, "An Unnoticed 'Happy Birthday' Draft Gives Singers a Simpler Tune," NPR, Sept. 6, 2015, www.npr.orgを参照のこと。

112 **研究によればそのようなとき、人はあまり正確に歌わないという**：Y. Minami, "Some Observations on the Pitch Characteristics of Children's Singing," in *Onchi and Singing Development: A Cross-Cultural Perspective*, ed. Graham Welch and Tadahiro Murao (London: David Fulton, 1994), 18–24を参照のこと。

112 **自分の声だけが出てその場を満たすと、あなたはいかにそれが奇妙であるかに気づく**：このアイディアはスティーブン・コナーのすばらしい著作『ダムストラック』Steven Connor, *Dumbstruck: A Cultural History of Ventriloquism* (Oxford: Oxford University Press, 2001)で示されたもの。

113 **「あなたはたしかに自分自身の声を聴いているかもしれません。ただ、脳は実際にはその声をそのままの音で聴くことはないのです」**：この言葉は、TEDxカンファレンスにおけるレベッカ・クラインバーガーの講演録、TEDxBeaconStreet talk, Rébecca Kleinberger, "Why You Don't Like the Sound of Your Own Voice." から引用した。

113 **実際に自分の声を聴いてみると不安になることがあるが、それは音質の問題だけではない**：スティーブン・コナーは、『ダムストラック』という魅力的な著書のなかで次のような興味深い意見を述べている。「おそらく私たちは、声の音が触覚に近い自己包容感を期待できるようなものでない限り、その声を楽しむことができないのだろう」。言い換えれば、みずからを客観視することなく聞いた声は、よく聴こえるだけでなく、気持ちもいいということだ。*Dumbstruck*, 10を参照。

113 **「ボイス・コンフロンテーション」という現象に直面したとき**：Philip S. Holzman and Clyde Rousey, "The Voice as a Percept," *Journal of Personality and Social Psychology* 4, no. 1 (1966): 79–86を参照のこと。

ば信頼できる伝記『終わりなき闇 ── チェット・ベイカーのすべて』〔鈴木玲子訳、河出書房新社、2006年〕James Gavin, *Deep in a Dream: The Long Night of Chet Baker* (New York: Alfred A. Knopf, 2002), 87を参照のこと。

102 **「無理やり高い音を出そうとする酔っぱらいのような貧弱な声」**: Ibid., 85.

102 **「歌の8割は、いかに自分の声を売り込むかにある。声自体のすばらしさじゃなくてね」**: このコメントはインゴ・ティッツェ（Ingo Titze）からいただいた。

104 **歌唱法の指導はたとえやイメージに大きく依存せざるを得ない**: ある研究者が、6人のボーカルインストラクターに話を聞いたところ、狙い通りの歌い方を指導するにあたって、260もの喩えや表現が使われていることがわかった。詳しくはJennifer Aileen Jestley, “Metaphorical and Non-metaphorical Imagery Use in Vocal Pedagogy: An Investigation of Underlying Cognitive Organisational Constructs” (Ph.D. diss., University of British Columbia, 2011) を参照のこと。歌の指導にイメージや比喩を使うことについては批判の声もあるが、ジェニファー・ジェスリーはそれとは対照的に次のように述べている。「重要なのは、こうした表現が、場当たり的な分類プロセスの結果として、恣意的あるいはランダムに使用されているのではなく、私たちの体を通して得た経験から生じた根本的な「イメージスキーマ構造」の枠内にあることが、本研究で示されたことだ。（中略）第1章と第2章で取りあげた批判では、ボイススタジオで使われる比喩的あるいはイメージ的な言葉を、でたらめ、神話的、意味が不明確、過度に主観的などと評していたが、私は本研究において彼らが使った表現を、混乱を招くものであるとも、非論理的であるとも思わなかった」

106 **ゆっくりと、しかし確実に廃れつつある**: あるカナダの研究者が数十年前に、女性たちのグループに人生における歌の役割についてインタビューしたところ、「友人や知り合い、あるいは親族でピアノを囲んで歌を歌うという習慣が広く普及していたのは1950年代までで、60年代から70年代にはギターを持って友人や知り合いと歌うのが主流となったが、80年代から90年代には、人が集まって歌うこと自体がめったになくなった」ことがわかった。Katharine Smithrim, “Still Singing for Our Lives: Singing in the Everyday Lives of Women Through This Century,” in *Sharing the Voices: The Phenomenon of Singing*, ed. B. Roberts (St. John's: Memorial University of Newfoundland, 1998), 224.

107 **音楽は〝前のめりに取りにいくもの〟から、〝もたれかかるもの〟に変わった**: このアイディアをくれたスミュール（Smule）のCEOであるジェフ・スミス（Jeff Smith）に感謝する。

107 **「成果と専門知識を重んじる、いまの文化では、かつてのように生活のいたるところで歌うことはないでしょう。私自身は、家でも学校でも教会でも、毎週のように歌を歌って育ちました。でもいまの人たちは、自分は歌うに値しないと思っているんです」**: Cathy Lynn Grossman, “Many Church Choirs Are Dying. Here's Why,” Religion News Service, Sept. 17, 2014.

108 **「かなりの羞恥心を示す反応」**: Jason Bardi, “UCSF Team Describes Neurological Basis for Embarrassment,” news release, April 15, 2011, University of California at San Francisco, www.ucsf.edu.

108 **「私たちは歌や歌手を神格化したり、美化したりして、実際よりも難しい希少な技術だと思い込んでいる」**: Tracey Thorn, *Naked at the Albert Hall* (London: Virago, 2015),

2009): 3–12.

96 **歌うことはわれわれにとっていいことだ**: Jing Kang et al., "A Review of the Physiological Effects and Mechanisms of Singing," *Journal of Voice* 32, no. 4 (2018): 390–95.

96 **「迷走神経」という名で知られる重要な神経線維の束を活性化することで**: 迷走神経の複雑な働きについては、ニューヨーク大学の神経学教授であるルーシー・ノークリフ=カウフマン（Lucy Norcliffe-Kaufmann）博士から丁寧に説明してもらった。

97 **赤ちゃんも最初に言葉を話すずっと前から**: Helmut Moog, *The Musical Experience of the Pre-school Child* (London: Schott, 1976), 62を参照のこと。

98 **「乳児への歌いかけ」に関するある実験では**: Sandra E. Trehub, Anna M. Unyk, and Laurel J. Trainor, "Adults Identify Infant-Directed Music Across Cultures," *Infant Behavior and Development* 16, no. 2 (1993): 193–211. また、別の実験では、赤ちゃん自身も、やはり母親が赤ちゃんに向けて歌ったほうの録音音声を好むことが示された。詳しくは、Laurel J. Trainor, "Infant Preferences for Infant-Directed Versus Noninfant-Directed Playsongs and Lullabies," *Infant Behavior and Development* 19, no. 1 (1996): 83–92を参照のこと。

98 **見知らぬ人であっても、たんに声を半オクターブ高くするだけで、赤ちゃんの注意を引けるという研究結果もある**: M. Patterson et al., "Infant Sensitivity to Perturbations in Adult Infant-Directed Speech During Social Interactions with Mother and Stranger"（SRCD：子ども発達研究学会でのポスター発表資料）。

98 **声を高くして笑顔を浮かべれば、親しみやすく見えるという効果もある**: John J. Ohala, "The Acoustic Origin of the Smile"（1980年11月19日にロサンゼルスで開催された第100回アメリカ音響学会で発表された論文の改訂版）を参照のこと。一説によると、人類の進化のなかで、笑いというのは歯を見せるためではなく（これは攻撃的と見なされる行為である）、一般に友好性や協調性を示す高い声を出すためであったという。この説についてはV. C. Tartter, "Happy Talk: Perceptual and Acoustic Effects of Smiling on Speech," *Perceptual Psychophysics* 27, no. 1 (1980): 24–27を参照されたい。また、高い声を出すもうひとつの方法は眉毛を上げることだ。これによって、目を赤ん坊のように大きく見せ、より友好的で親しみやすい顔になる。実際、高い音程で歌ったときのほうが、低い音程のときと比べて、より親しみやすい顔つきだと判断されることが多いようだ。これについてはDavid Huron and Daniel Shanahan, "Eyebrow Movements and Vocal Pitch Height: Evidence Consistent with an Ethological Signal," *Journal of the Acoustical Society of America* 133, no. 5 (2013): 2947–52を参照のこと。そこには次のような記述がある。「（John Ohala）いわく、眉毛を上げるとまぶたが上にひっぱられて目が強調されるので、頭の大きさに対して目を相対的に大きく見せるのに効果的である」

98 **母親の話し声よりもむしろ歌声のほうを好む**: Takayuki Nakata and Sandra E. Trehub, "Infants' Responsiveness to Maternal Speech and Singing," *Infant Behavior and Development* 27, no. 4 (2004): 455–64.

98 **ある研究では、じつは父親の歌のほうが好きであるという結果も出ている**: Colleen T. O'Neill et al., "Infants' Responsiveness to Fathers' Singing," *Music Perception* 18, no. 4 (2001): 409–25を参照のこと。

102 **「男とも女ともつかないような、甘いテノール」**：ジェームズ・ギャビンの、お世辞がなけれ

92 **「多様性練習」**：記憶と多様性練習について詳しく知りたいなら、Shailesh S. Kantak et al., "Neural Substrates of Motor Memory Consolidation Depend on Practice Structure," *Nature Neuroscience* 13, no. 8 (2010), doi:10.1038/nn.2596を参照のこと。

92 **同じ歩き方は二度としないと言っていい**：アドルフと同僚たちは2組のロボットのチームをサッカーで対戦させる実験をおこなった。片方のチームには、赤ん坊の歩行経路をなぞって学習させ、もう片方には変化に乏しい経路を使った。すると〝赤ん坊チーム〟が勝利した。詳しくは、Ori Ossmy et al., "Variety Wins: Soccer-Playing Robots and Infant Walking," *Frontiers in Neurorobotics* 12, no. 19 (2018) を参照のこと。

92 **多様性が鍵なのだから**：「運動の多様性」とそれが学習にもたらす影響について詳しく知りたいなら、Howard G. Wu et al., "Temporal Structure of Motor Variability Is Dynamically Regulated and Predicts Motor Learning Ability," *Nature Neuroscience* 17, no. 2 (2014): 312–21を参照のこと。

93 **進歩はしばしば〝U字型〟であるため**：Lisa Gershkoff-Stowe and Esther Thelen, "U-Shaped Changes in Behavior: A Dynamic Systems Perspective," *Journal of Cognition and Development* 5, no. 1 (2006): 11–36を参照のこと。

93 **スキルが〝転移〟することはめったにない**： 運動学習の転移については、Richard A. Schmidt and Douglas E. Young, "Transfer of Movement Control in Motor Skill Learning," Research Note 86-37, U.S. Army Research Institute for the Behavioral and Social Sciences, April 1986によくまとまっている。

93 **あるスキルに優れているからといって、それだけで他のスキルでも有利になるということはまずない**：ある研究者が言うように「どんなに熟練の技術を持った専門家でも、新しい作業については、その要素を動きのなかで組み立てていくという不可欠な過程を飛ばすことはできない」。詳しくはZheng Yan and Kurt Fischer, "Always Under Construction," *Human Development* 45 (2002): 141–60を参照のこと。

94 **「ジェローづくりやセサミストリート以外にも」**：Thelen, "Improvising Infant," 39を参照のこと。

第３章　歌い方をあえて忘れる

96 **「音楽を聴きながらの運転は、人類史上もっとも普及した音楽行為かもしれない」**：Warren Brodsky, *Driving with Music* (London: Ashgate, 2015), xiv.

96 **子どもが親に対して、車内の音楽にあわせて歌うのをやめるよう〝強要した〟**： Lisa Huisman Koops, "Songs from the Car Seat: Exploring the Early Childhood Music-Making Place of the Family Vehicle," *Journal of Research in Music Education* 62, no. 1 (2014): 52–65を参照のこと。

96 **このカーラオケはあまりに広まりすぎているため**：この調査結果をまとめると、歌うこと自体はそれほど運転に影響を与えないが、運転に忙しくなると、歌うのが難しくなる傾向があるようだ。詳しくは、Warren Brodsky, "A Performance Analysis of In-Car Music Engagement as an Indication of Driver Distraction and Risk," *Transportation Research Part F* 55 (May 2018): 201–18を参照のこと。

96 **「これほど否応なく惹きつける」**：Steven Mithen, "The Music Instinct: The Evolutionary Basis of Musicality," *Annals of the New York Academy of Sciences* 1169 (July

と。

83 **高齢者向けの「大人のパルクール」や「転び方教室」などが開催され**：あるインストラクターは、転ぶのを怖がることで「転ぶリスクがより高くなる」と言っていた。Christopher F. Schuetze, "Afraid of Falling? For Older Adults, the Dutch Have a Cure," *New York Times*, Jan. 2, 2018.

84 **「数カ月をかけてハイハイに習熟した赤ん坊は、なぜ安定しているはずのよつんばいの姿勢を捨て、あえて不安定で転倒しやすい直立歩行の習得に乗り出すのか?」**： Adolph et al., "How Do You Learn to Walk?"を参照のこと。

85 **視界がよくなる**：K. S. Kretch et al., "Crawling and Walking Infants See the World Differently," *Child Development* 85, no. 4 (2014): 1503–18を参照のこと。

85 **「社会的役割」**：Adolph and Robinson, "Road to Walking," 23を参照のこと。

85 **みずからの環境をコントロールする手段が手に入る**： アドルフの言うように、この過程自体、やりがいがあるものだ。詳しくはKaren E. Adolph et al., "Gibson's Theory of Perceptual Learning," in *International Encyclopedia of the Social & Behavioral Sciences*, ed. James D. Wright (Boston: Elsevier, 2015), 10:132を参照のこと。

85 **前よりも「ダメ!」ということが増える**：Joseph J. Campos et al., "Travel Broadens the Mind," *Infancy* 1, no. 2 (2000): 149–219を参照のこと。

85 **抱っこされている赤ん坊は、自分で動いている赤ん坊に比べると、周囲の状況をあまり学習しない**：Adolph and Robinson, "Road to Walking," 23を参照のこと。

85 **「知覚情報はタダでは手に入らない」**：歩行は、この世界を実際に移動する手段であると同時に、さまざまな方法で世界を学ぶための手段でもある。著名な発達理論家であるエスター・テーレンはこれを「体が脳に教えなければならない」と説明している。詳しくはEsther Thelen, "The Improvising Infant: Learning About Learning to Move," in *The Developmental Psychologists: Research Adventures Across the Life Span*, ed. M. R. Merrens and G. G. Brannigan (New York: McGraw-Hill, 1996), 31を参照のこと。

86 **「神経筋適応の1つの段階」**： エスター・テーレンはこうしたたぐいの意見を皮肉交じりに「赤ちゃんのなかの小さな時計」と、ひとまとめにして呼ぶ。そのうえで、赤ん坊の発達を促したのはこの「時計」ではなく、課題への挑戦だと主張する。Ibid., 37を参照。

86 **赤ちゃんは歩くことを〝学ぶ〟のだ**：Jane Clark, "On Becoming Skillful: Patterns and Constraints," *Research Quarterly for Exercise and Sport* 66, no. 3 (1995): 173–83を参照のこと。

87 **子どもが運動技能の節目を早くむかえたからといって**：たとえば、Oskar G. Jenni et al., "Infant Motor Milestones: Poor Predictive Value for Outcome of Healthy Children," *Acta Paediatrica* 102, no. 4 (2013): e181, doi:10.1111/apa.12129を参照。さらにEmma Sumner and Elisabeth Hill, "Are Children Who Walk and Talk Early Geniuses in the Making?," *Conversation*, Feb. 4, 2016もあわせて参照のこと。

89 **寝て起きたら2.5センチちかく背が伸びていたという例も報告されている**：Michelle Lampl, "Evidence of Saltatory Growth in Infancy," *American Journal of Human Biology* 5, no. 5 (1993): 641–52を参照のこと。

89 **「2回目や3回目ではこのプロセスは速くはならない」**：Adolph and Robinson, "Road to Walking," 8を参照のこと。

80 **その歩行は160種類もの異なる〝行動〟に分かれており**: Whitney G. Cole, Scott R. Robinson, and Karen E. Adolph, "Bouts of Steps: The Organization of Infant Exploration," *Developmental Psychobiology* 58, no. 3 (2016): 341–54を参照のこと。

80 **歩きはじめたばかりの子どもは、よく物を運ぶ傾向があり**: Lana B. Karasik et al., "Carry On: Spontaneous Object Carrying in 13-Month-Old Crawling and Walking Infants," *Developmental Psychology* 48, no. 2 (2012): 389–97を参照のこと。

80 **赤ちゃんはありとあらゆる方法で這い回るのだ**: 発達心理学者のマートル・マグローは「成長期の乳児の神経筋機能において、これほど多くのパターンを示すものはほかにない」と言っている。Myrtle McGraw, *The Neuromuscular Maturation of the Human Infant* (New York: Columbia University Press, 1945).

81 **視線追跡ソフトによる解析で、幼児が歩きだす前に特定の目的地を見ることは、ほとんどないこともわかっている**: J. Hoch, J. Rachwani, and K. Adolph, "Where Infants Go: Real-Time Dynamics of Locomotor Exploration in Crawling and Walking Infants," *Child Development* (in press).

81 **赤ちゃんは移動すること自体を楽しんでいる可能性が高い**: カレン・アドルフが記しているように「まだ行ったことのない場所に行けるという期待が、移動を促すのに十分な魅力となる」のだ。アドルフはこれを「旅行仮説」と呼んでいるが、要するにこれは、赤ん坊は特定の場所を目指しているのではなく、移動自体を目的にしているということだ。詳しくは、Justine E. Hoch, Sinclaire M. O'Grady, and Karen E. Adolph, "It's the Journey, Not the Destination: Locomotor Exploration in Infants," *Developmental Science*, Aug. 7, 2018, doi:10.1111/desc.12740を参照のこと。

81 **大人のように流れるように歩けるようになるのは5歳から7歳になってからだ**: Karen E. Adolph and Scott R. Robinson, "The Road to Walking: What Learning to Walk Tells Us About Development," in *The Oxford Handbook of Developmental Psychology*, ed. P. Zelazo (New York: Oxford University Press, 2013), 15を参照のこと。

81 **1時間に70回ちかくも転んだ不運な子もいたという**: Karen E. Adolph et al., "How Do You Learn to Walk? Thousands and Steps and Dozens of Falls per Day," *Psychological Science* 23, no. 11 (2012): 1387–94を参照のこと。

82 **じつは座るという動作を習得するには、数週間にわたる練習と、絶え間ない調節が求められる**: 座るのは思ったよりも難しい。アドルフの言うように「上体をまっすぐに保つには、胴体の制御、安定した姿勢の確立、静止したことによる姿勢の揺らぎ、そしておそらくもっとも重要な、行動の柔軟性といった、明確には特定できない複数の要素が関わっている」からだ。詳しくは、Jaya Rachwani, Kasey C. Soska, and Karen E. Adolph, "Behavioral Flexibility in Learning to Sit," *Developmental Psychobiology* 59, no. 8 (2017) を参照のこと。

82 **〝学習マシン〟である赤ちゃんは**: たとえば赤ん坊は、ある学者の言葉を借りれば、自分に「学習の機会を提供して」くれそうな人との触れ合いを好む傾向があることが、研究によってわかっている。詳しくはKatarina Begus, Teodora Gliga, and Victoria Southgate, "Infants Choose Optimal Teachers," *Proceedings of the National Academy of Sciences* 113, no. 44 (2016): 12397–402, doi:10.1073/pnas.1603261113を参照のこ

to Virtuoso: A Long-Term Commitment to Learning," in *Music and Child Development: Proceedings of the 1987 Denver Conference*, ed. Frank L. Wilson and Franz L. Roehmann (St. Louis: MMB Music, 1990) を参照のこと。

68 **スポーツをする子どもたちが減ってきているという**: Michael S. Rosenwald, "Are Parents Ruining Youth Sports?," *Washington Post*, Oct. 4, 2015 ; Peter Witt and Tek Dangi, "Why Children/Youth Drop Out of Sports," *Journal of Park and Recreation Administration* 36, no. 3 (2018): 191–99.

69 **プレイヤーのレーティングが全体的に上がっている**: R. W. Howard, "Searching the Real World for Signs of Rising Population Intelligence," *Personality and Individual Differences* 30, no. 6 (2001): 1039–58を参照のこと。

70 **「何かのやり方を知りたければ、ほとんどなんでもユーチューブがタダで教えてくれる」**: KSNV, "Fake Doctor, Rick Van Thiel, Says He Learned Surgical Procedures on YouTube," News 3 Las Vegas, Oct. 7, 2015, news3lv.com.

70 **スキルが広く普及することで**: Maxwell Strachan, "Rubik's Cube Champion on Whether Puzzles and Intelligence Are Linked," *HuffPost*, July 23, 2015, www.huffingtonpost.com.

72 **時間の使い方に関するデータを見ると**: たとえばJonathan Gershuny and Oriel Sullivan, *Where Does It All Go? What We Really Do All Day: Insights from the Center for Time Use Research* (London: Pelican, 2019) を参照のこと。

73 **アクションゲームが知覚能力を高めるという説**: これに関してはダフネ・バヴェリアらの研究がもっとも参考になるだろう。一例としてDaphné Bavelier et al., "Altering Perception: The Case of Action Video Gaming," *Current Opinion in Psychology* 29 (March 2019): 168–73を参照のこと。

74 **概して父親は息子よりも娘と過ごす時間が短く**: たとえば、Shelly Lundberg, "Sons, Daughters, and Parental Behavior," *Oxford Review of Economic Policy* 21, no. 3 (2005): 340–56 や、Kristin Mammen, "Fathers' Time Investments in Children: Do Sons Get More?," *Journal of Population Economics* 24, no. 3 (2011): 839–71を参照のこと。

75 **「私はいまでも、やればやるほど上手くなる」**: John Marchese, "Tony Bennett at 90: 'I Just Love What I'm Doing,' " *New York Times*, Dec. 14, 2016.

75 **「固定されていて、変えられない」**: たとえば、Tobias Rees, "Being Neurologically Human Today," *American Ethnologist* 37, no. 1 (2010) を参照のこと。

75 **「クリエイティブ・エイジング」なる運動も起きている**: これについては"The Summit on Creativity and Aging in America," National Endowment for the Arts, Jan. 2016というレポートによくまとまっている。

第２章　学び方を学ぶ

80 **これはアメリカの平均的な大人よりも長い距離だ**: 最近の研究によると、アメリカの平均的な大人は1日に4774歩、歩くという。詳しくはTim Althoff et al., "Large-Scale Physical Activity Data Reveal Worldwide Activity Inequality," *Nature*, July 20, 2017, 336–39を参照のこと。

完成度を高めるための地味な努力だろうか。カーネギーホールでのコンサートを本気で目指すのでもない限り、あなたは後者を選ぶのではないか？　詳しくはEricsson, *Peak*, 151を参照してほしい。また、音楽のプロとアマチュアの違いに関する興味深い議論についてはSusana Juniu et al., "Leisure or Work? Amateur and Professional Musicians' Perception of Rehearsal and Performance," *Journal of Leisure Research* 28, no. 1 (1996): 44–56を参照。さらに、アマチュアについてもっと詳しく知りたい人はRobert A. Stebbins, "The Amateur: Two Sociological Definitions," *Pacific Sociological Review* 20, no. 4 (1977): 582–606を参照のこと。

63　**「何かをはじめるにあたっての儀式が好きな人たち」**: George Leonard, *Mastery* (New York: Plume, 1992), 19–20を参照のこと。〔『達人のサイエンス ── 真の自己成長のために』ジョージ・レナード著、中田康憲訳、日本教文社、1994年〕

63　**〝自己発信の完璧主義〟**: Thomas Curran and Andrew P. Hill, "Perfectionism Is Increasing over Time: A Meta-analysis of Birth Cohort Differences from 1989 to 2016," *Psychological Bulletin* 145, no. 4 (2019): 410–29, dx.doi.org/10.1037/bul0000138を参照のこと。

63　**「成果に重きを置きすぎている一方で、みずからの存在を軽視している」**: D. E. Hamachek, "Psychodynamics of Normal and Neurotic Perfectionism," *Psychology* 15, no. 1 (1978): 27–33を参照のこと。

63　**〝ほどほどの状態〟**: 法学者兼ライターのティム・ウーは次のように主張している。われわれはこの「非常にオープンかつパフォーマンス重視の時代」に、結果という最終目的をあまりにも強く内面化してしまったため、余暇の追求も「あまりに真剣で、求めるものが多く、自分は本当にみずからが公言するような人間なのかと、不安を感じる機会になってしまっている場合が多すぎる」と。要は私たちは、ただ芸術に挑戦してみるということができず、すべてをかけて芸術家になることを目指してしまうのだ。詳しくはTim Wu, "In Praise of Mediocrity," *New York Times*, Sept. 19, 2018を参照のこと。

64　**「余暇の時間に自分の好きなことをする」**: George Orwell, "England Your England," in *The Orwell Reader: Fiction, Essays, and Reportage* (New York: Houghton Mifflin Harcourt, 1956), 256.

66　**「成功の重さが、ふたたび何も知らない新人の軽やかさに戻った」**: Shellie Karabell, "Steve Jobs: The Incredible Lightness of Beginning Again," *Forbes*, Dec. 10, 2014, www.forbes.com.

66　**「仕事が楽しいと思っている人たちこそ、たまにはそれを心のなかから消すような方法を一番必要としていると言えるかもしれない」**: Winston S. Churchill, *Painting as a Pastime* (London: Unicorn Press, 2013), 15.

67　**ひとつの情熱でなければならない**: ここで情熱はどこからくるのかという疑問が生じる。ある興味深い研究によれば、情熱は生まれつきのものだと考えている人は、しんどくなってくるとすぐに冷めがちな傾向があるという。一方、情熱は育てるものだと思っている人たちは、それを保ちつづけることが多いようだ。詳しくはPaul O'Keefe et al., "Implicit Theories of Interest: Finding Your Passion or Developing It?," *Association of Psychological Science* 29, no. 10 (2018): 1653–64を参照のこと。

67　**「彼らの最終的な成功を予測することは不可能だった」**: Lauren Sosniak, "From Tyro doi:10.3389/fpsyg.2017.00117を参照のこと。

58 **新奇性それ自体が学習を促すとされているため**：たとえばJ. Schomaker, "Unexplored Territory: Beneficial Effects of Novelty on Memory," *Neurobiology of Learning and Memory* 161 (May 2019): 46–50を参照のこと。

58 **58歳から86歳の大人に、スペイン語から作曲、絵画など複数のクラスを同時に受講させたある実験によると**：ただしこの実験では、対照群の規模が非常に小さかったことを断っておく。詳しくはShirley Leanos et al., "The Impact of Learning Multiple Real-World Skills on Cognitive Abilities and Functional Independence in Healthy Older Adults," *Journals of Gerontology: Series B* (2019), doi:10.1093/geronb/gbz084を参照のこと。

59 **水泳のレッスンを受けた幼児を対象としたある研究では**：Robyn Jorgensen, "Early-Years Swimming: Adding Capital to Young Australians," Aug. 2013, docs.wixstatic. comを参照のこと。

60 **ある研究によれば、新しいことに一緒に挑戦したカップルは**：A. Aron et al., "Couples' Shared Participation in Novel and Arousing Activities and Experienced Relationship Quality," *Journal of Personal and Social Psychology* 78 no. 2 (Feb. 2000): 273–84を参照のこと。

60 **「認知面・行動面での柔軟さ」**：Benjamin Chapman et al., "Personality and Longevity: Knowns, Unknowns, and Implications for Public Health and Personalized Medicine," *Journal of Aging Research* (2011), doi:10.4061/2011/759170を参照のこと。

61 **「人間ほど学習能力に頼っている動物は、ほかにいない」**：Alison Gopnik, "A Manifesto Against 'Parenting,' " *Wall Street Journal*, July 8, 2016.

61 **美術史研究家のブルース・レッドフォードによれば**：ブルース・レッドフォード（Bruce Redford）のすばらしい研究である*Dilettanti: The Antic and the Antique in Eighteenth-Century England* (Los Angeles: Getty Center, 2008) を参照のこと。

62 **「すべては仕事である」**：これは、もともとはマーティン・マイスナー（Martin Meissner）の言葉だが、私はこれをスティーブン・ゲルバーの価値ある著作『ホビーズ』Steven M. Gelber, *Hobbies: Leisure and the Culture of Work in America* (New York: Columbia University Press, 1999) から引用した。

63 **「称賛されるのは成功であり、達成であり、パフォーマンスの質であって、経験の質はそれほど評価されない」**：Mihaly Csikszentmihalyi, *Flow* (New York: Harper Perennial, 2008), 236.〔『フロー体験 ― 喜びの現象学』M. チクセントミハイ著、今村浩明訳、世界思想社、1996年〕

63 **あるいはたんに、楽しみたいだけだったら？**：アンダース・エリクソンは著書『ピーク』のなかで、プロとアマチュアの2つの合唱団に、リハーサルの前後にインタビューをした実験を取りあげている。アマチュアの人たちは気分が高揚していたが、プロはそうではなかった。プロは作業をこなすことと、技術を徹底的に磨くことだけに集中していた。なぜならこれは彼らの「仕事」だからである。お金をもらっている以上、最高の状態に仕上げなければならない。だが、誰もがそうしなければならないわけではない。あなたが明日から歌をはじめることを想像してみてほしい。望むのは、胸が高鳴るような体験だろうか。それとも技術的ないる現象の一部は、じつはある種の学習機能の結果である、と主張している: Michael Ramscar et al., "Learning Is Not Decline," *Mental Lexicon* 8, no. 3 (2013): 450–81を参照のこと。

55 **チェスでの学びが他のことに〝転移〟しづらい**: Sala and Gobet, "Do the Benefits of Chess Instruction Transfer to Academic and Cognitive Skills?" を参照のこと。

56 **学びは〝ストレスの緩衝材〟になる**: Chen Zhang, Christopher G. Myers, and David Mayer, "To Cope with Stress, Try Learning Something New," *Harvard Business Review*, Sept. 4, 2018を参照のこと。

56 **理系と文系の両方の学問を学んだ数少ない生徒たちが**: Carl Gombrich, "Polymathy, New Generalism, and the Future of Work: A Little Theory and Some Practice from UCL's Arts and Sciences BASc Degree," in *Experiences in Liberal Arts and Science Education from America, Europe, and Asia: A Dialog Across Continents*, ed. William C. Kirby and Marijk van der Wende (London: Palgrave Macmillan, 2016), 75–89を参照のこと。ちなみに私がこの研究に注目したのはロバート・トゥイガーの著書『マイクロマスタリー』を読んだことによる。

57 **「ほかの科学者のすくなくとも22倍もある」**: この情報はロバート・ルートバーンスタイン(Robert Root-Bernstein)らの調査によるもの。詳しくはDavid Epstein, *Range: Why Generalists Triumph in a Specialized World* (New York: Riverhead, 2019), 33を参照のこと。〔『RANGE(レンジ) ── 知識の「幅」が最強の武器になる』デイビッド・エプスタイン著、東方雅美訳、日経BP、2020年〕

57 **「彼は何度も何度も、人を当惑させるようなプロジェクトに手を出し、ささいでくだらないことのように思える謎に取り組んでは、最後にはそこから大きな成功を導き出した」**: Jimmy Soni, "10,000 Hours with Claude Shannon: How a Genius Thinks, Works, and Lives," *Medium*, July 20, 2017, medium.comを参照のこと。

57 **「永遠の初心者」**: この言葉はDineh M. Davis, "The Perpetual Novice: An Undervalued Resource in the Age of Experts," *Mind, Culture, and Activity* 4, no. 1 (1997): 42–52から借用した。同論文においてこの言葉は、アメリカの家庭にパソコンが導入されたときの文脈で使われており、永遠の初心者を「このテクノロジーに何年も深く関わってきたにもかかわらず、初心者のような敏感さを失っていない人たち」だとしている。

58 **「あなたは何かを学び、それをあえて忘れ、そして、ふたたび学びなおす方法を学ばなければならない」**: この言葉は、ラヴィ・クマール(Ravi Kumar)が Knowledge@Wharton のインタビューを受けたときのもの。詳しくは "Want a Job in the Future? Be a Student for Life," Knowledge@Wharton, July 2, 2019, knowledge.wharton.upenn.eduを参照のこと。

58 **「新奇探索マシン」**: Winifred Gallagher, *New: Understanding Our Need for Novelty and Change* (New York: Penguin, 2013) を参照のこと。

58 **脳にとって有益であることがわかっている**: たとえば、Denise Park et al., "The Impact of Sustained Engagement on Cognitive Function in Older Adults: The Synapse Project," *Psychological Science* 25, no. 1 (2014): 103–12 や、あわせてJan Oltmanns et al., "Don't Lose Your Brain at Work—the Role of Recurrent Novelty at Work in Cognitive and Brain Aging," *Frontiers in Psychology* 8, no. 117 (2017),

Commitment to Sounds," *Frontiers in Systems Neuroscience*, Nov. 12, 2013を参照のこと。

49 **「制限有利仮説」**: J. S. Johnson and E. L. Newport, "Critical Period Effects in Second Language Learning: The Influence of Maturational State on the Acquisition of English as a Second Language," *Cognitive Psychology* 21, no. 1 (1989): 60–99を参照のこと。

49 **たとえば絶対音感は**: Stephen C. Van Hedger et al., "Auditory Working Memory Predicts Individual Differences in Absolute Pitch Learning," *Cognition* 140 (July 2015): 95–110.

50 **「シナプス密度」については**: P. R. Huttenlocher, "Synaptic Density in Human Frontal Cortex—Developmental Changes and Effects of Aging," *Brain Research* 162, no. 2 (1979): 195–205.

50 **年を経るごとに、私の脳の体積はしぼんでいき**: たとえばLindsay Oberman and Alvaro Pascual-Leone, "Change in Plasticity Across the Lifespan: Cause of Disease and Target for Intervention," in *Changing Brains: Applying Brain Plasticity to Advance and Recover Human Ability*, ed. Michael M. Merzenich, Mor Nahum, and Thomas M. Van Vleet (Boston: Elsevier, 2013), 92を参照のこと。

50 **おおむね1秒に1つニューロンが失われる**: David A. Drachman, "Do We Have Brain to Spare?," *Neurology* 64, no. 12 (2005): 2004–5を参照のこと。

51 **使う範囲が広がると、それぞれの領域が〝重複〟し、〝干渉〟が起きる可能性がある**: Marc Roig et al., "Aging Increases the Susceptibility to Motor Memory Interference and Reduces Off-Line Gains in Motor Skill Learning," *Neurobiology of Aging* 35, no. 8 (2014): 1892–900を参照のこと。

51 **加齢による衰えは**: Timothy Salthouse, "What and When of Cognitive Aging," *Current Directions in Psychological Science* 13, no. 4 (2004): 140–44.

52 **この典型的なパターンは、論文にも示されている**: Tiffany Jastrzembski, Neil Charness, and Catherine Vasyukova, "Expertise and Age Effects on Knowledge Activation in Chess," *Psychology and Aging* 21, no. 2 (2006): 401–5.

53 **ある研究では、40歳から60歳の人を対象に、1カ月にわたってゴルフのスイングを練習させた**: L. Bezzola et al., "The Effect of Leisure Activity Golf Practice on Motor Imagery: An fMRI Study in Middle Adulthood," *Frontiers in Human Neuroscience* 6, no. 67 (2012) を参照のこと。

53 **「流動的知性」と「結晶的知性」だ**: Joshua K. Hartshorne and Laura T. Germine, "When Does Cognitive Functioning Peak? The Asynchronous Rise and Fall of Different Cognitive Abilities Across the Life Span," *Psychological Science* 26, no. 4 (2015) を参照のこと。

54 **子どもはチェスを指すとき**: 興味深いことに上級者もこれと同じように直感的にすばやく判断を下すが、彼らは同時に、膨大な量の知識を活用することができる。たとえばマグナス・カールセン（Magnus Carlsen）は、どう指すかはすぐに思い浮かぶものの、それが正しい手であるかを確認するのに多くの時間を費やす場合が多いと語っている。

55 **言語学者のミヒャエル・ラムスカーは、実験室試験において認知機能の低下と見なされて**

に「過剰学習」した記憶と関連した新しい情報を覚える場合、高齢者のほうが苦労することが示されている。内容を改変した『赤ずきんちゃん』の新バージョンを記憶し、それを思い出すという実験では、若い参加者に比べて高齢者のほうが、話の内容をオリジナル・バージョンの要素に「無意識のうちに置き換える」傾向があった。詳しくはGianfranco Dallas Barba et al., "Confabulation in Healthy Aging Is Related to Interference of Overlearned, Semantically Similar Information on Episodic Memory Recall," *Journal of Clinical and Experimental Neuropsychology* 32, no. 6 (2010): 655–60を参照のこと。

44 **新鮮な目で世界を見て**：認知テストの分野において、高齢者のほうが若い人たちよりも優れていたものの1つは、一般的知識を問われた際に、それに関する「意味記憶」を想起することであった（たとえば、「空中庭園があった古代都市はどこか?」など）。質問と答えが（新奇な実験パラダイムや、研究者の言うところの「無意味なデタラメ」ではなく）事実にもとづくものである場合には、とくにその傾向が強かった。高齢者は「若者と同等かあるいはときにそれ以上に、何かに意識を集中させることができる（中略）彼らは真実を知るために集中力を発揮し、労力を惜しまない」とされる。詳しくはJanet Metcalfe et al., "On Teaching Old Dogs New Tricks," *Psychological Science* 26, no. 12 (2015): 1833–42を参照のこと。

44 **大人が無意味であると切り捨ててしまうような細かい部分に注目することが多い**：J. N. Blanco and V. M. Sloutsky, "Adaptive Flexibility in Category Learning? Young Children Exhibit Smaller Costs of Selective Attention Than Adults," *Developmental Psychology* 55, no. 10 (2019) を参照のこと。

44 **子どもは間違えることや恥をかくことをあまり気にしないため**：たとえばChristopher G. Lucas et al., "When Children Are Better (or at Least More Open-Minded) Learners Than Adults: Developmental Differences in Learning the Forms of Causal Relationships," *Cognition* 131, no. 2 (2014): 284–99を参照のこと。

44 **『ニューヨーク・タイムズ』に掲載された興味深い事例を取りあげよう**：Michael Wilson, "After a Funeral and Cremation, a Shock: The Woman in the Coffin Wasn't Mom," *New York Times*, March 21, 2016.

45 **「駒を動かす前に、初心者のような気持ちで状況を見よ」**："Play Like a Beginner!," Chess.com, April 3, 2016, www.chess.comを参照のこと。

47 **「グランドマスターを目指すにはすくなくともスタートを切っていなければならないとされる5歳のとき」**：Adam Thompson, "Magnus Carlsen, an Unlikely Chess Master," *Financial Times*, Nov. 28, 2014.

47 **「確率論的結果学習」**：K. Janacsek et al., "The Best Time to Acquire New Skills: Age-Related Differences in Implicit Sequence Learning Across Human Life Span," *Developmental Science* 15, no. 4 (2012): 496–505を参照のこと。

48 **「特定の刺激に対して神経系がとくによく反応し、変化しやすい」**：Virginia B. Penhune, "Sensitive Periods in Human Development: Evidence from Musical Training," *Cortex* 47, no. 9 (2011): 1126–37.

49 **私の脳はたぶん、母国語の音にばっちり〝チューン済み〟であるため**：Amy S. Finn et al., "Learning Language with the Wrong Neural Scaffolding: The Cost of Neural

ンド』鈴木俊隆著、松永太郎訳、サンガ、2012年〕

39 〝**自分が知らないことに出会う旅**〟：こうした考え方は、サンフランシスコ禅センターの元住職であるミョウゲン・スティーブ・スタッキー（Myogen Steve Stucky）による興味深い講話 “Cultivate Beginner's Mind” から引用した。この講話はsfzc.orgで聞くことができる。

39 **「あなたは、決して意図して次の部屋に移るのではない。ただ、そうなってしまうのだ。扉を見つけ、それをくぐると、そこには新たな喜びがある」**: Norman Rush, *Mating* (New York: Vintage Books, 1992), 337を参照のこと。

39 **「急勾配の学習曲線」**：この言葉を取り巻く経緯に関する興味深い議論についてはBen Zimmer, “A Steep ‘Learning Curve’ for ‘Downton Abbey,’ ” *Vocabulary.com Blog*, Feb. 8, 2013, www. vocabulary.comを参照のこと。

42 **「技術がないうえに、それを自覚してもいない」**: J. Kruger and D. Dunning, “Unskilled and Unaware of It,” *Journal of Personality and Social Psychology* 77, no. 6 (1999): 1121–34.

42 **追加の研究では**: ダニングとカルメン・サンチェスは、参加者たちがゾンビ発生に際して、その被害者を診断するという設定の実験を考案、実施した。「これは間違いなく、参加者全員にとって未知のシナリオであったため、全員をまったくの初心者としてスタートさせることができた」と彼らは述べている。架空の被害者たちは症状の似ている「2つのパターンのゾンビ病」にかかっており、目的はそのどちらであるか診断を下すことだ。そして参加者には一度診断を終えるごとに、正しい選択をしたかどうかフィードバックを与える。実験を通じて、参加者たちはより多くの患者を診ることでじょじょに診断が上手くなっていった。

だが実際の診断の成功率よりも先にあがったのは参加者の〝予想成功率〟だった。初めての成功に舞い上がり、初心者からすこし進んだにすぎない彼らは自信過剰に陥っていたのだ。詳しくはDavid Dunning and Carmen Sanchez, “Research: Learning a Little About Something Makes Us Overconfident,” *Harvard Business Review*, March 29, 2018を参照のこと。

42 **トップクラスのチェスプレイヤーは指すスピードも非常に速いことが多い**: B. D. Burns, “The Effects of Speed on Skilled Chess Performance,” *Psychological Science* 15 (July 2004): 442–47.

43 **チェスのプロは過去のゲームで指した手にとらわれすぎて**: ある研究では、グランドマスターたちにチェスの譜面を見せ、その状況からもっともすばやく勝つ手順を探すよう頼んだ。譜面は、長いがよく知られている詰め方と、短いが新しい詰め方の両方がある状態にしてある。すると彼らは、盤面全体を見て答えを出したと実験者に報告したものの、視線を追跡するソフトウェアによって真実があきらかになった。彼らは慣れ親しんだ手からどうしても目を離すことができなかったのだ。M. Bialić et al., “Why Good Thoughts Block Better Ones: The Mechanism of the Pernicious Einstellung (Set) Effect,” *Cognition* 108, no. 3 (2008): 652–61.

43 **ロンドンのタクシードライバーに関する実験について考えてみよう**: Katherine Woollett and Eleanor A. Maguire, “The Effect of Navigational Expertise on Wayfinding in New Environments,” *Journal of Environmental Psychology* 30, no. 4 (2010): 565–73を参照のこと。

43 **「過剰学習」してしまったロンドンが**: これと同じく、記憶の想起に関する実験では、過去

35 **ひとつ興味深い実験がある**: Julia A. Leonard et al., “Infants Make More Attempts to Achieve a Goal When They See Adults Persist,” *Science*, Sept. 22, 2017, 1290–94.

37 **アーチェリーの初心者は弓を強く握りすぎなうえに、狙いは遠すぎる**: “These Archery Mistakes Are Ruining Your Accuracy,” Archery Answers, archeryanswers.comにくわえて、“9 Common Archery Mistakes and How to Fix Them,” The Archery Guide, Nov. 30, 2018, thearcheryguide.comを参照のこと。

37 **新人の自動車整備士は、オイルをこぼし、ホイールナットを折り、ねじ山を潰す**: “5 Annoying Things Beginner Mechanics Do,” Agradetools.com, agradetools.com.

37 **「海の深い場所と浅い場所がどれほど見分けづらいか」**: この例はLarry MacDonald, “Learn from Others' Boating Mistakes,” *Ensign*, theensign.orgからとった。

37 **新人のランナーは10キロのレースでふらふらになって脱水症状を起こす**: R. L. Hughson et al., “Heat Injuries in Canadian Mass Participation Runs,” *Canadian Medical Association Journal* 122, no. 1 (1980): 1141–42.

37 **スノーボードでも怪我をするのはたいてい初心者だ**: Christopher Bladin et al., “Australian Snowboard Injury Data Base Study: A Four-Year Prospective Study,” *American Journal of Sports Medicine* 21, no. 5 (1993): 701–4.

37 **乗馬競技では、上級者に比べて初心者は怪我をする可能性が8倍も高い**: John C. Mayberry et al., “Equestrian Injury Prevention Efforts Need More Attention to Novice Riders,” *Journal of Trauma: Injury, Infection, and Critical Care* 62, no. 3 (2007): 735–39.

37 **初めて飛ぶ人は一度でも経験のある人に比べて、怪我をする可能性が12倍にもなる**: Anton Westman and Ulf Björnstig, “Injuries in Swedish Skydiving,” *British Journal of Sports Medicine* 41, no. 6 (2007): 356–64を参照のこと。

38 **「神経生物学的に極端な状態」**: Krishna G. Seshadri, “The Neuroendocrinology of Love,” *Indian Journal of Endocrinology and Metabolism* 20, no. 4 (2016): 558–63を参照のこと。

38 **生まれたばかりの赤ん坊のように、わけのわからない言葉をしゃべるようになってしまう場合もある**: Meredith L. Bombar and Lawrence W. Littig Jr., “Babytalk as a Communication of Intimate Attachment: An Initial Study in Adult Romances and Friendships,” *Personal Relationships* 3, issue 2 (June 1996): https://onlinelibrary.wiley.com/doi/abs/10.1111/j.1475-6811.1996.tb00108.x.

38 **「予測エラー」**: 予測エラーは運動学習の分野における重要な要素である。これはわかりやすく言えば、失敗によって脳内のドーパミン分泌が一時的に抑えられてしまうということだ。なぜなら脳は悪いことには報酬を与えないからである。失敗はとくに脳の注意を引くため、学習の中心となる。この点についてはR. D. Seidler et al., “Neurocognitive Mechanisms of Error-Based Motor Learning,” in *Progress in Motor Control: Neural, Computational, and Dynamic Approaches*, ed. Michael J. Richardson, Michael A. Riley, and Kevin Shockley (New York: Springer, 2013) で深く論じられている。

39 **「初心者の心には多くの可能性がある。しかし専門家の心にはほとんどない」**: Shunryu Suzuki, *Zen Mind, Beginner's Mind: Informal Talks on Zen Meditation and Practice* (Boston: Shambhala, 2011), 1を参照のこと。〔『禅マインド　ビギナーズ・マイ

れるのかもしれない。ジョバンニ・サラとフェルナン・ゴベットも以下の記事で同様の見解を提示している。Giovanni Sala and Fernand Gobet, “Do the Benefits of Chess Instruction Transfer to Academic and Cognitive Skills? A Meta-analysis,” *Educational Research Review* 18 (May 2016): 46–57.

21 **「頭の使い方を教える方法」**: Dianne Horgan, “Chess as a Way to Teach Thinking,” Article No. 11 (1987), United States Chess Federation Scholastic Department.

21 **男性プレイヤーのレーティングが高くなりがちなのは**: たとえばLisa Zyga, “Why Men Rank Higher Than Women at Chess (It's Not Biological),” Phys Org.com, Jan. 12, 2009, phys.orgを参照のこと。

21 **「女の子が男の子に負ける確率は、もともとのレーティングの違いでは説明がつかないほど高い」**: Hank Rothgerber and Katie Wolsiefer, “A Naturalistic Study of Stereotype Threat in Young Female Chess Players,” *Group Processes and Intergroup Relations* 17, no. 1 (2014): 79–90を参照のこと。

第１章　初心者になるための入門書

27 **「あなたは、子を持ったこともないのに、親になるのがどんなことなのか理解できると思っているかもしれない」**: L. A. Paul, “What You Can't Expect When You Are Expecting,” *Res Philosophica* 92, no. 2 (2015): 149–70.

28 **子どもが生まれたばかりの両親に、家のなかの状況のサンプルを見せて**: Joanna Gaines and David C. Schwebel, “Recognition of Home Injury Risks by Novice Parents,” *Accident Analysis and Prevention* 41, no. 5 (2009): 1070–74.

28 **子どもにどのように話しかけるかといった基本的なことですら**: ある研究では、両親が〝親言葉〟――要は〝赤ちゃん言葉〟ではなく、普通の言葉を上手く使うことで内容を伝えるやり方――の訓練を受けた場合と、そうでない場合では、前者のほうがより言葉の巧みな赤ちゃんが育つ、としている。Naja Ferjan Ramírez et al., “Parent Coaching at 6 and 10 Months Improves Language Outcomes at 14 Months: A Randomized Controlled Trial,” *Developmental Science* (2018): e12762, doi:10.1111/desc/12762を参照のこと。

29 **「無誤学習」**: これについてはJanet Metcalfe, “Learning from Errors,” *Annual Review of Psychology* 68 (2017): 465–89によくまとまっている。

30 **著者たちは、「大人である私たちも、すくなくともときおり子どものような学習力を見せる場合がある」としている**: Alison Gopnik, Andrew Meltzoff, and Patricia Kuhl, *The Scientist in the Crib* (New York: Harper Perennial, 1996), 196.

33 **〝マイクロマスタリー〟**: ロバート・トゥイガーの楽しめる著書『マイクロマスタリー』Robert Twigger, *Micromastery: Learn Small, Learn Fast, and Unlock Your Potential to Achieve Anything* (New York: TarcherPerigree, 2017) を参照のこと。

34 **〝人生の履歴書〟**: この言葉はジェシー・イッツラー（Jesse Itzler）から借用した。

35 **「象徴的自己実現理論」**: これについての議論は、Eddie Brummelman, “My Child Redeems My Broken Dreams: On Parents Transferring Their Unfulfilled Ambitions onto Their Child,” *PLOS One*, June 19, 2013, doi.org/10.1371/journal.poe.0065360を参照のこと。

註

Notes

プロローグ　序盤戦の定跡

10 **「私は人間の自我を壊す瞬間が好きだ」**: Larry Evans, "Dick Cavett's View of Bobby Fischer," *Chess Daily News*, Aug. 24, 2008, web.chessdailynews.com.

11 **キーンズ・ステーキハウス**: Frank Brady, "The Marshall Chess Club Turns 100," *Chess Life*, Sept. 2015, 2–7を参照のこと。

13 **子どもが大人と同等、あるいはそれを凌ぐ技量を身につけられる数少ない世界の1つであり**: このことについてはWolfgang Schneider et al., "Chess Expertise and Memory for Chess Positions in Children and Adults," *Journal of Experimental Child Psychology* 56, no. 3 (1993): 328–49で言及されている。

13 **12歳の子どもが無邪気にもあなたの生皮を剥いでしまうこともある**: アプライド・コグニティブ・サイコロジー誌に掲載された論文では「とくに目を引く事実」として、「普段は論理的とは思われていない子どもが、チェスの大会で大人と互角に渡り合うこと」を挙げている。Dianne D. Horgan and David Morgan, "Chess Expertise in Children," *Applied Cognitive Psychology* 4, no. 2 (1990): 109–28.

19 **それだけの学習法で**: James Somers, "How Artificial-Intelligence Program AlphaZero Mastered Its Games," *New Yorker*, Dec. 3, 2018を参照のこと。

19 **コーチの助けも借りることなく**: この点については、ディープマインド社の研究者であるマシュー・ライがMatthew Sadler and Natasha Regan, *Game Changer* (Alkmaar, Neth.: New in Chess, 2019), 92のなかで指摘している。

19 **「もしチェスで上達したいなら、対局に時間を使うよりも、一人でグランドマスターの棋譜を研究すべきだ」**: Anders Ericsson and Robert Pool, *Peak: Secrets from the New Science of Expertise* (Boston: Houghton Mifflin Harcourt, 2016).〔『超一流になるのは才能か努力か?』アンダース・エリクソン、ロバート・プール著、土方奈美訳、文藝春秋、2016年〕

20 **そうした問題を扱った研究は概して小規模で**: この資料の全貌を知りたい人はFernand Gobet and Guillermo Campitelli, "Educational Benefits of Chess Instruction: A Critical Review," in *Chess and Education: Selected Essays from the Koltanowski Conference*, ed. T. Redman (Richardson: Chess Program at the University of Texas at Dallas, 2006), 124–43を参照のこと。

21 **「因果の方向性」**: たとえばMerim Bilalić and Peter McLeod, "How Intellectual Is Chess—a Reply to Howard," *Journal of Biosocial Science* 38, no. 3 (2006): 419–21を参照のこと。

21 **目に見えるメリット**: あるいはチェスの効果は一種のプラシーボにすぎず、こうしたメリットは、大人がしっかりと見守るなかで子どもたちがおこなう活動であれば、ほかのものからも得ら

■著者紹介

トム・ヴァンダービルト（Tom Vanderbilt）

作家、ライター。『ニューヨーク・タイムズ』『ウォール・ストリート・ジャーナル』『ポピュラー・サイエンス』『スミソニアン』など、多くの新聞、雑誌に寄稿している。著書に『となりの車線はなぜスイスイ進むのか？――交通の科学』『ハマりたがる脳――「好き」の科学』（早川書房）などがある。また、『トゥデイ』やBBCの『ワールドサービス』、NPRの『Fresh Air』など、テレビやラジオのさまざまな番組に出演している。ニューヨーク・ブルックリン在住。

■訳者紹介

井上大剛（いのうえ・ひろたか）

翻訳者。大正大学および国際基督教大学卒。訳書に『インダストリーX.0』（日経BP）、『ウィンストン・チャーチル　ヒトラーから世界を救った男』（共訳、KADOKAWA）など。

2022年1月3日 初版第1刷発行

フェニックスシリーズ⑬⓪

初心《しょしん》にかえる入門書《にゅうもんしょ》

――年齢や経験で何事も面倒になった人へ

著　者　トム・ヴァンダービルト
訳　者　井上大剛
発行者　後藤康徳
発行所　パンローリング株式会社
〒160-0023　東京都新宿区西新宿7-9-18　6階
TEL 03-5386-7391　FAX 03-5386-7393
http://www.panrolling.com/
E-mail　info@panrolling.com
装　丁　パンローリング装丁室
印刷・製本　株式会社シナノ

ISBN978-4-7759-4260-4